ZAMIEŃ CHEMIĘ NA JEDZENIE

MOJEMU MĘŻOWI I DZIECIOM

JULITA BATOR

ZAMIEŃ CHEMIĘ NA JEDZENIE

WYDAWNICTWO ZNAK
KRAKÓW 2013

Projekt okładki
Grzegorz Araszewski

Opieka redakcyjna
Damian Strączek

Konsultacja
Elżbieta Wenda – dr nauk chemicznych
Jadwiga Grzybacz – mgr ochrony środowiska

Adiustacja
Urszula Horecka

Korekta
Barbara Wójcik

Indeks
Urszula Horecka
Barbara Wójcik

Opracowanie typograficzne i łamanie
Agnieszka Szatkowska-Malak

ISBN 978-83-240-2045-4

znak

Książki z dobrej strony: www.znak.com.pl
Społeczny Instytut Wydawniczy Znak, 30-105 Kraków, ul. Kościuszki 37
Dział sprzedaży: tel. (12) 61 99 569, e-mail: czytelnicy@znak.com.pl

SPIS TREŚCI

LISTA PRZEPISÓW

WSTĘP

Znane powiedzenie mówi, że potrzeba jest matką wynalazków. Dokładnie tak narodził się ten poradnik – z potrzeby właśnie. Będąc młodą matką trójki notorycznie chorujących dzieci, szukałam wiedzy, która pozwoliłaby mi na sensowną zmianę ich żywienia i opracowanie diety wspierającej całą moją rodzinę w walce z wirusami i bakteriami.

Postanowiłam dobrze przygotować się do tego zadania. Sięgnęłam po poradniki z dziedziny dietetyki, medycyny ekologicznej, alergologii. Dzięki tej lekturze dowiedziałam się głównie, czego jeść nie należy. Czułam jednak niedosyt i swego rodzaju pustkę, gdyż wciąż nie otrzymywałam odpowiedzi na swoje zasadnicze pytanie: Co zatem powinniśmy jeść ja i moja rodzina? Proponowano mi albo diety eliminacyjne, wegetariańskie czy wegańskie, albo diety z innych kręgów kulturowych. Wszystkie te rozwiązania wydawały mi się zbyt radykalne i trudne do wprowadzenia w życie. Spróbowałam poszukać własnej drogi. Z różnych źródeł zaczęłam więc gromadzić wiedzę, która stopniowo pozwalała mi żywić rodzinę zdrowo i nie zmuszała do zasadniczej zmiany naszych dotychczasowych przyzwyczajeń kulinarnych. Poradnik ten jest więc w dużej mierze zapisem osobistego eksperymentu, który przeprowadziłam na sobie i bliskich.

Książka ta nie jest pracą naukową, nie jest też pozycją z dziedziny dietetyki *sensu stricto*. Jest natomiast owocem moich poszukiwań zdrowej żywności i wynikiem praktycznego stosowania (z powodzeniem od ponad czterech lat) zasad zdrowego odżywiania. Dzielę się w niej swoją historią, opisuję drogę, jaką przeszłam wraz z rodziną od chwili, gdy z mojej piersi wyrwało się radosne: „Eureka!", kiedy to zaświtała mi w głowie myśl o niszczycielskiej sile „chemii" w pożywieniu, aż do teraz, kiedy mam już niejakie pojęcie o tym, jak nie dać się jej pokonać.

Główny akcent kładę zatem na niechcianą obecność szkodliwych dodatków w produktach spożywczych i pokazuję, jak je omijać. Podaję informacje o tym, czy skład podstawowych produktów spożywczych pozwala beztrosko cieszyć się ich smakiem, czy raczej skłania do zatrzymania produktu na wypadek niezapowiedzianej wizyty Marsjan. Staram się pokazać, że zdrowa żywność to nie tylko droższa żywność ekologiczna. W dzisiejszych czasach niemożliwe jest życie bez chemii, ale wykonalne jest jej radykalne ograniczenie.

Niektóre produkty, np. środki słodzące, starałam się opisać bardzo dokładnie, wychodząc z założenia, że cukier jest jednym z bardziej podstępnych wrogów naszego zdrowia, czai się bowiem niemal wszędzie i to pod wieloma postaciami. Kolejnym powodem, dla którego tak wiele miejsca poświęciłam środkom słodzącym i słodyczom, jest to, że najwięcej trudu kosztowało mnie (i nadal kosztuje) rozprawianie się na każdym kroku z bombardującymi moje dzieci ze wszystkich stron słodyczami. Inne produkty spożywcze, te w miarę bezpieczne (np. herbatę), potraktowałam nieco po macoszemu, inne zaś, które należą do tak mocno przetworzonych produktów spożywczych, że nawet nie zasługują na uwagę (np. żywność typu *fast food*), są ledwo wspomniane.

Dzieląc się informacjami na temat wyrobów, których należy unikać ze względów zdrowotnych, podaję równocześnie propozycje ich zamiany na zdrowe odpowiedniki. Zamieszczam w książce wypróbowane przepisy, dokładnie jest ich osiemdziesiąt trzy, nie da się bowiem zdrowo odżywiać, korzystając z gotowych produktów. Przepisy owe należy traktować jako wstęp do własnej twórczej działalności kulinarnej.

W poradniku opisuję przypadek swojej rodziny, wspominam również pobieżnie historie bliskich mi osób. Nie jestem ani lekarzem, ani dietetykiem i nie uzurpuję sobie prawa do ferowania autorytarnych wyroków w kwestii, jakie jedzenie jest dobre, a jakie złe. Kierowałam się własnym doświadczeniem i obserwacją, które na bieżąco wzbogacałam wiedzą zaczerpniętą z różnych artykułów prasowych, naukowych oraz książek dotyczących poszczególnych produktów czy zjawisk z dziedziny żywienia.

Nie jestem w stanie dać nikomu gwarancji, że po odstawieniu chemii w pożywieniu jego stan zdrowia ulegnie natychmiastowej i zauważalnej poprawie (co zdarzyło się we wszystkich obserwowanych przeze mnie przypadkach), ale na pewno (to gwarantuję) nikomu taka zmiana nie zaszkodzi!

Pragnę podkreślić, że nie jestem kosmitką ani tzw. walczącą ekolożką. Mimo całej determinacji nie udaje mi się w stu procentach realizować wszystkich propozycji z tego poradnika przez cały czas. Są okresy, takie jak np. wyjazd wakacyjny, kiedy pozwalam swoim dzieciom na chwile (w ich poczuciu) „normalności” i zabieram je na hamburgera z frytkami. Kiedy idą na urodziny do przyjaciół, proszę, żeby darowały sobie chipsy i colę, ale nie robię awantury, kiedy im się to nie uda. Jednym nasz sposób życia „bez chemii” może się wydawać zbyt radykalny, według innych, którzy być może mają w sobie jeszcze więcej determinacji niż ja, jest on zbyt mało zdrowy.

Najważniejszy jest pierwszy krok, mocne postanowienie zmiany (poprawy) żywienia i znalezienie motywacji. Aby uniknąć rewolucji w życiu rodzinnym, nowości najlepiej wprowadzać stopniowo, np. jedną w tygodniu. Ten, kto lubi piec, może się skupić na pieczeniu chleba czy ciasteczek ze zdrowych zamienników. Kto lubuje się w robieniu przetworów (należę do tej grupy), niech daje w wakacje upust swoim zapędom w tej dziedzinie. Nie wszystkie porady muszą być wprowadzane równocześnie ani przestrzegane ze stuprocentową rzetelnością.

Wiek dwudziesty przyniósł nam niespotykany nigdy wcześniej postęp technologiczny w niemal każdej dziedzinie życia. Wiele z tych zdobyczy przysłużyło się człowiekowi, ratując, przedłużając bądź ułatwiając mu życie. Niektóre wynalazki poddane weryfikacji przez upływ czasu niestety nie wytrzymują krytyki. Przemysł technologii żywności rozwinął sposoby na konserwowanie pożywienia, dzięki czemu jest ono dłużej zdatne do spożycia. Stosowane do konserwowania substancje mają jednakże negatywny wpływ na nasze zdrowie. Odpowiedzią na rozczarowanie niektórymi aspektami postępu jest zwrot ku tradycji, ku temu, co dobrze znane, przewidywalne i swojskie. Na świecie coraz większe rzesze zwolenników zdobywa filozofia *slow life* stawiająca na powolną, niespieszną codzienność, w której jest czas na delektowanie się smakiem życia. Coraz bardziej zauważalna staje się również próba zbliżenia się do natury i dobrowolna rezygnacja z tętniącego życiem miasta na rzecz spokojniejszej egzystencji na wsi po to, by tam hodować zwierzęta i uprawiać warzywa. Tak zdecydowali np. moi rodzice. Przez większą część swojego dorosłego życia mieszkali w miejskim bloku, a dopiero w okresie „okołoemerytalnym" przenieśli się na wieś. I zamiast po prostu odpoczywać, założyli pasiekę, zaczęli hodować kury, gęsi i kaczki. Podobny trend obserwuję wśród różnych znajomych. Niektórzy z nich „uciekli" za miasto, by dzieci oddychały świeższym powietrzem, inni założyli szklarnię, gdzie uprawiają pomidory, jeszcze inni zamienili garaż na kurnik. Każdy z nas może trochę zwolnić tempo życia, nikomu to nie zaszkodzi. Znane porzekadło mówi, że co nas nie zabije, to nas wzmocni. W przypadku żywności przetworzonej jest dokładnie odwrotnie. Procesy, jakim poddawana jest żywność, zanim trafi na nasz stół, substancje chemiczne dodawane do niej w celu zwiększenia trwałości – to wszystko osłabia nasze zdrowie. Nie namawiam nikogo, aby od jutra zaczął zbierać korzonki i polować na żubry w Puszczy Białowieskiej. Dieta korzonkowa na dłuższą metę mogłaby bowiem zaszkodzić, a żubry – zgodnie z moją wiedzą – są pod ochroną. Namawiam natomiast do tego, aby w rozsądny sposób korzystać ze zdobyczy nauki i techniki.

Jak ma się zachęta do życia w stylu naszych praojców (którzy średnio żyli krócej od nas) do argumentu, że obecnie średnia wieku życia ludzkiego się wydłuża? Z historii i literatury wiemy, że ludzkość była w ciągu wieków dziesiątkowana przez wojny, epidemie, głód, niedożywienie oraz wysoką śmiertelność noworodków, brak higieny, a także zwykłe choroby. Dziś, kiedy postęp medycyny jest niekwestionowany, kiedy diagnostyka osiąga wyżyny swoich możliwości, gdy rozwój technologiczny nabiera niewiarygodnie szybkiego tempa, kiedy (przynajmniej w naszym obszarze geograficznym) nie nękają nas epidemie, głód, wojny, a przeżywalność noworodków jest naprawdę duża, powinniśmy, rozkoszując się czerstwym zdrowiem, dożywać sędziwego wieku. Czy faktycznie tak jest? „Wzbogacanie” żywności syntetycznymi i półsyntetycznymi dodatkami, uprawy GMO na masową skalę, stosowanie środków ochrony roślin, skażenie żywności metalami ciężkimi, nadużywanie lekarstw, a zwłaszcza antybiotyków – te wszystkie zjawiska są stosunkowo nowe. Co chwila powstaje jakiś nowy związek chemiczny, nowe lekarstwo, nowy konserwant czy stabilizator. Musimy mierzyć się z tymi wszystkimi nowymi rzeczami w przyspieszonym tempie. Warto zadać sobie pytanie: Czy odbije się to w jakiś sposób na naszym zdrowiu? To pytanie rodzi łańcuszek kolejnych: Czy z tego, że zawartość słoiczka z marchewką przeznaczoną dla niemowląt nie uległa zepsuciu nawet po dwóch tygodniach, można wysnuć wniosek, że nadaje się ona nadal do jedzenia? Przecież nie widać po niej oznak zepsucia. Czy pokusimy się o nazwanie Jane Fondy aktorką w średnim wieku tylko dlatego, że mimo siedemdziesięciu sześciu lat wygląda, jakby miała pięćdziesiąt? (I nie jest to zasługa dobrych genów czy zdrowego stylu życia). Co jakiś czas pojawiają się w prasie doniesienia o tym, że obecnie ciała ludzkie są tak skutecznie za życia konserwowane za pomocą sztucznych konserwantów, iż po śmierci ulegają rozkładowi dużo wolniej niż jeszcze kilkadziesiąt lat temu. Brzmi to bardziej jak ciekawostka niż przestroga, czy jednak nie powinno nas zaniepokoić? Historia dziejów pokazuje, że każda, a zwłaszcza nadmierna ingerencja człowieka w ustalony porządek natury, obraca się przeciwko niemu. Nie wiemy, jak ten przyspieszony rozwój technologiczny wpłynie na nasze zdrowie i środowisko, a tym bardziej na kondycję przyszłych pokoleń. Nie wiemy, czy ktoś, kto za sto lat zdecyduje się na pisanie podobnego poradnika, będzie mógł podzielić się z czytelnikami takim oto przemyśleniem: „Mimo że rocznie zjadamy kilka kilogramów chemii, jemy rośliny z upraw GMO, pijemy wodę zanieczyszczoną azotanami i ołowiem, statystyki pokazują, że jesteśmy zdrowsi i żyjemy dłużej niż pokolenia przed nami". Mało prawdopodobne. Przecież środki ochrony roślin, które w naturze zabijają pszczoły, były wcześniej przebadane w wielu laboratoriach. Podobno wyniki wskazywały, że nie stanowią zagrożenia dla pszczelich rojów.

JAK KORZYSTAĆ Z PORADNIKA

Poradnik złożony jest z dwudziestu rozdziałów, które w większości składają się z podrozdziałów. Niektóre podrozdziały podzielone zostały na jeszcze mniejsze jednostki. W opisie poszczególnych produktów spożywczych wymienia się dodatki do żywności, które potencjalnie mogą się znaleźć w ich składzie. I tak np., analizując etykiety różnych słoiczków z chrzanem, naliczyłam osiem takich dodatków. Nie oznacza to oczywiście, że każdy słoik z chrzanem zawiera wszystkie. Planując zakup chrzanu, warto zatem prześledzić wcześniej listę możliwych dodatków i wybrać taki, który nie będzie zawierać np. disiarczynu sodu E 223, potencjalnie szkodliwego.

Dodatki do żywności wyliczone pod poszczególnymi produktami opatrzone są dodatkowo znakiem graficznym, który określa ich potencjalną szkodliwość.

➕ – taki znak graficzny oznacza, że dodatek jest bezpieczny.

❓ – w taki sposób wyróżnione dodatki do żywności wskazują substancje, które same w sobie nie są toksyczne, ale mogą być szkodliwe przy dużej częstotliwości ich stosowania.

❗ – ten znak zaleca ostrożność, ponieważ dodatek może być szkodliwy.

➖ – tak oznaczonych dodatków lepiej unikać, istnieje bowiem duże prawdopodobieństwo, że są niebezpieczne.

Na końcu książki dokładnie opisano dodatki szczególnie szkodliwe, te, wobec których zalecana jest ostrożność, oraz te, których nie należy nadużywać. Oczywiście nie wymieniłam w poradniku wszystkich istniejących dodatków do żywności, lecz jedynie te najczęściej spotykane w produktach spożywczych. Przepisy (ogólnie znane, pochodzące z blogów lub własnego autorstwa) umieszczam na końcu każdego rozdziału. Dodatkowo znajdują się tu również tzw. informacje praktyczne, oznaczone hasłem „złota rada". Na końcu rozdziałów lub podrozdziałów umieszczam krótkie podsumowanie najistotniejszych zaleceń.

Wiadomości fakultatywne, takie jak definicje pojęć czy dodatkowe informacje dotyczące niektórych wymienionych w poradniku osób przesuwam do ramki obok tekstu, do którego się odnoszą.

Na początku książki umieściłam spis przepisów, natomiast na końcu znalazły się: indeks nazw i przepisów, tabele dodatków do żywności oraz wykaz pozycji książkowych i przydatnych serwisów internetowych, które powinny ułatwić korzystanie z poradnika. Dołączony został także aneks, który zawiera listę polecanych produktów spożywczych dostępnych w sprzedaży.

I. PRZYPADKI STRAPIONEJ MATKI

1 | JAK TO BYŁO U NAS

Pierwszy antybiotyk moja najstarsza córka dostała jeszcze w szpitalu w czwartej dobie życia. (Były to właściwie dwa antybiotyki, aby mieć pewność, że któryś na pewno zadziała na szpitalne bakterie). Po wyjściu ze szpitala w trzecim miesiącu życia zażyła kolejny antybiotyk przepisany na zapalenie ucha. Od tamtej pory do siódmego roku życia dostała około dwudziestu antybiotyków i sterydów wziewnych na powtarzające się zapalenia ucha, zapalenia oskrzeli z towarzyszącymi im dusznościami, dwukrotne zapalenie płuc. Od pierwszych miesięcy towarzyszyły jej ponadto objawy alergiczne: sapka, lejący katar, rumienie, wysypki, nietolerancja nabiału, a później orzechów i innych bakalii.

Moja druga córka przeszła podobną drogę, aczkolwiek w nieco lżejszym wydaniu. Pierwszy antybiotyk został jej zaaplikowany „dopiero" w trzecim miesiącu życia. Kolejne antybiotyki przez następne cztery lata przepisywano jej dość często z powodu nawracających stanów zapalnych oskrzeli i uszu. Oprócz tego, gdy infekcjom towarzyszyły duszności, przyjmowała sterydy wziewne.

Mój syn, najmłodsze dziecko, miał nieco więcej szczęścia, dostał bowiem w swoim życiu tylko jeden antybiotyk, przepisany w czwartym miesiącu życia z powodu zapalenia oskrzeli.

Ponadto wszystkie moje dzieci miały niewiarygodną zdolność przyciągania niczym magnes wszelkich infekcji rotawirusowych w promieniu dziesięciu kilometrów. Naturalnie ja i mąż zarażaliśmy się tymi wirusami i tak sobie ciągle na coś chorowaliśmy. Razem, jak to w rodzinie.

Starałam się tak dokładnie wyliczyć przyjęte przez moje dzieci leki i precyzyjnie określić czas ich zażywania, aby pokazać, że od momentu wprowadzenia zdrowego żywienia (co nastąpiło ponad cztery lata temu) tylko mojej najstarszej córce jeden jedyny raz przepisano antybiotyk. Jest to nieprawdopodobnym sukcesem, zważywszy, że – jak się okazało po zrobieniu badań w Instytucie Immunologii – ma ona problemy z odpornością. Ilość zażytych przez nią antybiotyków i sterydów wziewnych dodatkowo osłabiła jej układ odpornościowy. W momencie mojego pierwszego przebłysku świadomości o zabójczej sile rażenia chemii w pożywieniu najmłodszy syn miał około pół roku. W tym czasie karmiłam go jeszcze piersią. Wchodząc coraz głębiej w zagadnienia etykietek, barwników, emulgatorów i innych glutaminianów, korygowałam nasze przyzwyczajenia żywieniowe, wprowadzając sukcesywnie coraz zdrowsze pokarmy.

Z perspektywy czasu zauważyłam, że odżywiając się zdrowo, mój organizm musiał produkować zdrowsze mleko, skoro dziecko nagle przestało chorować. Natomiast moje starsze córki, które również karmiłam naturalnie, chorowały mimo to bardzo często. W ciężkich i częstych okresach ich chorób wydawało mi się niejednokrotnie, że przypisywanie naturalnemu karmieniu cudownej mocy szczepionki na wszelakie infekcje jest stwierdzeniem ukutym niejako na wyrost. Potwierdzenie swoich spostrzeżeń znalazłam w pewnej książce, w której autor stwierdza, że mleko współczesnych matek jest zanieczyszczone do tego stopnia, że gdyby przebadano je w celu komercyjnym, nie zostałoby dopuszczone do sprzedaży. Dziś jestem pewna, że aby naturalne karmienie nadal mogło odgrywać swoją rolę, jak to było od zarania istnienia człowieka, nie możemy zapominać o krążeniu szkodliwych substancji w łańcuchu pokarmowym. Naturalne karmienie dziecka mlekiem matki jest jego prawdziwym posagiem, jeśli matka odżywia się w sposób naturalny, tj. zdrowy. We wczesnych latach życia moich dzieci drżałam, gdy w pobliżu pojawiał się inny maluch z dla mnie tylko widocznym katarkiem. W mojej głowie włączał się natychmiast alarm: trzeba ratować swoje dziecko! Taka reakcja nie była podyktowana paranoją (choć dla świadków zdarzeń z tamtego okresu pewnie tak to wyglądało, no cóż), tylko doświadczeniem, z którego wynikało, że najbliższe dni spędzimy, pilnując godzin, kiedy należy podać antybiotyk.

Dziś to ja jestem tą wyluzowaną matką, która nie boi się już kataru u innych dzieci, ba, nawet kaszlu. Układ odpornościowy moich latorośli przejął za mnie funkcję strażnika ich zdrowia. To prawdziwa ulga! W końcu mogłam zająć się życiem.

Moje dzieci łapią od czasu do czasu jakieś infekcje wirusowe. Czasem zdarzy się nawet, że opuszczą trzy dni w szkole lub przedszkolu. Zdarza się to jednak tak rzadko, że w pewnym momencie zaczęłam się już bać, że ich układ odpornościowy za bardzo się zmobilizował i że być może to też niedobrze, jako że każda przesada jest niezdrowa. Z ulgą przyjęłam więc złapanie przez któreś z nich w zimie lekkiego przeziębienia.

Zanim weszłam na drogę dobrego żywienia, starałam się dociec przyczyn tak częstych infekcji swoich maluchów. Nie przekonywała mnie opinia lekarza pediatry, który twierdził, że „dziesięć infekcji w roku u dziecka to stan normalny". Nie przemawiało do mnie również to, że większość dzieci wokół mnie także bardzo często chorowała. Przywoływałam za to w pamięci swoje dzieciństwo, które bynajmniej nie upłynęło na kuracjach antybiotykowych i sterydowych. Przez kilka lat szukaliśmy z mężem przyczyny częstych infekcji, odwiedzając alergologa, laryngologa, endokrynologa, immunologa, gastrologa. Okazało się, że mimo typowych objawów alergicznych (sapka, lejący katar, wysypki, rumienie, zapalenia oskrzeli, zapalenia płuc, zapalenia ucha, duszności, co kończyło się najczęściej kolejną kuracją antybiotykową) testy alergiczne, którym poddawały się moje dzieci, nie wykazywały żadnych alergii pokarmowych ani wziewnych.

Przyczyną powyższych dolegliwości była tzw. pseudoalergia, której objawy są takie same jak prawdziwego uczulenia. W pseudoalergii jednak nie bierze udziału układ immunologiczny. O zjawisku pseudoalergii dowiedziałam się ze wspaniałej książki Bożeny Kropki *Pokonaj alergię*. Publikacja ta wyznaczyła również ramy moich dalszych poszukiwań dietetycznych.

Podobne niezwykłe efekty pojawiające się po wyłączeniu chemii z pożywienia odnotowałam, obserwując poprawę zdrowia u siebie i swojego męża, a także wśród grona znajomych. U siebie zaobserwowałam mnóstwo pozytywnych zmian, z których najbardziej godną odnotowania jest ta, że wbrew wcześniejszym przypuszczeniom okazało się, że wcale nie mam chorego żołądka, ponieważ kiedy jem jedzenie, a nie produkty pokarmopodobne, on (żołądek) najzwyczajniej się nie buntuje. Mój mąż pozbył się wielu uciążliwych i niebezpiecznych dolegliwości alergicznych (np. obrzęku krtani). Córka mojej znajomej leczona objawowo na alergię w ciągu pół roku przyjęła kilkanaście antybiotyków i sterydów, co wywołało u niej refluks żołądka. Po wyeliminowaniu konserwantów, aromatów, barwników *etc.* z pożywienia niemal nie choruje. Moja szwagierka, mimo iż zmiany, jakie wprowadziła w swojej rodzinie, nie były radykalne, nawet po umiarkowanej modyfikacji nawyków żywieniowych (przede wszystkim po wyeliminowaniu wysoko przetworzonego nabiału, wędlin, produktów zawierających cukier, barwniki i konserwanty) zauważyła ewidentną poprawę zdrowia u siebie i swojej rodziny. Na koniec tej wyliczanki przytoczę jeszcze przykład kuzynki, która pół roku po wdrożeniu zasad zdrowego żywienia rodziny (bez chemii) zadzwoniła do mnie, żeby podzielić się radosnym odkryciem. Okazało się, że po raz pierwszy w swojej wieloletniej karierze zawodowej nie miała ani jednego opuszczonego dnia pracy z powodu choroby swojej lub dziecka.

Powtórzę więc raz jeszcze: od czasu odkrycia ewidentnego związku między tym, co się je, a samopoczuciem propaguję zdrowe żywienie w bliższej i dalszej rodzinie oraz wśród znajomych. Takie właśnie pobudki kierowały mną, gdy postanowiłam zebrać swoje przemyślenia i doświadczenia i spisać je w formie poradnika.

2 | OŚWIECENIE NA KRECIE

Jednym z impulsów, dzięki którym wprowadziliśmy w domu zdrowe odżywianie, był nasz rodzinny tygodniowy pobyt na Krecie, z opłaconym wyżywieniem.

Długo biłam się z myślami, czy zdjąć na chwilę mundur policjanta i pozwolić dzieciom na wymarzonych wakacjach jeść raz w życiu wszystko, co chcą – i zafundować im zapalenie oskrzeli, wysypki, duszności, ewentualnie zapalenie ucha, wreszcie antybiotyk – czy jak zazwyczaj zachowawczo omijać produkty potencjalnie szkodliwe.

Postanowiliśmy z mężem zaryzykować i nie ograniczać dzieciom dostępu do lodów, deserów, jogurtów.

Oczekiwane perturbacje zdrowotne nie wystąpiły, co odnotowaliśmy ze zdziwieniem i niedowierzaniem, absolutnie nie traktując tego w kategoriach przypadku.

Po powrocie przedyskutowałam tę sytuację z pediatrą. Razem rozważałyśmy wpływ tamtejszego powietrza, ale ta możliwość odpadała z tego względu, że leczniczy efekt inhalacyjny odczuwa się po dłuższym pobycie, na pewno nie po tygodniowym.

Narzuciwszy pelerynę Sherlocka Holmesa, zabrałam się do rozwiązania kreteńskiej zagadki. Wertując informacje na temat

Krety, natknęłam się na wzmiankę o tamtejszej diecie i jej skut-
kach. Kreteńczycy, przestrzegający tradycyjnej diety śródziem-
nomorskiej, obfitującej w świeże lokalne warzywa i owoce,
ryby, oliwę i żywność nieprzetworzoną, należą do jednych z najzdrowszych narodów na świecie. I nagle niczym pomysłowy
Dobromir z kreskówki wykrzyknęłam: „Juhu!". Żywność nieprzetworzona! To jest to! Tu leży pies pogrzebany – pomyślałam.

Jak się okazało, miałam rację: żywność niepotraktowana chemią, nieprzetworzona, ekologiczna, która po prostu jest jedzeniem, a nie tylko jedzenie udaje, była rozwiązaniem fenomenu
kreteńskiego i nadała nowy bieg naszemu życiu rodzinnemu.

3 | MOTYWACJA
Oczywiście należy uczciwie przyznać, że zdrowe żywienie
wymaga poświęcenia większego nakładu czasu, zaangażowania
i pieniędzy. Wybór zdrowego odżywiania jest kwestią prioryte-
tów. Każdy ma do wyboru: czy woli – oszczędzając czas – ser-
wować sobie i swojej rodzinie gotowe, przetworzone produkty,
czy jednak zainwestować czas w zdobywanie i przygotowywanie
zdrowych posiłków, zyskując przy tym wiele w zamian.

Nie należy błędnie utożsamiać pojęcia zdrowej żywności
z żywnością ekologiczną, nasuwa to bowiem jednoznaczne
i nieprawdziwe skojarzenie z wysoką ceną. Zdrowe odżywianie to przede wszystkim świadomy wybór produktów i właściwa
ich obróbka, to między innymi, a nie wyłącznie, żywność ekologiczna. Mam wrażenie, że w świadomości społecznej poku-
tuje wyobrażenie dwóch przeciwstawnych kierunków. Z jednej
strony wysokoprzetworzone, zanieczyszczone produkty oferowane nam przez supermarkety, z drugiej zaś – droga certyfi-
kowana żywność ekologiczna. Opisując swoje doświadczenie,
staram się pokazać istnienie trzeciej drogi, tzw. złotego środka.

Podpowiadam, jakich dokonywać wyborów, by czerpać z obu kierunków i wydobywać z nich to co dla nas najlepsze.

Aby zacząć się zdrowo odżywiać, potrzebna jest – podobnie jak w nauce języka obcego – motywacja. Dla mnie niesłabnącą motywacją jest zdrowie mojej rodziny, a w szczególności dzieci. Nieustannie mam w pamięci czas, kiedy chorowały one na wyścigi, jakby celem stawało się zaliczenie jak największej liczby infekcji w ciągu roku. Na szczęście noce nieprzespane z powodu choroby dzieci, wizyty w przychodni, domowe wizyty lekarzy, zepsute przez choroby wyjazdy i bardzo odczuwalne w domowym budżecie wydatki na leki to już przeszłość. W odmęty niepamięci ulatuje również obrazek z życia rodzinnego, gdy pierwszy śnieg moje dzieci witały z rozpłaszczonym na szybie nosem, patrząc tęsknie na inne (zdrowe) dzieci lepiące bałwana. W koszu wylądowały karty stałego klienta z kilku regularnie odwiedzanych przeze mnie i męża aptek, ponieważ w pewnym momencie przestały być uaktualniane. Moja determinacja w przestrzeganiu zasad z tego poradnika wynika w głównej mierze ze strachu, ale i paradoksalnie z wygody: wygodniej i łatwiej mi się żyje bez chorób.

Pieniądze zaoszczędzone na lekarstwach (antybiotyki, leki przeciwgorączkowe, syropy i tabletki na kaszel, krople do nosa, maści do nacierania itp.), które od ponad czterech lat kupuję sporadycznie, z czystym sumieniem i wręcz przyjemnością przeznaczam na zdrową żywność, np. na syrop z agawy zamiast cukru. Ktoś kiedyś powiedział, że czego się nie wyda na jedzenie, to się zostawi w aptece. Podpisuję się pod tym stwierdzeniem wraz ze swoją rodziną i gronem znajomych.

Kolejną motywację, jaka przyświeca mi w stosowaniu się do opisanych zasad, stanowi brak tęsknoty za chorobami cywilizacyjnymi, które coraz częściej wyliczane są w kontekście złego stylu życia, a więc cukrzycą, nadciśnieniem czy chorobami serca, ale także alergiami czy nowotworami. Na pewne rzeczy nie ma się w życiu wpływu, ale na niektóre choroby zapracowujemy z mozołem sami.

Gdy mówiłam o zaobserwowanych przez siebie zależnościach między jakością pożywienia a częstotliwością występowania chorób (głównie układu oddechowego, infekcji rotawirusowych, reakcji alergicznych) u moich dzieci, męża i u siebie w początkowym okresie moich „odkryć", nie wszyscy moi rozmówcy w nie wierzyli i nie wszyscy traktowali mnie poważnie. Dziś większość osób, którym napomykam o tym związku, podtrzymuje temat i wykazuje zainteresowanie. Myślę, że wynika to z tego, że coraz więcej ludzi dostrzega owe zależności i nie godzi się na świadome trucie siebie i swoich bliskich.

Jednym z piewców zdrowego żywienia jest znany dzięki programom telewizyjnym oraz swoim książkom kucharskim Jamie Oliver, którego chciałabym w tym miejscu zacytować: „Po pierwsze, uważa się, że na żywność dobrej jakości – również ekologiczną – stać tylko klasę średnią albo bogatych. Nieprawda. Pracowałem ze studentami i ludźmi na zasiłkach, którzy jadali

---

JAMIE OLIVER – brytyjski kucharz, autor książek i programów o tematyce kulinarnej, propagator zdrowego żywienia. *Każdy może gotować*, *Włoska wyprawa Jamiego*, *Kulinarne wyprawy Jamiego* – to niektóre z jego książek, zawierające przepisy na smaczne i proste potrawy. W autorskich programach telewizyjnych o tematyce kulinarnej popularyzuje ideę zdrowego odżywiania. Prowadzi w nich m.in. kampanię na rzecz poprawy jakości posiłków w szkołach. W odpowiedzi na jego krytykę skierowaną przeciwko serwowaniu w brytyjskich szkołach żywności typu *fast food* ówczesny premier Wielkiej Brytanii Tony Blair obiecał systemowe podejście do tej kwestii i poprawę jakości szkolnych posiłków. Ze szkół usunięto automaty z batonikami.

lepiej niż niektórzy chłopcy z londyńskiego City zarabiający setki tysięcy funtów rocznie, ponieważ ci pierwsi kupowali rozsądnie. (...) Wszystko, co zjadamy, wpływa na nasze poczucie szczęścia, dobrą kondycję albo ospałość, poprawia siły witalne albo zwiększa podatność na przeziębienia i grypę, sprzyja zdolności myślenia i koncentracji albo ją osłabia. Twoje włosy, paznokcie, budowa, skóra i wszystko, czym jesteś, pochodzi z tego, co jesz.

Bardzo rzadko idziemy do salonu samochodowego, sklepu z telefonami czy sklepu obuwniczego i prosimy o najtańszy i najbardziej dziadowski produkt. Dlaczego więc wchodzimy do supermarketu i wspomagamy firmy, które produkują tanie produkty?".

Poruszając w rozmowach temat dodatków syntetycznych w pożywieniu, słyszę często rady w stylu „proszę nie bać się żyć" czy „nie popadaj w paranoję, od chemii jeszcze nikt nie umarł".

> **ORTOREKSJA** – obsesja na punkcie jakości spożywanego pokarmu.

Nie polemizuję z takimi sformułowaniami, życzę jedynie ich autorom, aby żyli w zdrowiu (mimo chemii). Zauważam również spory odsetek osób, które przyjmują bierną postawę, twierdząc, że chemia jest wszędzie i nie da się jej uniknąć. Częściowo jest to prawda, chemia jest wszędzie, ale przy odrobinie wysiłku można znacznie ograniczyć jej spożywanie.

Jeden z moich znajomych zarzucił mi pół żartem, pół serio ortoreksję. W pierwszej chwili byłam oczywiście oburzona. Jednak po pewnym czasie pomyślałam, że jeśli mam wybór, to owszem, wybieram chorobę na punkcie jedzenia zamiast choroby z powodu złej jakości tegoż.

PODSUMOWANIE:

• znajdźmy motywację do zmiany stylu odżywiania

II. ŻYWNOŚĆ – INSTRUKCJA OBSŁUGI

1 RACJONALNE ODŻYWIANIE

Racjonalne odżywianie czy zdrowy tryb życia to pojęcia, które dziś mają zupełnie inne znaczenie niż jeszcze dekadę temu. W tym czasie zmieniały się zalecenia dietetyczne dotyczące zasad zdrowego żywienia, pojawiały się nowe piramidy żywienia, matki, rodząc kolejne dzieci, dostawały w szpitalu wraz z wyprawką za każdym razem nowe instrukcje dotyczące zasad wprowadzania pierwszych pokarmów.

Ogólne wytyczne dotyczące zdrowego trybu życia, odżywiania zaś w szczególności, jeszcze do niedawna były jasne i jednoznaczne dla każdego, kto się z nimi zapoznawał.

Obecnie, kiedy „prawdziwe" jedzenie stało się towarem luksusowym, niszowym, trudno dostępnym, wypada przyjrzeć się pojęciu zdrowego żywienia przez pryzmat rzeczywistości, jaka stała się naszym udziałem.

Racjonalne żywienie – i to bez kontekstu dietetycznego – nabiera dziś bowiem nowego znaczenia. Oznacza ono, że istotne wydaje się nie to, czy zjemy chleb razowy czy biały, ale to, czy chleb ów powstał rzeczywiście z mąki razowej czy też z gotowej mieszanki w torebce, gdzie produkty z literką E w nazwie stanowią pokaźną część masy całkowitej produktu. To samo dotyczy warzyw. Problem liczby porcji warzyw i owoców, które zdążymy zaserwować naszym pociechom przed zachodem słońca, zdaje się ustępować miejsca pytaniu, czy dany ogórek, pomidor oraz marchewka zostały w swym krótkim życiu potraktowane herbicydem, pestycydem czy innym -cydem.

Tysiące substancji chemicznych wyprodukowanych przez człowieka dostają się do wody, powietrza i gleby, a stamtąd do naszego krwiobiegu. Oddychamy zanieczyszczonym powietrzem, pijemy zanieczyszczoną wodę, jemy pożywienie skażone różnymi środkami -bójczymi i chemią.

Światowa Organizacja Zdrowia (WHO) wyróżnia tzw. choroby dietozależne, do których zalicza się te powstałe wskutek błędów żywieniowych. Do grona owych chorób należą m.in. niedomaganie układu sercowo-naczyniowego, cukrzyca typu 2, nadciśnienie, otyłość, niektóre nowotwory, osteoporoza i wiele innych. W krajach rozwiniętych u podstaw czynników ryzyka przedwczesnych zgonów, którym można zapobiec, leży nieodpowiedni sposób odżywiania.

Niektórzy wręcz mówią o epidemii chorób cywilizacyjnych, mając na myśli obok nowotworów takie schorzenia jak: miażdżyca, osteoporoza, alergie, nadciśnienie, cukrzyca, zaburzenia hormonalne i wiele, wiele innych.

W dokumentalnym filmie o zagrożeniach płynących z zanieczyszczonej chemią żywności *Nos enfants nous accuseront* (Zanim przeklną nas dzieci) pada z ust jakiegoś polityka stwierdzenie, że nowe pokolenie dzieci jako pierwsze we współczesnych dziejach jest w gorszej kondycji zdrowotnej niż pokolenie rodziców.

Trudno obecnie znaleźć osobę, w której bliższym czy dalszym otoczeniu nie byłoby kogoś dotkniętego przez nowotwór. Pamiętam, że jeszcze kilkanaście lat temu za głównego winowajcę chorób nowotworowych uznawano czynniki dziedziczne. Obecnie coraz więcej słyszy się o bezpośrednim wpływie na zapadalność na nowotwory czynników środowiskowych, w tym żywienia.

Choroby nowotworowe zaczynają być plagą. Mimo niekwestionowanego postępu medycyny w ostatnich dziesięcioleciach nastąpiło zwiększenie zachorowalności na raka. Dwudziesty wiek przyniósł ludzkości wydłużenie przeciętnego trwania życia. W krajach rozwiniętych choroby nowotworowe rozwijają się głównie u ludzi w starszym wieku, co można bezpośrednio wiązać z wydłużeniem życia. W Polsce nowotwory są po chorobach układu krążenia jedną z głównych przyczyn zgonów, a analiza tendencji wskaźników zdrowotnych w naszym kraju wskazuje, że zagrożenie chorobami nowotworowymi będzie w dalszym ciągu rosło. Z najbardziej aktualnego raportu dotyczącego występowania nowotworów złośliwych w Polsce wynika, że w 2010 roku nastąpił wzrost zachorowań w stosunku do poprzedniego roku. Bez dyskusji można przyjąć to, że pomiędzy wydłużeniem czasu życia a zwiększeniem zapadalności na raka może istnieć bezpośrednia korelacja, jednak takiego samego rozumowania nie można już zastosować w odniesieniu do dzieci. Od około czterdziestu lat odnotowuje się zmniejszenie umieralności z powodu raka wśród dzieci, ale jednocześnie ich zachorowalność na nowotwory się zwiększa.

Warto sobie chyba zadać pytanie o to, dlaczego tak się dzieje oraz czy koniecznie jedna z wymienionych wcześniej chorób musi się stać naszym udziałem?

Ekspozycja na substancje kancerogenne (rakotwórcze) jest jednym z podstawowych problemów związanych ze wzrostem zachorowalności i liczby zgonów z powodu nowotworów. Sztandarowym przykładem, jaki podaje się w tym kontekście, jest związek przyczynowo-skutkowy między dymem tytoniowym a rakiem płuca.

Wiele z dopuszczonych do użytku dodatków do żywności określanych jest jako (potencjalnie) kancerogenne, czyli rakotwórcze. Czy można zatem wysnuć narzucającą się paralelę o związku między jedzeniem żywności zawierającej szkodliwe, kancerogenne substancje a wzrostem zachorowalności na raka? Na odpowiedź przyjdzie nam zapewne jeszcze poczekać.

Tymczasem możemy się zapoznać z raportem o wpływie substancji chemicznych na gospodarkę hormonalną, który został przedstawiony we wrześniu 2012 roku na Międzynarodowej Konferencji w Sprawie Zarządzania Chemikaliami (ICCM). Raport *State of the Science of Endocrine Disrupting Chemicals – 2012* powstał we współpracy Światowej Organizacji Zdrowia z Programem Środowiskowym ONZ (UNEP) pod kierownictwem prof. Akego Bergmana z Uniwersytetu w Sztokholmie.

Raport dotyczy substancji zaburzających gospodarkę hormonalną zwanych w skrócie EDC (*endocrine-disrupting chemicals*). Jak z niego wynika, w ciągu ostatnich lat nastąpił zauważalny wzrost zaburzeń układu hormonalnego u ludzi. Widoczne jest nasilenie występowania następujących chorób czy nieprawidłowości: obniżenie jakości męskiego nasienia, nieprawidłowy rozwój narządów męskich, niska waga urodzeniowa, przedwczesny poród, zaburzenia neurologiczne, zaburzenia zachowania (ADHD), zwiększenie zapadalności na choroby tarczycy oraz choroby o podłożu autoimmunologicznym, obniżenie wieku dojrzewania dziewcząt. Odnotowano także wzrost liczby nowotworów związanych z zaburzonym funkcjonowaniem układu hormonalnego (takich jak np. rak tarczycy, jajników czy prostaty). U dzieci notuje się w ostatnich latach coraz częstsze występowanie astmy, autyzmu, białaczki czy raka mózgu.

Podejrzanych o wpływ na powyższe dolegliwości jest około ośmiuset związków chemicznych znajdujących się w naszym otoczeniu. Większość z tych substancji nie została w ogóle przebadana. Występują one w wodzie pitnej, w żywności, w powietrzu, w sprzętach codziennego użytku, w zabawkach i kosmetykach. Raport wyraża przekonanie, że aby gatunek ludzki (ale także gatunki zwierzęce) mógł się dalej rozmnażać i rozwijać, potrzebuje zdrowego i sprawnego układu hormonalnego.

Zależność przyczynowo-skutkowa pomiędzy zanieczyszczonym jedzeniem a natężeniem występowania poważnych chorób jest oczywista. Nie da się jej jednakże wykazać w tak prosty sposób jak w przypadku pierwszego lepszego zatrucia pokarmowego. Dochodzi do niego, gdy zjemy jakąś zepsutą potrawę. Nikt nie kwestionuje wtedy jednostki chorobowej i nie żąda od nas badań naukowych.

Kilkaset lat temu szesnastowieczny medyk Paracelsus, zwany ojcem nowożytnej medycyny, wypowiedział zdanie, że to „dawka czyni truciznę". Oznacza to, że każda substancja chemiczna może stać się trucizną w zależności od dawki, w jakiej jej użyjemy. Gdyby Paracelsus jakimś cudem znalazł się w dzisiejszych czasach i dostrzegł związek między ilością substancji chemicznych, z którą każdy z nas codziennie się styka (w pożywieniu, w powietrzu, w wodzie), z liczbą chorób i dolegliwości, z jakimi się wszyscy zmagamy (mimo ogromnego przecież postępu medycyny), mógłby z przerażeniem stwierdzić, że zignorowano jego myśl.

2 ŻYWNOŚĆ EKOLOGICZNA A ŻYWNOŚĆ PRZETWORZONA

Żywność ekologiczna, zwana również organiczną, ma tę przewagę nad produkowaną na masową skalę, że jej wytwarzanie obwarowane jest licznymi regulacjami, w związku z czym można przyjąć, iż daje nam gwarancję wyższej jakości.

Rośliny z upraw ekologicznych wyrastają na naturalnych nawozach bogatych w sole mineralne, gleba nie jest skażona metalami ciężkimi, a rośliny pestycydami. Zwierzęta hodowane w sposób ekologiczny są karmione w sposób naturalny, do ich pożywienia nie dodaje się hormonów wzrostu ani antybiotyków. Ani rośliny, ani zwierzęta z takich gospodarstw nie mogą podlegać genetycznym modyfikacjom.

Jeżeli na etykiecie produktu umieszczono terminy: „ekologiczny",
„biologiczny", „organiczny" lub ich wersje skrócone „bio" bądź „eco",
to musi się na niej także znaleźć numer identyfikacyjny jednostki
certyfikującej (np. PL-EKO-13) oraz (od 1 lipca 2010 roku) wspólnotowe
logo rolnictwa ekologicznego, a także oznaczenie miejsca, w którym
wyprodukowano nieprzetworzone produkty rolnicze.

Jednostki certyfikujące w rolnictwie ekologicznym w Polsce to:
EKOGWARANCJA PTRE Spółka z o.o., PNG Sp. z o.o, COBICO Spółka z o.o,
BIOEKSPERT Spółka z o.o, BIOCERT MAŁOPOLSKA Spółka z o.o, Polskie
Centrum Badań i Certyfikacji SA, AGRO BIO TEST Spółka z o.o, TÜV
Rheinland Polska Spółka z o.o, Centrum Jakości AgroEko Spółka z o.o,
SGS (Société Générale de Surveillance) Polska Spółka z o.o.

Dopiero pokarm uzyskany z takich roślin i takich zwierząt można nazwać prawdziwym jedzeniem, które jest bogate
w składniki odżywcze niezbędne do prawidłowego funkcjono-
wania organizmu człowieka, czyli mówiąc po prostu, do tego, by
przeżyć życie w zdrowiu.

Alergicy, matki karmiące oraz dzieci, rekonwalescenci, ludzie z obniżoną odpornością czy z nadwrażliwością chemiczną
powinni bezwzględnie odżywiać się w sposób jak najbardziej
tradycyjny. Wszyscy pozostali, jeśli chcą się poczuć lepiej (mieć
więcej sił witalnych, odkryć na nowo świat zapachów, wyzwolić
się z wielu drobnych, uporczywych dolegliwości), również powinni wziąć sobie do serca wskazówki z tego poradnika.

W dzisiejszym świecie opanowanym przez człowieka i jego wynalazki (dodajmy dla porządku, że zarówno dobre, jak i złe) coraz
trudniej jest znaleźć regiony nieskażone chemią. Przybywa także
produktów spożywczych genetycznie zmodyfikowanych. Dlatego
też ich odpryski lądują również w żywności ekologicznej.

Z jednej strony żywność ekologiczna stawiana jest na piedestale jako uosobienie tego, co naturalne. Z drugiej zaś wysuwa się zarzuty, że rolnicy gospodarstw ekologicznych także opryskują swoje produkty. Postanowiłam więc zweryfikować te wykluczające się poglądy. Okazało się, że w Polsce w uprawach ekologicznych stosuje się nawozy naturalne, takie jak np. obornik czy roztwór z pokrzywy. Dozwolone są również nawozy mineralne niepochodzące z syntezy chemicznej, zakazane natomiast są mineralne nawozy azotowe. W rolnictwie ekologicznym niedozwolone jest używanie syntetycznych środków chwastobójczych i owadobójczych.

Prawda leży więc niejako pośrodku: uprawy ekologiczne są wprawdzie pryskane, ale stosunkowo małą ilością substancji, ponadto preparaty te są bezpieczniejsze od stosowanych w zwykłym rolnictwie na skalę przemysłową.

Zasada, aby czytać skład gotowych produktów, dotyczy zarówno żywności zwykłej, jak i produktów ekologicznych, ponieważ mogą one zawierać coś, na co – wybierając produkt droższy – nie chcielibyśmy się natknąć, np. cukier czy mleko w proszku.

Żyjąc we współczesnym świecie, w którym – począwszy od marchewki, poprzez skórę do wyrobu obuwia, a na informacji kończąc – przetworzone jest niemal wszystko, chcąc nie chcąc czerpiemy z niego i to, co dobre, i to, co złe. Skutkiem przetwarzania żywności stało się to, że jest ona w dużej mierze pozbawiona składników odżywczych takich jak witaminy, enzymy czy mikroelementy. Odpowiedzią producentów żywności stało się wzbogacanie jej w syntetyczne odpowiedniki brakujących składników. Dzięki przetwórstwu można żywność dłużej magazynować, dalej transportować i dłużej przechowywać po zakupie. Korzyści zdawałoby się niewątpliwe. A jednak. Powstaje bowiem pytanie: Za jaką cenę? Ceną tą jest pogorszenie stanu naszego zdrowia, otyłość i gorsze samopoczucie.

Należy podkreślić, że żywność nieprzetworzona to taka,
która nie została poddana żadnym, nawet najmniejszym zabie-
gom. Każdy rodzaj obróbki żywności: gotowanie, blanszowanie,
mrożenie, mielenie, nie wspominając o przemysłowym jej prze-
twarzaniu, w jakiś sposób
obniża wartość odżywczą
składników pokarmowych.
W praktyce oznacza to,
że należy starać się jeść
warzywa i owoce także na

> **BLANSZOWANIE** – zanurzenie warzyw na
> krótko we wrzątku, by zachowały smak,
> kolor i aromat. Po blanszowaniu jarzyny
> należy szybko ostudzić w zimnej wodzie.

surowo. Organizm pełniej wykorzysta wówczas bogactwo składników odżywczych w nich zawartych (wyjątek od reguły stanowią np. pomidory, które zyskują na wartości odżywczej dzięki
obróbce cieplnej). Starajmy się nie odgrzewać w nieskończoność
zup, ponieważ wyższa temperatura pozbawi warzywa czy kasze
cennych składników. Nie zagotowujmy jedzenia (jajek, mięsa,
ryżu) „na śmierć".

Do najbardziej przetworzonych produktów zaliczyć można:
żywność typu *fast food*, wyroby cukiernicze, słodzone napoje,
konserwy, białe pieczywo, chipsy.

Zanieczyszczone metalami ciężkimi, nawozami sztucznymi
i środkami ochrony roślin gleby stają się z czasem coraz uboższe
w sole mineralne, skutkiem czego rosnące na nich rośliny też są
uboższe w witaminy i minerały. Zwierzęta spożywające rośliny
pośledniej jakości dostarczają niższej jakości produktów (mleko
czy masło o mniejszej zawartości witamin). Mięso takich zwierząt również będzie uboższe w składniki odżywcze, a bogatsze
w zanieczyszczenia. Ponadto stężenia substancji toksycznych
na kolejnych poziomach łańcucha pokarmowego mogą wzra-
stać, osiągając wartości niebezpieczne dla zdrowia konsumentów wyższych rzędów, w tym także człowieka.

3 AROMAT IDENTYCZNY Z NATURALNYM – O TYM, ŻE „PRAWIE" ROBI WIELKĄ RÓŻNICĘ

Mam nadzieję, że moje prawnuki, aby poznać naturalny smak i kolor truskawki, nie będą musiały w przyszłości odwiedzać żadnego muzeum aromatów i barwników. Robiąc zakupy, mamy coraz częściej do czynienia z żywnością przetworzoną, a tym samym nasze jedzenie już nie ma smaku, tylko aromat, nie ma koloru, tylko barwnik. Może gdybyśmy kilkanaście lat temu zobaczyli taką rzeczywistość w kinie, gdzie przedstawione byłoby to jako szalona wizja reżysera, to byłoby śmiesznie. Jako że owa wizja stała się faktem dokonanym, jest już tylko strasznie.

Jeśli na produkcie spożywczym widnieje określenie: „sztucznie barwione i aromatyzowane", to sprawa jest stosunkowo prosta. Zarówno barwniki, jak i aromaty są syntetyczne i różne od występujących naturalnie w przyrodzie. Najlepiej wtedy ów produkt odłożyć na półkę z pozdrowieniami dla producenta i pójść sobie dalej.

Napis: „aromat" lub „barwnik identyczny z naturalnym", oznacza, że struktura chemiczna zarówno jednego, jak i drugiego jest taka sama jak danego aromatu lub barwnika istniejącego naturalnie w przyrodzie. Powstały one na drodze syntetycznej albo zostały wyekstrahowane z produktu, w którym naturalnie występują. Potencjalna szkodliwość tych niby-identycznych dodatków polega na tym, że nawet jeśli nie są syntetyczne, to spożywamy je w oderwaniu od ich naturalnego środowiska, niszczymy naturalnie istniejące powiązania między nimi. Ponadto dostarczamy ich organizmowi w innym niż naturalne stężeniu i w innych proporcjach.

4 NA TROPIE PRZESTĘPCÓW, CZYLI O DODATKACH SYNTETYCZNYCH

Pytanie za sto punktów brzmi: Ile składników ma jogurt? Najzdrowszy jogurt, a więc zrobiony sposobem domowym, zawiera mleko i żywe kultury bakterii. To są dwa składniki. Jeśli dodamy do niego owoce, wychodzą nam trzy składniki. Kiedy spojrzymy na etykietę jogurtu ze sklepowej półki, okaże się, że wymienia się na niej niewiarygodnie dużo ingrediencji, których nazwy zapisane są w niezrozumiałym dla przeciętnego konsumenta języku.

To samo pytanie o liczbę składników odnieść można do każdego innego produktu. Przy okazji zadać można jeszcze parę innych pytań: Dlaczego – co na pierwszy rzut oka właściwie przeczy logice i zdrowemu rozsądkowi – im więcej składników w danym produkcie, tym tańszy jest ów produkt? Dlaczego do jedzenia zamiast naturalnych składników dodaje się syntetyczne? Dlaczego do produktów dodaje się wzmacniacze smaku? Czyżby naturalny smak był czymś niewystarczającym? Wydaje się, że to, co smakuje nam w naturze, powinno smakować dobrze również jako składnik produktu. Tymczasem, jak się okazuje, sól jest zbyt mało słona, a cukier niewystarczająco słodki – żeby posłużyć się tylko tymi dwoma skrajnymi przykładami. Te i wiele innych pytań nasunęło mi się, kiedy zaczęłam przewartościowywać swoje wiadomości na temat żywienia.

Po przewertowaniu zasobów internetowych doszłam do wniosku, że naszpikowane chemią, a więc potencjalnie toksyczne, jest niemal wszystko, w związku z czym niewiele produktów mogę z czystym sumieniem zaserwować rodzinie na niedzielny obiad. Emulgatory, konserwanty, przeciwutleniacze, wzmacniacze smaku, aromaty, barwniki, stabilizatory, zagęstniki i środki spulchniające to stali goście na naszym stole. Wbrew staropolskiej gościnności potraktować ich należy jednak jak intruzów.

Aby nie dać się zwariować, podeszłam do tematu metodycznie, a mianowicie postanowiłam wytropić w pierwszej kolejności najgroźniejszych spośród przestępców. W sukurs moim poszukiwaniom przyszedł artykuł naukowy zamieszczony w „Przeglądzie Pediatrycznym", z którego wynikało, że obecnie źródłem największych problemów zdrowotnych spośród całej gamy dodatków spożywczych są: benzoesan sodu, glutaminian sodu, siarczyny i ich pochodne, azotyny i ich pochodne, tartrazyna, dwutlenek siarki i kwas sorbowy.

Od tej pory rozpoczęło się moje drugie życie w roli agenta tropiącego złoczyńców zamaskowanych w używanych przeze mnie codziennie produktach spożywczych. W sklepie z bronią dla konsumentów, tj. w jednej z księgarni internetowych, zaopatrzyłam się w książkę *E 213. Tabele dodatków i składników chemicznych, czyli co jesz i czym się smarujesz* i wyruszyłam na wojnę z etykietkami. Uzbrojona w tabele wertowałam niezmordowanie przez parę tygodni niekończące się półki supermarketów i brałam pod lupę opisy na produktach.

Trwało to dosyć długo, ale czas na studiowanie etykiet poświęciłam tylko raz. To procentuje teraz za każdym razem, gdy robię zakupy. Nie tracę już bowiem czasu na jałowe przeszukiwanie półek, spośród dostępnych produktów wybieram te już wcześniej upatrzone, zawierające jak najmniej substancji potencjalnie szkodliwych.

W czasie mojego prywatnego śledztwa rzucił mi się w oczy brak jednoznacznego podziału, który aż się prosi o wprowadzenie, aby klient nie czuł się zdezorientowany podczas zakupów. A mianowicie – podział na chemię przemysłową i chemię spożywczą, gdzie ten drugi rodzaj oznaczałby produkty jedzeniopodobne, a więc *de facto* większość towaru wyłożonego na półkach sklepowych.

PODEJRZANY	PSEUDONIM	PROFESJA	ODPOWIEDZIALNY ZA:	KRYJÓWKA (M.IN.):
benzoesan sodu	E 211	konserwant	pokrzywkę, katar sienny, reakcje alergiczne	napoje bezalkoholowe, keczup, lekarstwa
glutaminian sodu	E 621	wzmacniacz smaku i zapachu	m.in. skurcze oskrzeli, depresję, migrenę, astmę	zupy w torebkach, zupy błyskawiczne, przyprawy do zup w płynie i w proszku
siarczyny i pochodne	siarczyn sodu E 221, siarczyn wapnia E 226	konserwanty	m.in. astmę, podrażnienia żołądka, wysypki, biegunki	suszone owoce, owocowe nadzienia do ciast, owoce i warzywa konserwowe
azotyny i pochodne	azotyn potasu E 249, azotyn sodu E 250	konserwanty	m.in. astmę, bóle i zawroty głowy	wędliny, wędzone i marynowane przetwory mięsne
tartrazyna	E 102	barwnik (żółto-pomarańczowy)	m.in. bóle głowy, wysypki	słodycze, napoje
dwutlenek siarki	E 220	konserwant	m.in. astmę, choroby oskrzeli	suszone owoce, soki owocowe, marynaty
kwas sorbowy	E 200	konserwant	m.in. reakcje alergiczne	bakalie, keczup

Podczas tych poszukiwań nasunął mi się wniosek, że to zaiste cud Boży, że w ogóle jakoś funkcjonujemy, faszerując się farbami, ropą naftową, siarką czy plastikiem. Na szczęście nie wszystkie barwniki, konserwanty, emulgatory są toksyczne. Okazało się, że spośród dostępnych produktów można wybrać takie, które są bezpieczne lub przynajmniej akceptowalne. Produkty naszpikowane najbardziej toksycznymi dodatkami postanowiłam sama zastąpić podobnymi własnej produkcji. I w ten oto sposób, chcąc nie chcąc, zostałam Adamem Słodowym w spódnicy, a moim głównym mottem, które w dużej mierze towarzyszy mi z wyboru do dziś, stało się „zrób to sam(a)". (Młodszym pokoleniom spieszę wyjaśnić, że pan Adam Słodowy prowadził w telewizji w okresie PRL-u program *Zrób to sam*. Adam Słodowy to taki MacGyver epoki PRL-u. Oczywiście w odniesieniu do umiejętności, a nie wykonywanej profesji). Kiedyś zadawałam sobie pytanie: Po co robić, skoro można kupić? Teraz zaś pytam siebie najczęściej: Po co kupować, skoro można zrobić?

• Wymagania i procedury konieczne dla zapewnienia bezpieczeństwa żywności i żywienia określa Ustawa o bezpieczeństwie żywności i żywienia.

• Definicja dodatków do żywności znajduje się w rozporządzeniu Parlamentu Europejskiego i Rady (WE) nr 1333/2008.

• **Dodatki do żywności** są: „substancjami, które w normalnych warunkach nie są spożywane same jako żywność, ale dodawane są do żywności celowo, ze względów technologicznych określonych w niniejszym rozporządzeniu, takich jak konserwowanie żywności. Niniejszym rozporządzeniem należy objąć wszystkie dodatki do żywności, a zatem w świetle postępu naukowo-technicznego należy zaktualizować wykaz rodzajów funkcji pełnionych przez dodatki do żywności. Jednak dana substancja nie powinna być uważana za dodatek do żywności, jeżeli jest stosowana w celu nadania tej żywności określonego aromatu lub smaku lub w celu żywieniowym, jak substytuty soli, witaminy i minerały. Ponadto substancje uważane za środki spożywcze, które mogą być stosowane ze względu na ich funkcję technologiczną, takie jak chlorek sodu czy szafran do barwienia, a także enzymy spożywcze, nie powinny być objęte zakresem stosowania niniejszego rozporządzenia".

• Wykaz dozwolonych substancji dodatkowych, warunki ich stosowania oraz ich maksymalne dopuszczalne poziomy regulowane są odpowiednim rozporządzeniem. Od 1 czerwca 2013 obowiązuje stosowanie zapisów nowego rozporządzenia Komisji UE o dodatkach do żywności. W rozporządzeniu tym żywność została podzielona na 18 kategorii (oraz dodatkowo kategorię 0). Każda kategoria (oprócz kategorii 0 i 18) jest podzielona na podkategorie obejmujące środki spożywcze, do których są dopuszczone substancje dodatkowe.

• Rozporządzenie zawiera również wykaz wszystkich dodatków, które ujęte są w trzech kategoriach:

1. Barwniki.
2. Substancje słodzące.
3. Dodatki inne niż barwniki i substancje słodzące.

• Organami bezpieczeństwa oraz kontroli produktów żywnościowych zawierających dodatki do żywności zajmują się w Polsce w szczególności: Minister Rolnictwa i Rozwoju Wsi, Minister Zdrowia, Minister Środowiska, Inspekcja Jakości Handlowej Artykułów Rolno-Spożywczych, Główny Inspektorat Sanitarny i Główny Inspektorat Weterynarii. W Unii Europejskiej zwłaszcza: Komisja i Rada Europejska, Parlament Europejski, Europejski Urząd ds. Bezpieczeństwa Żywności (EFSA); Na poziomie światowym funkcję tę pełnią m.in.: Organizacja Narodów Zjednoczonych do spraw Wyżywienia i Rolnictwa (FAO), Światowa Organizacja Zdrowia (WHO), Wspólny Komitet Ekspertów FAO/WHO ds. Dodatków do Żywności (JECFA).

5 ORGANIZMY ZMODYFIKOWANE GENETYCZNIE

Skrót GMO (ang. *genetically modified organisms*) oznacza organizmy zmodyfikowane genetycznie. Krzyżowaniem materiału genetycznego między różnymi gatunkami zajmuje się inżynieria genetyczna. Organizmy powstałe w ten sposób są nienaturalne, a więc niezgodne z naturą. Bez ingerencji człowieka, czyli bez pomocy inżynierii genetycznej, nigdy nie doszłoby do skrzyżowania ze sobą gatunków niespokrewnionych.

Specjaliści z różnych dziedzin ostrzegają przed taką żywnością, jako że dotychczas nie przeprowadzono rzetelnych badań dotyczących bezpieczeństwa produktów genetycznie zmodyfikowanych. Kierując się jedynie zdrowym rozsądkiem, można założyć, że gdyby Stwórca chciał, aby truskawki były w rozmiarze melona, to pewnie nadałby im taką wielkość. W przypadku żywności zawierającej GMO warto więc przyjąć postawę zachowawczą i omijać to, co jest nie do końca poznane, czego skutki są nieprzewidywalne dla naszego zdrowia.

Posłużmy się przykładem, który obrazuje skalę problemu. Przedtem jednak zwróćmy uwagę, jak częstym składnikiem różnych produktów jest dodatek sojowy. A teraz uświadommy sobie, że połowa dostępnej w różnej postaci soi to soja zmodyfikowana genetycznie. Na bazie soi wytwarza się m.in. olej, mączkę, lecytynę oraz napój sojowy. Podobnie wygląda sprawa z kukurydzą. Około połowa dostępnych na rynku produktów na bazie kukurydzy pochodzi z kukurydzy genetycznie zmodyfikowanej. Na etykiecie produktów mających w składzie GMO powinna być umieszczona informacja, która będzie zawiadamiać o tym konsumenta. Produkty mające w składzie GMO w ilościach śladowych (poniżej 0,9%) nie muszą być opatrzone informacją o tym dodatku. Oznacza to, że nawet będąc świadomymi konsumentami, jesteśmy narażeni na bezwiedne niejako ich spożywanie.

Pozostaje więc pytanie: Czy jesteśmy w stanie uchronić się przed zmodyfikowaną genetycznie żywnością? Z całą pewnością trzeba spróbować i sięgać po produkty zdefiniowane jako niezmodyfikowane. Taka żywność będzie opatrzona informacją „nie zawiera GMO", „*not GMO*", czy też „*ohne Gentechnik*" lub „*GMO free*", ewentualnie widniał będzie na niej przekreślony napis GMO.

6 DOPUSZCZALNE NORMY SĄ NIEDOPUSZCZALNE

Gdy poruszam w rozmowie – zwłaszcza w towarzystwie ludzi, których myślenie w tej kwestii jest całkowicie odmienne od mojego – temat zanieczyszczenia żywności trującymi dodatkami, najczęstszym wytłumaczeniem, będącym w moim przekonaniu próbą swoistej racjonalizacji problemu, jest mówienie o „dopuszczalnym dziennym spożyciu dodatku x czy y".

Przyznam, że nie do końca rozumiem, w jaki sposób ma działać to „zaklinanie rzeczywistości" za pomocą owych dopuszczalnych norm. Czy każda matka powinna teraz podane przez producentów żywności miligramy mnożyć w pamięci przez masę ciała własnych dzieci i zastanawiać się, czy uzyskany iloczyn mieści się jeszcze w normie, czy już ją może przekroczył?

Zastanawiający i niepokojący jest również brak spójnego myślenia w poruszanej kwestii. Nie bierze się bowiem pod uwagę wszystkich aspektów związanych z problemem dodatków do żywności. Nie jest chociażby znane działanie synergistyczne tych dodatków, a więc ich współdziałanie. Jakkolwiek więc znamy normy dla poszczególnych produktów – to nie zostały określone dopuszczalne normy sumy wszystkich syntetycznych dodatków.

Normy niewątpliwie wprowadzono po to, aby chronić nas przed szkodliwym działaniem, które może wyniknąć z ich przekroczenia. Nie wiadomo jednak, co się dzieje, gdy dany dodatek do żywności, nawet w ilościach nieprzekraczających dopuszczalnych norm, spożywa się przez lata. Nie wiemy również, jaki wpływ na nasz organizm ma spożywanie różnych dodatków, a więc ich kombinacja. Nie jesteśmy wreszcie w stanie przewidzieć, jak działa na nas kumulacja wszystkich dodatków.

Cieszy jednak to, że w ostatnim czasie dochodzi do weryfikacji dotychczasowych dogmatów. Wzięto np. pod lupę szkodliwość barwników, gdyż w końcu zauważono, że wywołują one u dzieci np. nadpobudliwość i rozkojarzenie. Z informatora o dodatkach spożywczych *E 213...* wynika, że część tych uznawanych za pierwotnie niegroźne została z czasem w niektórych krajach wycofana.

Rozporządzenie UE o dodatkach do żywności wymienia sześć barwników, których obecność w produkcie obliguje producenta do umieszczenia na etykiecie produktu następującej informacji: „może wywierać szkodliwy wpływ na aktywność i skupienie uwagi u dzieci". Są to: żółcień chinolinowa E 104, żółcień pomarańczowa E 110, czerwień koszenilowa E 124, azorubina E 122, tartrazyna E 102, czerwień Allura E 129.

Inne rozporządzenie z kolei ogranicza stosowanie niektórych barwników w żywności. Zmniejszone zostały dawki pewnych barwników, a w niektórych produktach zakazano ich stosowania.

Na własny użytek przeprowadziłam wiele rozmów z przedstawicielami korporacji odpowiedzialnymi za produkcję rozmaitych produktów spożywczych. Pytałam ich o konieczność dodawania do żywności przeznaczonej zwłaszcza dla dzieci składników potencjalnie szkodliwych. Za każdym razem słyszałam jedną odpowiedź: „Są odgórnie ustalane normy, których nie przekraczamy". Kiedy następnie wytrwale tłumaczyłam, że normy nie mają w przypadku moich dzieci większego znaczenia, gdyż reagują one negatywnie na poszczególne składniki, dowiadywałam się, że widocznie moje dzieci są nadwrażliwe. Nadwrażliwość moich dzieci nie podlega tutaj oczywiście dyskusji. Uważam jednak, że negatywna reakcja ich młodych organizmów na chemiczne dodatki do żywności – konserwanty, barwniki i aromaty – jest reakcją paradoksalnie naturalną. Farba służy przecież do malowania ścian, ropa naftowa jest paliwem, smołę wykorzystuje się do budowy dróg, a siarkę do produkcji zapałek. Gdy nasze rozumowanie pójdzie tą drogą, to musimy uznać, że składniki owe nie mają prawa znaleźć się w pożywieniu, które sami jemy i serwujemy swoim dzieciom. Nie wiadomo tylko, dlaczego producenci żywności twierdzą inaczej.

To, co przez lata uznawałam za przekleństwo, okazało się na dłuższą metę błogosławieństwem. Dzięki redukcji (całkowita eliminacja jest bowiem niemożliwa) chemii w codziennym życiu, a głównie w pożywieniu, moja rodzina funkcjonuje od ponad czterech lat tak, jak to zapamiętałam z czasów mojego dzieciństwa: choroby zdarzają się sporadycznie jako nieodłączny czynnik życia, ale nie są dominantą, której inne sprawy muszą być nieustannie podporządkowywane.

7 | Z CHEMICZNEGO NA LUDZKI, CZYLI JAK CZYTAĆ ETYKIETY

Z kupowaniem zdrowego jedzenia jest podobnie jak z kupowaniem książek, o których wiemy, że będziemy je czytać z przyjemnością. Kupowanie innych książek właściwie pozbawione jest sensu. Chcąc bowiem zaopatrzyć się, dajmy na to, w jakiś potrzebny nam przewodnik, nie zgarniamy wszystkich pozycji, które oferuje księgarnia w dziale „literatura podróżnicza".

Raczej spędzimy trochę czasu przed półkami, wertując kolejne książki i podejmując decyzję o kupnie pozycji, która najlepiej spełnia nasze oczekiwania. Dlaczego więc nie postępujemy podobnie podczas zakupów spożywczych? Podobnie jak książka – niejednokrotnie zaś bardziej niż książka – zdrowe jedzenie może wywrzeć na nasze życie długotrwały pozytywny efekt.

Na pewne elementy etykiety, takie jak np. data przydatności do spożycia czy waga produktu, przywykliśmy patrzeć przed dokonaniem zakupu, ale co z pozostałymi informacjami, które są nie mniej istotne od daty ważności? Przyjrzyjmy się im po kolei:

a| Kolejność składników
Etykieta poinformuje nas o składzie produktu, którym jesteśmy zainteresowani. Składniki pojawiają się na niej w porządku malejącym. Oznacza to, że jeśli na etykiecie syropu malinowego widnieje następująca kolejność składników: cukier, woda, zagęszczony sok malinowy, aromat, to powinniśmy mieć świadomość, że cukru w tym napoju może być więcej niż soku, o który nam przecież chodzi.

b| Wartość energetyczna
Na etykiecie produktu podaną mamy wartość energetyczną produktu, tzn. ile ma on kalorii, a także jaka jest jego wartość odżywcza, a więc procent udziału białka, węglowodanów i tłuszczu.

I tak, jeśli herbatka rozpuszczalna dla niemowląt zawiera: dekstrozę, cukier, ekstrakt roślinny, aromat, kwas cytrynowy, maltodekstrynę, a procentowy udział węglowodanów w 100 gramach herbatki wynosi 96 gramów, oznacza to, że prawie sto procent produktu stanowi cukier. Wypada właściwie tylko powiedzieć „smacznego"...

Maltodekstryna jest produktem enzymatycznej depolimeryzacji wodnej zawiesiny skrobi ziemniaczanej przeznaczonej do celów spożywczych. Stanowi mieszaninę poli- i oligosacharydów. Jest, mówiąc krótko, węglowodanem.

c| „Nie zawiera konserwantów"

To świetnie, że nie zawiera konserwantów. Gratulujemy! Niech to jednak nie uśpi naszej czujności. Zanim więc w ekstazie przyznamy danemu produktowi Laur Konsumenta, pamiętajmy, że bardziej powinno nas interesować to, co dany produkt faktycznie zawiera, niż to, czego w nim brak. Ponadto zdarza się, że sformułowanie umieszczone na opakowaniu produktu może wprowadzać konsumenta w błąd. Weźmy dla przykładu makaron opatrzony informacją: „nie zawiera konserwantów ani środków barwiących". Przepisy nie zezwalają na stosowanie konserwantów i barwników w makaronie, a więc twierdzenie, że ten makaron jest wyjątkowy, jest niezgodne z prawdą.

d| Śladowe ilości o niepoślednim znaczeniu

Z etykiety nie dowiemy się niestety o składnikach występujących w ilościach śladowych, o pestycydach, o środkach chemicznych stosowanych przy okazji pakowania produktu, o antybiotykach i hormonach, którymi być może faszerowano zwierzęta przeznaczone do uboju.

e| „Przebadany", „przetestowany", „zgodny z", „rekomendowany przez"

Oczywiście lepiej, że oferowane nam produkty zostały przebadane i przetestowane. Warto jednak zadać sobie pytanie: Co tak naprawdę oznacza to dla nas, konsumentów? Czy jeśli istnieje szeroki wachlarz dopuszczonych do użytku i „zgodnych z" wymogami EU dodatków do żywności, to możemy spokojnie i bezrefleksyjnie konsumować wszystkie produkty spożywcze, jakie według norm przeznaczone są do jedzenia? Nawet te, które nasz zdrowy rozsądek odrzuca jako takie?

f| „Poniżej 2%"

Produkty spożywcze mogą w pewnych określonych w stosownym rozporządzeniu przypadkach zawierać składniki w ilości poniżej 2%, które nie muszą być wymienione przez producenta na etykiecie produktu.

Na opakowanym środku spożywczym umieszcza się zgodnie ze stosownym rozporządzeniem następujące informacje: nazwę środka spożywczego, informacje dotyczące składników, termin przydatności do spożycia, sposób przygotowania lub stosowania, dane identyfikujące producenta produktu i miejsce lub źródło pochodzenia, zawartość netto (lub liczbę sztuk), warunki przechowywania, oznaczenie partii produkcyjnej, klasę jakości handlowej.

Inspekcja Jakości Handlowej Artykułów Rolno-Spożywczych w ramach swojej działalności przeprowadza m.in. kontrole jakości handlowej artykułów rolno-spożywczych. Wyniki tych kontroli publikowane na bieżąco na stronie internetowej mogą się okazać przydatne dla konsumentów.

g| Paradoksy producentów

Podobnie jak podczas innych życiowych czynności, dobrze, aby również w czasie zakupów towarzyszył nam zdrowy rozsądek. Kupując „żurek domowy", do którego producent dodał glutaminianu sodu, musimy mieć świadomość, że staje się on żurkiem domowym tylko z nazwy. „Chleb żytni razowy na zakwasie", który w składzie ma żyto, pszenicę i drożdże, nie jest dla mnie chlebem żytnim na zakwasie, tylko chlebem żytnio-pszennym na drożdżach z dodatkiem zakwasu. Podobne kłamstwa czy też niedopowiedzenia i półprawdy producentów można mnożyć.

PODSUMOWANIE:

- kupujmy żywność ekologiczną i wytwarzaną w sposób tradycyjny
- starajmy się jeść produkty jak najmniej przetworzone
- czytajmy etykiety produktów od początku do końca
- unikajmy w pożywieniu przede wszystkim: konserwantów, wzmacniaczy smaku, aromatów, barwników, a także w miarę możliwości: przeciwutleniaczy, emulgatorów, stabilizatorów, zagęstników, środków spulchniających
- unikajmy żywności zawierającej GMO
- zdrowe odżywianie to spożywanie zdrowych, nieprzetworzonych pokarmów

III. BRZYDKIE WYRAZY

W Starym Testamencie w Księdze Rodzaju czytamy o stworzeniu świata, które kończy się stwierdzeniem, że wszystko, co Bóg stworzył, było dobre: czyli i pszenica, i warzywa, i zwierzęta. Stworzenie świata odbyło się dawno, dawno temu i od tamtego czasu wiele się zmieniło. W tym czasie człowiek zdążył zmutować i pszenicę, i warzywa, i zwierzęta. I to już z pewnością nie jest dobre.

Być może, gdyby biblijne zerwanie owocu miało miejsce w dzisiejszych czasach, historia człowieka potoczyłaby się inaczej. Być może dzisiejsza Ewa pomyślałaby dwa razy, zanim zerwałaby jabłko z drzewa, z obawy czy zastosowane przy uprawie chemiczne środki ochrony roślin aby jej nie zaszkodzą.

Rozdział ten wbrew skojarzeniu nie będzie traktował o przekleństwach, choć nie raz i nie jedno niecenzuralne słowo o żywności przyszło mi zemleć w ustach. Rozdział ten poświęcony został trzem podstawowym produktom naszego pożywienia. Są to: biały cukier, biała mąka i białe mleko.

1 | CUKIER

Biały cukier, pozyskiwany z buraków cukrowych lub trzciny cukrowej, to niemal czysta sacharoza. Zanim trafi na nasze stoły, poddaje się go wielu procesom, podczas których traktowany jest różnymi środkami chemicznymi, takimi jak wodorotlenek wapnia czy dwutlenek węgla. Równocześnie pozbawiany jest wartościowych składników mineralnych, czyli mówiąc w skrócie – melasy. Historia rafinacji cukru z trzciny cukrowej sięga szesnastowiecznej Anglii.

Narzekam na cukier, nienawidzę go, przeklinam, ale prawda jest taka, że żyć bez niego nie sposób. Będąc przez kilka tygodni na diecie bezcukrowej, szukałam w sklepach produktów bez cukru. Jakież było moje zdziwienie, gdy okazało się, że cukier jest dosłownie wszędzie! Jedynym produktem w stu procentach bezcukrowym okazała się na dobrą sprawę poczciwa sól kuchenna. Cukier jest w keczupie, majonezie, sokach, musztardzie, dżemach, jogurtach, płatkach śniadaniowych, napojach oraz oczywiście we wszystkich słodyczach i przekąskach. Gdzieś przeczytałam, że szacunkowo spożywamy ponad 50 kg białego cukru rocznie.

Cukier jest odpowiedzialny za nasze problemy z uzębieniem, otyłość, osłabienie układu odpornościowego, migreny, pobudzenie układu nerwowego. Ta lista jest bardzo długa. Nie chodzi mi jednak o to, żeby ogłaszać krucjatę przeciwko cukrowi, a raczej o to, by wzbudzić i pogłębić świadomość tego, że nadmiar cukru jest szkodliwy. Dlatego można go nazwać wrogiem, którego nie wolno lekceważyć, którego należy potraktować poważnie, czyli w miarę możliwości ignorować go i omijać, słowem radzić sobie bez niego.

Jako osoby dorosłe – przynajmniej niektórzy z nas – potrafimy sobie (czasem) odmówić cukru np. w herbacie czy kawie. Trudno jednak (kto próbował, ten wie) wymagać tego samego od dzieci.

Na rynku dostępne są zamienniki białego cukru. Nie wszystkie z nich są jednakowo godne polecenia i nie wszystkie są dobre dla każdego, ale przynajmniej jest z czego wybrać.

Znajomość różnych zamienników cukru przydaje się przy wyborze produktów spożywczych, np. słodyczy, niekiedy

bowiem produkty opatrzone opisem „bez cukru" albo „dietetyczne" zawierają *de facto* środek słodzący jeszcze gorszy, jeśli
chodzi o działania niepożądane, niż sam cukier (np. acesulfam K).

a| Zamienniki cukru rafinowanego

W sprzedaży rozróżnia się trzy rodzaje zamienników cukru
zwanych słodzikami: syntetyczne, półsyntetyczne i naturalne.

a1. SYNTETYCZNE ŚRODKI SŁODZĄCE charakteryzują się mniejszą niż
cukier kalorycznością i niższym indeksem glikemicznym. Przede
wszystkim cechują się jednak
tym, że są po prostu sztuczne,
a ich działanie, jako że nie do
końca poznane, jest potencjalnie szkodliwe. Niektóre z nich
mogą stać się groźne dla orga-
nizmu w wysokich temperaturach, w jakich preparuje się żywność (180°C–230°C). Do sztucznych substytutów cukru należą
m.in.: aspartam, acesulfam K, sacharyna, sukraloza.

> **INDEKS GLIKEMICZNY (IG)** – lista
> produktów uszeregowanych ze
> względu na to, jak wzrośnie stężenie
> glukozy we krwi po ich spożyciu.

Europejski Urząd ds. Bezpieczeństwa Żywności (EFSA) po ponownej
analizie ryzyka związanego ze spożywaniem **aspartamu** podał
w 2013 roku, że ani sama substancja, ani produkty jego rozpadu
nie są szkodliwe dla zdrowia. Z przywołanego już wyżej artykułu
naukowego o nadwrażliwości na dodatki do żywności wynika jednak
coś zupełnie innego. Aspartam należy mianowicie do grupy dodatków
wymienianych w kontekście substancji najczęściej wywołujących
reakcję uczuleniową. Nadwrażliwość spowodowana obecnością
aspartamu przejawia się zazwyczaj reakcją skórną.

• **Aspartam (E 951)** 🔲 – Jest nietrwały w wysokich temperaturach, co oznacza, że nie wolno go stosować do ani do wypieków, ani do gotowania. Budzi najwięcej kontrowersji spośród wszystkich słodzików.

• **Acesulfam K (E 950)** ⊖ – Moje nadwrażliwe dzieci reagowały mocną wysypką nawet na niewielką (uwaga: dopuszczalną) zawartą w lekach ilość tej substancji.

• **Sacharyna (E 954)** ⊖

• **Sukraloza (E 955)** 🔲

a2. PÓŁSYNTETYCZNE ŚRODKI SŁODZĄCE tworzą drugą grupę słodzików, do których zalicza się m.in.: sorbitol, mannitol, izomalt, maltitol, laktitol i ksylitol.

• **Sorbitol (E 420)** 🔲

• **Mannitol (E 421)** ⊖

• **Izomalt (E 953)** ⊕

• **Maltitol (E 965)** ⊕

• **Laktitol (E 966)** ⊕

• **Ksylitol (E 967)** ⊕

KSYLITOL – nazywany jest cukrem brzozowym, który wygląda i smakuje prawie tak samo jak cukier, choć z chemicznego punktu widzenia jest alkoholem. Ksylitol jest substancją występującą naturalnie, ale ze względu na technologię pozyskiwania zakwalifikowany został w nomenklaturze UE jako półsyntetyk. W niewielkich ilościach uznawany jest za nieszkodliwy. W większych natomiast może wywołać podrażnienia układu pokarmowego. W Polsce zalecana dawka wynosi 15 g ksylitolu dziennie (ok. 3 łyżeczek), przy czym należy organizm do tej ilości stopniowo przyzwyczaić. Ma mniej kalorii niż cukier i niski indeks glikemiczny. Ma dużo zalet: ułatwia mineralizację mikroelementów, nie powoduje próchnicy zębów, można go stosować przy grzybicy, a więc w czasie, kiedy należy z diety wykluczyć cukier. Osłabia działanie żelatyny, a więc nie posłodzimy nim domowej galaretki. W przemyśle spożywczym dodawany jest przede wszystkim do gum do żucia oraz słodyczy.

a3. NATURALNE SUBSTYTUTY CUKRU BIAŁEGO tworzą ostatnią grupę substancji słodzących. Są to m.in.: nierafinowany cukier trzcinowy lub buraczany, miód, syrop z agawy, fruktoza, stewia, syrop słodowy orkiszowy lub syrop z brązowego ryżu, melasa z trzciny cukrowej lub z buraka cukrowego, cukier palmowy, syrop klonowy oraz syrop glukozowo-fruktozowy.

• **Nierafinowany cukier** – jak już sama nazwa wskazuje, nie jest poddawany procesowi rafinacji (nie mylić z brązowym cukrem, czyli cukrem barwionym karmelem). Podobnie jak cukier rafinowany jest dwucukrem sacharozą, ale ponadto zawiera cenne minerały takie jak: żelazo, magnez czy wapń. Nierafinowany cukier trzcinowy lub buraczany, jeśli nie pochodzi z uprawy ekologicznej, może zawierać szkodliwe dla nas środki ochrony roślin, które były stosowane w czasie wzrostu trzciny cukrowej bądź buraków cukrowych.

To, że nierafinowany cukier, podobnie jak inne zdrowsze zamienniki cukru białego, nie jest tani, stanowi z ekonomicznego punktu widzenia niewątpliwą wadę. W praktyce niejednokrotnie okazuje się to paradoksalnie zaletą. Używamy go bowiem po prostu mniej. Po eliminacji białego cukru z naszego domowego menu zauważyłam, że ciasta i soki serwowane poza domem zaczęły być dla mojej rodziny za słodkie. Miało to również bezpośrednie przełożenie nie tylko na nasze zdrowie, ale i (znów paradoksalnie) na budżet domowy. Odczuwalnie zmniejszyła się mianowicie liczba wizyt członków naszej rodziny u dentysty.

ZŁOTA RADA: Nierafinowany cukier zmielony w młynku do kawy łatwiej się rozpuszcza i równocześnie może służyć jako cukier puder.

• Miód – o miodzie napisano już wiele artykułów i książek. Każdy słyszał o zdrowotnych właściwościach miodu oraz innych produktów pszczelich. Dziś, kiedy można podrobić niemal wszystko oprócz linii papilarnych (choć i to pewnie jest już tylko kwestią czasu), można również spotkać podróbki miodu, które bynajmniej nie są opatrzone napisem „miód sztuczny". Aby ustrzec się przed miodem, który tylko miód udaje, a zawierać może cukier, metale ciężkie, pestycydy czy antybiotyki, należy czytać etykiety. Przede wszystkim musimy się upewnić, czy miód pochodzi z Polski. Niestety nie jesteśmy w stanie przewidzieć, czy miód pochodzący z nieekologicznej pasieki nie zawiera przypadkiem środków ochrony roślin. Dostają się one do miodu wtedy, gdy spryskane zostają rośliny, z których pszczoły zbierały nektar. Na przykład nieekologiczne uprawy rzepaku opryskiwane są podczas jego kwitnienia, a więc dokładnie wtedy, kiedy pszczoły zbierają nektar. Nietrudno sobie wyobrazić, co ląduje wówczas na naszym talerzu.

Szkodliwe dla zdrowia ludzi mogą być także w produktach pszczelich pozostałości leków, które stosowane są przez pszczelarzy do zwalczania chorób pszczół. Warto uzyskać informację, czy w danej pasiece używa się leków przeznaczonych do pasieki ekologicznej.

Inną właściwością miodu, po której można wnioskować o jego prawdziwości, jest to, że w okresie zimowym się krystalizuje.

Ja zaopatruję się w miód w małych pasiekach. Ich właścicielami są w większości pasjonaci pszczelarstwa, którym po prostu nie opłaca się zabawa w podrabianie. Ceny w takich pasiekach są konkurencyjne w stosunku do sklepowych, istnieje także możliwość zobaczenia, w jakich warunkach miód jest przechowywany, a trzeba, aby stał szczelnie zamknięty w chłodnym ciemnym miejscu. Możemy go używać głównie do słodzenia herbaty, ale też i innych napojów, oraz do wypieku pierniczków. Pamiętajmy jednak , że w temperaturze powyżej 40°C miód traci swoje cenne właściwości.

• **Syrop z agawy** konsystencją i barwą przypomina miód, ale rozpuszcza się dużo lepiej. Jest kilkakrotnie słodszy od cukru, ma niski indeks glikemiczny. Nadaje się do wypieków, słodzenia napojów, przygotowania omletów, owsianki.

• **Fruktoza** jest pozyskiwana z kukurydzy bądź owoców cytrusowych. Ma niski indeks glikemiczny. Pozostawia po sobie lekki posmak. Ma postać drobno zmielonego cukru.

• **Stewia** to podobno najsłodsza roślina na świecie. Od niedawna dopuszczona do oficjalnej sprzedaży w Polsce. W handlu oferowana pod postacią fluidu (najbardziej neutralny w smaku), soku, tabletek lub suszonych liści. Ma bardzo niski indeks glikemiczny i bardzo niską kaloryczność, można ją stosować zarówno w niskich, jak i wysokich temperaturach. Uważa się, że wykazuje działanie bakterio- i grzybobójcze. Można ją hodować samemu jako roślinę jednoroczną lub wieloletnią, co znacznie obniża koszty.

• **Syrop słodowy orkiszowy lub z brązowego ryżu czy z daktyli** są do kupienia w sklepach z żywnością ekologiczną. Mają konsystencję zbliżoną do miodu. Można je wykorzystywać do słodzenia napojów, do wypieków, do robienia lizaków.

• **Melasa z trzciny cukrowej lub z buraka cukrowego** to produkt uboczny produkcji cukru. Jest bogata w składniki odżywcze. Ma konsystencję gęstego miodu i charakterystyczny gorzkawy posmak.

• **Cukier palmowy nierafinowany** uzyskuje się z palmy kokosowej, ma niski indeks glikemiczny. Może być stosowany do wypieku ciast i przygotowywania deserów.

• **Syrop klonowy** ma jasnobrązową barwę, jest pozyskiwany z kory klonu. Używa się go do słodzenia i polewania omletów, naleśników.

• **Syrop glukozowo-fruktozowy** to kontrowersyjny słodzik wykorzystywany głównie w przemyśle spożywczym, gdzie stosuje się go zamiast cukru. Otrzymywany jest z kukurydzy.

W kontekście cukru nie sposób nie wspomnieć o **cukrze waniliowym**. Prawdopodobnie większość z nas, sięgając w sklepie po cukier waniliowy, nie zdaje sobie sprawy, że *de facto* kupuje **cukier wanilinowy**. Po zapoznaniu się ze składem cukru wanilinowego poczułam

CUKIER WANILINOWY

Cukier ❓

Wanilina ❗

Etylowanilina ➖

potrzebę zrobienia cukru sposobem domowym, aby uniknąć spożywania syntetycznych dodatków. Kiedy zaś, drążąc temat, przeczytałam charakterystykę substancji dodawanych do cukru wanilinowego, utwierdziłam się w przekonaniu, że postępuję słusznie. W sprzedaży jest również dostępny cukier waniliowy (odpowiednio droższy od wanilinowego) lub „cukier z prawdziwą wanilią", co tylko utwierdza nas w przekonaniu, że cukier wanilinowy jest cukrem z dodatkiem nieprawdziwej wanilii.

PRZEPISY

cukier waniliowy

1 szklanka nierafinowanego cukru, laska wanilii

◇ ◇ ◇

Cukier zemleć w młynku do kawy. Laskę wanilii przeciąć wzdłuż i wydobyć ziarenka. Laskę pokroić na dwucentymetrowe kawałki. Wymieszać cukier z ziarenkami i kawałkami wanilii, przesypać do szklanego pojemnika. Trzymać szczelnie zamknięte. Po mniej więcej dwóch tygodniach wyjąć pokrojoną laskę wanilii.
Cukier waniliowy jest gotowy.
(inspiracja: www.mojewypieki.com*)*

syrop daktylowy

50 g suszonych daktyli bez pestek (niekonserwowanych dwutlenkiem siarki), 100 ml gorącej wody

◇ ◇ ◇

Daktyle zalać wrzątkiem, odstawić na mniej więcej 1/2 godziny, dokładnie zmiksować.

PODSUMOWANIE:

- wybierajmy produkty, które nie zawierają cukru bądź zawierają
  go jak najmniej
- wybierajmy produkty z naturalnymi substytutami cukru (takie
  jak miód, nierafinowany cukier trzcinowy lub buraczany,
  syrop z agawy, fruktoza, stewia, syrop słodowy orkiszowy lub
  z brązowego ryżu, melasa, cukier palmowy, syrop klonowy)
- unikajmy produktów, które zawierają syntetyczne
  i półsyntetyczne substytuty cukru

b| Słodycze

O tym, że słodycze są niezdrowe, wie każdy rodzic i każde dziecko. Teoretycznie. W praktyce wygląda to mniej więcej tak, jak w teledysku z piosenką dla dzieci zatytułowaną *Cukierki, cukierki* – wokół naszej głowy krążą dumnie niczym satelity krówki, toffi i miętówki, a my po prostu nie potrafimy się im oprzeć. Sprawa ze słodyczami wygląda bez mała tak, jakby były one obok węglowodanów, białek i tłuszczów jednym z podstawowych składników odżywczych istoty ludzkiej.

Słodycze, jako że zawierają ogromną ilość rafinowanego (a więc przetworzonego) cukru, osłabiają układ odpornościowy, niszczą zęby, otwierają drzwi do naszych wnętrzności przeróżnym niechcianym gościom (pasożytom, grzybom, bakteriom, wirusom). Do słodyczy dodawane są syntetyczne substancje, takie jak barwniki, aromaty, o których istnieniu można się dowiedzieć jedynie z napisanej drobnym drukiem etykiety. Kiedy już uzbrojeni w lupę dojrzymy, co zostało tam wymienione, a więc listę substancji „spożywczych" zawartych np. w batoniku, natrafimy na kolejny mur w postaci specjalistycznego bełkotu, który i tak musi zostać przetłumaczony. Z chemicznego na ludzki. Co zrobić z tym fantem? To proste. Nie kupować słodyczy bądź

BATONY

Aromat ❓

Cukier ❓

Difosforany E 450 ➕

Ekstrakt słodu jęczmiennego ❓

Etylowanilina ➖

Glicerol E 422 ➕

Inwertaza E 1103 ❗

Karagen E 407 ➖

Kwas cytrynowy E 330 ❗

Lecytyna sojowa ➕

Maltodekstryna ➕

Mąka pszenna ❓

Mleko w proszku ❓

Mono- i diglicerydy kwasów tłuszczowych E 471 ➕

kupować sporadycznie, wszystkie bowiem są mniej lub bardziej przetworzone i zawierają mniejszą lub większą ilość szkodliwych dla zdrowia składników.

Ubolewam, że mimo rozpowszechnienia w Polsce szwedzkiej literatury dziecięcej nie udało się dotychczas skutecznie zaszczepić w naszym narodzie zwyczaju jedzenia słodyczy w jeden wybrany dzień w tygodniu. Dzieci w Szwecji jakoś od tego nie umarły, nie wyglądają też na szczególnie nieszczęśliwe.

W jednym z opowiadań Astrid Lindgren *Pewnie, że Lotta jest wesołym dzieckiem* niepocieszony jest jedynie sprzedawca słodyczy, który zbankrutował, bo szwedzkie dzieci jedzą je tak rzadko. Mam wrażenie, że w Polsce mamy do czynienia z sytuacją odwrotną – stoiska ze słodyczami mnożą się jak grzyby po deszczu. Bankrutuje za to nasze zdrowie.

Muszę przyznać, że z uśmiechem lekceważącej wyższości traktowałam niegdyś opisy jadalnych ozdób choinkowych w książkach, w których rzecz dzieje się przed erą wszechobecnych słodyczy. Dziś czytam je z zazdrością. I nie jest to tęsknota za minionym, tylko raczej rozgoryczenie erą konsumpcyjną, w której przyszło mi żyć i wychowywać dzieci, i toczyć walkę o drzewko bożonarodzeniowe pozbawione sklepowych rarytasów. Dawniej wieszano na choince jabłka, orzechy, pierniki, a dzieci z niecierpliwością czekały, kiedy będą mogły w końcu spałaszować te pyszności. Dziś pozbawiamy je tego radosnego oczekiwania. Mój czteroletni syn pół roku po świętach Bożego Narodzenia uraczył mnie wyznaniem: „choinka jest psesmacna", na pytanie „dlaczego" usłyszałam: „bo ma piernicki". Moje skołatane matczyne serce doznało niemałej ulgi i przepełniło się radością, że warto było w ferworze przedświątecznych prac znaleźć czas na pieczenie pierniczków i wraz z dziećmi dekorowanie nimi choinki.

W przypadku słodyczy nie pokusiłam się o wypisywanie wszystkich substancji dodatkowych, jakie zawierają. Gdy bowiem kierowałam się zasadą, którą wyczytałam w książce *Pokonaj alergię*, by unikać białej mąki, białego cukru i (przetworzonego) mleka, nie udało mi się znaleźć na sklepowych półkach produktu, jaki mogłabym z czystym sumieniem kupić dzieciom. Jak na złość głównymi składnikami batoników, czekoladek, ciastek i cukierków są właśnie dodatki, które staram się konsekwentnie omijać: rafinowany cukier, mąka pszenna i mleko w proszku.

BATONY

Mono- i diglicerydy kwasów tłuszczowych estryfikowane kwasem mlekowym E 472b ✚

Polirycynoleinian poliglicerolu E 476 ✚

Sorbitol E 420 ❗

Sól ❓

Syrop glukozowo--fruktozowy ❓

Syrop glukozowy ❓

Tłuszcz roślinny ✚

Tłuszcz roślinny utwardzany ❗

Wanilina ❗

Węglany amonu E 503 ✚

Węglany sodu E 500 ❗

Guma guar E 412 ✚

Jedynym produktem, po który regularnie sięgam w dziale słodyczy, jest gorzka czekolada. Wybieram taką, która ma najwyższy udział procentowy kakao. Kolejną istotną rzeczą, na jaką zwracam uwagę przy wyborze czekolady, jest to, by na pierwszym miejscu w składzie produktu nie stał cukier.

PRZEPISY

pierniczki na choinkę

500 g jasnej mąki żytniej, 100 g zmielonego w młynku do kawy nierafinowanego cukru, 200 g miodu, 120 g masła, 1 jajko, 2 łyżeczki sody oczyszczonej, 3 łyżki przyprawy do piernika (jeśli dodamy więcej, uzyskamy bardziej intensywny kolor i smak)
◊ ◊ ◊
Składniki wymieszać i zagnieść ciasto. Rozwałkować, delikatnie podsypując mąką, na grubość ok. 3 mm. Wycinać pierniczki, w każdym zrobić otworek na wstążkę (słomką lub wykałaczką). Układać na blasze wyłożonej papierem do pieczenia (lub natłuszczonym papierem śniadaniowym). Piec ok. 10 minut w temp. 180°C. Po upieczeniu wystudzić i ozdobić np. lukrem.

masa migdałowa

1/2 kubka płatków migdałowych, 1 łyżka miodu
◊ ◊ ◊
Płatki zemleć w młynku do kawy i wymieszać na jednolitą masę z miodem.

masa sezamowa

1/2 kubka ziarna sezamu, 1 łyżka miodu

◇ ◇ ◇

Podprażone na patelni ziarno sezamu zemleć w młynku do kawy.
Wymieszać z miodem na jednolitą masę.

ZŁOTA RADA: Zarówno masę migdałową, jak i sezamową można
wykorzystać jako zdrową masę w torcie.

polewa czekoladowa

tabliczka gorzkiej czekolady

◇ ◇ ◇

Czekoladę pokruszyć i rozpuścić w kąpieli wodnej.

ZŁOTA RADA: Aby rozpuścić jakiś produkt w tzw. kąpieli wodnej,
umieszczamy go w naczyniu postawionym na garnku o większej
średnicy, w którym gotuje się woda.

rodzynki w czekoladzie

1/2 tabliczki gorzkiej czekolady, kilka garści rodzynek
(niekonserwowanych dwutlenkiem siarki)

◇ ◇ ◇

Czekoladę rozpuścić w kąpieli wodnej. Do rozpuszczonej
czekolady wrzucić rodzynki. Dokładnie wymieszać. Wyłożyć
na papier do pieczenia i poczekać, aż zastygną.

deser bananowy

Kilka bananów zmrozić w zamrażarce. Obrać ze skórek.
Zmiksować.

pieczone orzechy z cynamonem

500 g orzechów (np. pekan, włoskie, laskowe, obrane ze skórki
migdały), 1 białko, 1 łyżeczka cukru waniliowego, 1/2 (lub mniej)
szklanki nierafinowanego cukru (najlepiej zmielonego na puder),
1 łyżeczka cynamonu

◇ ◇ ◇

Białko ubić, ale nie na sztywno. Pod koniec ubijania dodać cukier
waniliowy. Wsypać cukier i cynamon, wymieszać. Na końcu
wsypać orzechy, wymieszać tak, by każdy orzech był pokryty
białkiem. Nakładać łyżką na blachę wyłożoną natłuszczonym
papierem do pieczenia, tak by orzechy się ze sobą nie stykały.
Piec w temperaturze 110°C–120°C ok. 1 godziny. Uważać,
by nie przypalić.
(inspiracja: www.mojewypieki.com)

lody owocowe

drobne owoce (maliny, truskawki lub borówki), kilka łyżek
jogurtu naturalnego, naturalny zamiennik cukru rafinowanego

◇ ◇ ◇

Do owoców dodać jogurt, dosłodzić i wszystko razem zmiksować
na jednolitą masę. Wylać do foremek i włożyć do zamrażalnika.

truskawki w czekoladzie

30-35 umytych truskawek z szypułkami, tabliczka gorzkiej
czekolady (100 g)

◇ ◇ ◇

Czekoladę pokruszyć i rozpuścić w kąpieli wodnej. Truskawki
maczać w rozpuszczonej czekoladzie. Odłożyć na pergaminie
do ostygnięcia.

koktajl owocowy

świeże lub mrożone drobne owoce (truskawki, maliny, borówki),
kefir (zsiadłe mleko lub jogurt naturalny), naturalny zamiennik
cukru rafinowanego

◇ ◇ ◇

Owoce zmiksować z kefirem (zsiadłym mlekiem lub jogurtem
naturalnym) i dosłodzić.

karmelki

1/2 szklanki słodu z brązowego ryżu (do kupienia w sklepie ze
zdrową żywnością)

◇ ◇ ◇

słód gotować w garnku na niewielkim ogniu, ciągle mieszając,
przez 3-4 minuty (aż masa zacznie się ciągnąć). Łyżką nakładać
masę na wyłożoną papierem do pieczenia blachę i pozostawić do
ostygnięcia. Karmelki tężeją już po kilku minutach.

lizaki

słód z brązowego ryżu

◇ ◇ ◇

Lizaki przygotowujemy tak samo jak karmelki z brązowego
ryżu. Po nałożeniu masy na papier włożyć w środek wykałaczkę
i poczekać, aż masa stężeje

koreczki owocowe

świeże owoce (do wyboru: gruszki, banany, mango) oraz miód

◇ ◇ ◇

Do miseczki wlać kilka łyżek miodu. Umyte i obrane owoce
pokroić w kostkę o bokach długości ok. 2 cm i umieścić
w osobnej miseczce. Kawałki owoców nabijać na wykałaczki
i zanurzać w miodzie.

ciecierzyca w miodzie

Ugotowaną ciecierzycę podprażyć na patelni, dodać miód.
Ciągle mieszając, prażyć jeszcze przez chwilę.

pieczone jabłka

kilka średniej wielkości jabłek, cynamon, goździki

◇ ◇ ◇

W posypane cynamonem jabłka wetknąć po 2 goździki. Ułożyć
owoce na blaszce i piec w temperaturze 210°C ok. 20 minut.
Po wyłączeniu piekarnika jabłka mogą jeszcze przez jakiś czas
w nim poleżeć, aby całkowicie zmiękły. Smakują wyśmienicie
zarówno na ciepło, jak i na zimno.

ciasto z płatków owsianych

175 g płatków owsianych, 175 g mąki z brązowego ryżu (lub mąki
gryczanej, żytniej *etc.*), 250 g masła, 125 g nierafinowanego cukru,

50 g posiekanych rodzynek, 1 łyżeczka cynamonu, 1 łyżeczka domowego proszku do pieczenia, 5 łyżek domowego dżemu

◇ ◇ ◇

Wszystkie składniki oprócz dżemu zagniatamy, aż powstanie jednolite ciasto. Odłożyć 4 łyżki ciasta, resztę przełożyć na wyłożoną natłuszczonym papierem śniadaniowym blaszkę o wymiarach 32 cm × 32 cm. Wierzch ciasta posmarować dżemem, a następnie posypać odłożonym pokruszonym ciastem. Piec w piekarniku w temperaturze 200°C ok. 30 minut. Ciasto kroi się dobrze na następny dzień.

(inspiracja: *Pokonaj alergię*)

PODSUMOWANIE:

• zamiast kupować niezdrowe słodycze, róbmy słodycze w domu, ewentualnie kupujmy ekologiczne

c| Przegryzki

Wertując przeróżne poradniki w poszukiwaniu zdrowych przekąsek dla dzieci, nieodparcie dochodzę do wniosku, że najzdrowiej byłoby dać dziecku do jednej ręki ekologiczną marchewkę, a do drugiej szklankę wody mineralnej lub filtrowanej. I – zdawałoby się – po kłopocie. Nie wiem, jak inne dzieci, ale moje na taką propozycję zareagowałyby zapewne pytaniem, czy aby na pewno wszystko ze mną w porządku.

Jakie zatem przekąski można zaoferować dzieciom, aby poczuły się nieco bardziej wyróżnione od świnki morskiej, która na marchewkę i czystą wodę z pewnością za każdym razem zareaguje niekłamaną radością? Co więc można wykorzystać jako przekąskę na „mały głód"?

- **czekolada gorzka** o jak najwyższym udziale procentowym kakao

- **obrane ziarna słonecznika, pestki dyni** podprażone na patelni (co jakiś czas trzeba nią potrząsnąć, aby nie dopuścić do przypalenia)

- **bakalie** bez dwutlenku siarki (E 220) – ekologiczne rodzynki, morele, daktyle, suszone jabłka

- **orzechy** (włoskie, laskowe, nerkowce, migdały)

- **chipsy jabłkowe**

- **lizaki ze słodu**

- **domowe ciasteczka i desery**

- ugotowana do miękkości **ciecierzyca**

- **pieczywo chrupkie,** np. ryżowe, kukurydziane, żytnie

- **chrupki kukurydziane** (jeśli kukurydza nie pochodzi z upraw GMO).

Są to propozycje przekąsek, jakie serwuję swojej rodzinie zamiast sklepowych słodyczy czy słodzonych deserów nabiałowych. Mam oczywiście świadomość, że nie wszystkie wymienione przegryzki są całkowicie bezpieczne dla zdrowia. W swoich wyborach konsumenckich staram się głownie kierować zasadą, by oprócz eliminowania substancji syntetycznych nie podawać rodzinie również rafinowanego cukru, pszenicy i przetworzonego przemysłowo mleka (zwłaszcza w proszku).

Ostrożnie podchodzę także do produktów oznaczonych jako: „*fit*", „*light*" czy „lekkie". Wywołują one mimowolne skojarzenie ze słowem „dietetyczne", a więc zdrowe. Nie do końca tak jest, ponieważ np. pieczywo chrupkie czy płatki zbożowe, mimo że są produktami „pełnoziarnistymi" i nie zawierają cukru, zostały poddane dość skomplikowanej obróbce termicznej, w wyniku czego wytwarza się w nich akryloamid – substancja o działaniu rakotwórczym.

Co możemy zrobić, aby uniknąć nadmiernej ekspozycji na akryloamid, oprócz oczywiście omijania produktów, które zawierają

Akryloamid tworzy się podczas obróbki termicznej żywności. Może to być smażenie, pieczenie czy prażenie. Akryloamidu nie stwierdzono natomiast w produktach gotowanych. Jak się okazuje akryloamid spożywamy codziennie. Znajduje się on nie tylko w chipsach, frytkach, ciastkach, krakersach, płatkach zbożowych czy pieczywie chrupkim, ale także w zwykłym chlebie czy smażonym mięsie.

W zestawieniu pokazano stężenie akryloamidu od największego do najmniejszego w następujących produktach spożywczych:

PRODUKT	STĘŻENIE AKRYLOAMIDU
chipsy ziemniaczane	od ok. 50 µg/kg do ok. 3500 µg/kg
ciastka	od 30 µg/kg do 3200 µg/kg
pieczywo chrupkie	ok. 740 µg/kg
kawa	od 170 µg/kg do 230 µg/kg
płatki śniadaniowe	ok. 200 µg/kg
chleb	ok. 20 µg/kg

najwięcej tej substancji? Jednym ze sposobów zmniejszenia ilości akryloamidu podczas pieczenia czy smażenia jest skrócenie czasu tych czynności i obniżenie temperatury w jakiej je wykonujemy. Oznacza to stosowanie przytoczonej już wcześniej zasady, by nie zagotowywać jedzenia „na śmierć".

d| Bez cukru – to nie znaczy zawsze to samo

Bez cukru nie zawsze oznacza to, co chcielibyśmy, aby oznaczało, a mianowicie zdrową, bezpieczną dla zębów i żołądka przekąskę. Na hasło „bez cukru" powinniśmy automatycznie zareagować jak rasowy pies tropiciel: „bez cukru" to znaczy „z czym konkretnie"? Po przejrzeniu listy substancji dodawanych do produktów opatrzonych takim opisem okazuje się, że miejsce cukru zajmują w składzie produktu np.: syrop glukozowy lub glukozowo-fruktozowy, glukoza, sorbitol. Jogurt typu *light* zamiast cukru może zawierać bardziej szkodliwy aspartam lub acesulfam K. Oczywiście miejsce zhańbionego cukru mogą zajmować również naturalne środki słodzące takie jak: melasa, fruktoza, syrop jęczmienny czy kukurydziany, a nawet inulina.

Przyzwyczajenie, styl życia, reklama oraz niewiedza są odpowiedzialne za to, że niejednokrotnie, nawet mając możliwość wybrania produktu zdrowszego, sięgamy po coś, co nie jest dla nas zdrowe. Tak jest np. z kakao. Przyzwyczailiśmy się, że ma być szybko. Nasypać, zalać, dosłodzić, dwa razy zamieszać i gotowe. Przygotowanie tradycyjnego kakao niegranulowanego i nierozpuszczalnego naprawdę nie zabierze nam dużo więcej czasu, a nasze zęby i żołądek będą nam z pewnością wdzięczne.

KAKAO | O tym, że popyt na produkty wymagające więcej niż minimum naszego zaangażowania w ich przygotowanie jest mniejszy niż na wszystkie produkty typu *instant*, świadczy ich podaż. W wielkim supermarkecie mam do wyboru dokładnie dwa razy więcej napojów kakaopodobnych niż tradycyjnego kakao w proszku bez dodatków.

Przyznam szczerze, że kiedy po raz pierwszy świadomie kupiłam kakao naturalne z przeznaczeniem do picia, a nie do pieczenia, nie wiedziałam, jak je przygotować. Dla odważnych naśladowców ruchu *slow food* kilka stron dalej podaję przepis na przygotowanie tradycyjnego kakao.

KAKAO ROZPUSZCZALNE / NAPOJE KAKAOPODOBNE

Aromat **?**

Cukier **?**

Etylowanilina **−**

Glukoza **?**

Lecytyna sojowa **+**

Maltodekstryna **+**

Węglan magnezu E 504 **+**

Węglan wapnia E 170 **+**

Slow food – m.in. ruch społeczny skupiający osoby zainteresowane ochroną tradycyjnej, lokalnej kuchni, tradycyjnych metod produkcji żywności, a także promowaniem kultury spożywania żywności.

KECZUP | Keczup bez cukru udało mi się znaleźć jedynie w sklepie ze zdrową żywnością. Najlepsze pod względem składu keczupy oferowane w zwykłej sprzedaży wprawdzie nie zawierają konserwantów (jak dumnie informuje o tym na przedniej etykiecie producent), niemniej jednak jest w nich rzeczony cukier lub skrobia modyfikowana. Wybierając keczup, należy zwracać uwagę na skład procentowy koncentratu pomidorowego, by jego udział w keczupie był jak największy.

Jakiś czas temu dzięki rewolucyjnym doniesieniom mediów o zdrowotnych właściwościach likopenu keczup awansował

KECZUP

Acetylowany adypinian
diskrobiowy E 1422 🔵

Benzoesan sodu E 211 ⬤

Cukier ❓

Guma guar E 412 ➕

Guma ksantanowa E 415 ➕

Kwas cytrynowy E 330 🔵

Kwas octowy E 260 ➕

Kwas sorbowy E 200 🔵

Skrobia modyfikowana E 1404 🔵

Sorbinian potasu E 202 🔵

Sól ❓

Syrop glukozowo-fruktozowy ❓

do pierwszej ligi zdrowej żywności. Likopen zawarty w pomidorach jest mianowicie łatwiej przyswajalny przez nasz organizm po poddaniu pomidorów obróbce cieplnej. Na zasadzie analogii można by domagać się takiego samego zainteresowania mediów ogórkiem kiszonym. Jeśli bowiem poddamy świeże ogórki procesowi fermentacji (czyli po prostu je ukisimy), powstaną dobroczynne bakterie kwasu mlekowego, które w naszych jelitach toczą bitwy o nasze zdrowie. Mimo to jakoś nie słychać w mediach fanfar na cześć ogórków kiszonych. Pozostaje po raz kolejny zapytać: Gdzie podziewa się nasz zdrowy rozsądek?

MAJONEZ | Pamiętam z dzieciństwa, jak przed imieninami mamy musiałam kręcić majonez, aby mogło powstać wykwintne danie: jajka w majonezie. Wtedy robiłam go, ponieważ nie był dostępny w sklepie. Teraz paradoksalnie sama czasem przygotowuję majonez dlatego, że jest on oferowany w masowej sprzedaży.

Mimo że staram się wybierać w sklepie majonez o jak najlepszym składzie, i tak obecność pewnych dodatków sprawia, że można go bez większych wyrzutów sumienia używać jedynie w sporadycznych sytuacjach (np. na imprezie dla dorosłych jako dodatek do jajek w majonezie).

Na pierwszym miejscu w składzie majonezu króluje olej rafinowany. No i cóż, że rafinowany? – chciałoby się zapytać zaczepnie. Proces rafinacji jest procesem oczyszczania. Może on przebiegać w wysokiej temperaturze, w wyniku czego nienasycone kwasy tłuszczowe przekształcają się w szkodliwe tłuszcze typu trans. Podczas procesu oczyszczania stosowane są również substancje chemiczne, które mogą mieć potencjalnie negatywny wpływ na nasze zdrowie. Kolejnym rafinowanym półproduktem dodawanym do majonezu jest cukier.

Domowy majonez zawiera wprawdzie cukier, ale po pierwsze, w zdrowej kuchni używamy cukru nierafinowanego zamiast rafinowanego białego, a ponadto nie jest on podstawowym składnikiem, więc

MAJONEZ

Aromat ❓

Benzoesan sodu E 211 ➖

Beta-karoten E 160a (ii) ➕

Cukier ❓

Guma guar E 412 ➕

Guma ksantanowa E 415 ➕

Kwas cytrynowy E 330 ❗

Kwas fosforowy E 338 ❗

Olej roślinny ➕

Skrobia modyfikowana E 1404 ❗

Sorbinian potasu E 202 ❗

Sól wapniowo-disodowa kwasu etylenodiaminotetraoctowego (EDTA wapniowo-disodowy) E 385 ➖

można go pominąć. Starajmy się używać majonezu sporadycznie, a zamiast niego stosować np. do sałatek jogurt naturalny.

MUSZTARDA I CHRZAN | Długo żyłam w przekonaniu, że musztarda składa się z gorczycy, a chrzan *nomen omen* z chrzanu. Jakież więc było moje zdziwienie, kiedy po bliższym przyjrzeniu się etykietom na tych produktach zorientowałam się, że zarówno musztarda, jak i chrzan najczęściej tylko leżały obok gorczycy i chrzanu.

MUSZTARDA

Aromat ?

Benzoesan sodu E 211 ⊖

Cukier ?

Dwusiarczyn potasu E 224 ⊖

Guma ksantanowa E 415 ⊞

Kurkumina E 100 ⊞

Kwas cytrynowy E 330 ❗

Ocet spirytusowy ⊞

Olej roślinny ⊞

Sól ?

Syrop glukozowo-fruktozowy ?

CHRZAN

Cukier ?

Disiarczyn sodu (pirosiarczyn sodu) E 223 ⊖

Guma guar E 412 ⊞

Guma ksantanowa E 415 ⊞

Kwas cytrynowy E 330 ❗

Mączka chleba świętojańskiego (guma karobowa) E 410 ⊞

Mleko w proszku ?

Olej roślinny ⊞

PRZEPISY

kakao z mlekiem

2 łyżeczki kakao w proszku, 3/4 szklanki mleka, 1/4 szklanki wrzątku, naturalny zamiennik cukru rafinowanego

◇ ◇ ◇

Kakao i zamiennik cukru (z wyjątkiem miodu, który traci swoje właściwości w wysokiej temperaturze) zalać niewielką ilością wrzątku. Dokładnie rozmieszać. Dopełnić ciepłym mlekiem.

keczup

3 kg pomidorów, 250 g cebuli, 200 g cukru (może być mniej),
3/4 szklanki octu 10%, kawałek gałki muszkatołowej, kilka
goździków, kilka ziaren pieprzu i ziela angielskiego, 3 łyżeczki soli

◊ ◊ ◊

Umyte pomidory obrać ze skórki, podzielić na części, dodać
oczyszczoną i posiekaną cebulę, włożyć do rondla i odparować
(początkowo pod przykryciem). Zagotować pod przykryciem
ocet z przyprawami. Rozgotowane pomidory z cebulą przetrzeć
przez sito, dodać sól i cukier oraz przecedzony wywar octowy,
wymieszać i dusić ok. 2 godzin, chroniąc przed przypaleniem.
Gdy sos zgęstnieje, wymieszać i wypełnić nim słoiki lub butelki.
Pasteryzować przez 15 minut.
(źródło: A. Wójcik, K. Nowakowska, T. Kościk, *Domowa spiżarnia*,
Warszawa [ok. 2010])

ZŁOTA RADA: Domowy keczup można na bieżąco przelewać ze słoików czy butelek do plastikowej butelki po keczupie sklepowym.
Dzięki tej sztuczce uda nam się, być może, uniknąć kolejnej wy-
miany zdań z pociechami żalącymi się: „Życie jest niesprawie-
dliwe, bo nie możemy jeść keczupu takiego jak wszyscy".

majonez

350 ml oleju o neutralnym smaku i zapachu (najbardziej nadaje
się tu olej z pestek winogron, ewentualnie słonecznikowy lub
ekologiczny rzepakowy), 2 łyżeczki musztardy, 1 świeże żółtko
jaja kurzego z hodowli naturalnej lub ekologicznej, sok z 1/4
cytryny, sól, pieprz i cukier do smaku

◊ ◊ ◊

Przed rozbiciem jajko umyć i sparzyć wrzątkiem. W naczyniu zmiksować żółtko z solą, pieprzem i cukrem. Dodać musztardę i znów dokładnie zmiksować. Wlać troszkę oleju i ubijać, aż masa będzie puszysta. Czynność tę powtarzać, aż zużyjemy cały olej. Na koniec wlać sok z cytryny i ubić. Przełożyć do słoiczka i przechowywać w lodówce.

ZŁOTA RADA: Aby majonez nie zwarzył się podczas miksowania, wszystkie składniki muszą mieć temperaturę pokojową.

PODSUMOWANIE:
- krytycznie odnośmy się do hasła: „bez cukru"; zamiast pytać „bez czego?", zadajmy sobie pytanie „ale za to z czym?"

2 MLEKO & CO.

Od jakiegoś czasu śledzę w prasie i literaturze poświęconej zagadnieniom związanym z żywieniem ostrą dyskusję na temat zalet i szkodliwości mleka. Reklamy informują mnie, że powinnam bezwzględnie i nieodzownie zaopatrzyć swoje pociechy w serek, który zapewni im zdrowe i mocne kości, gdyż jest idealnym źródłem wapnia. Przeciwny biegun zapełniają informacje o szkodliwym wpływie spożywania mleka i jego przetworów na zdrowie człowieka. Gdzie leży prawda? Czy (jak to często bywa) pośrodku?

Po serii nieudanych prób wprowadzenia najstarszej córki w bliższą zażyłość ze sklepowymi produktami nabiałowymi zaczęłam szukać informacji o potencjalnym szkodliwym działaniu mleka krowiego i jego przetworów. Wtedy to właśnie natknęłam się na artykuły mówiące, że mleko krowie jest świetne, ale dla cieląt. Dla dzieci zwierząt nierogatych jest natomiast wręcz niewskazane.

Po wykluczeniu alergii i nietolerancji na białko mleka krowiego u mojej córki nastąpił czas mniej lub bardziej udanych eksperymentów z produktami kozimi i owczymi. Potem, kiedy w moim życiu nastała era czytania ulotek i etykiet, zaczęłam dostrzegać zależność między składem chemicznym (mającym niewiele wspólnego ze składem odżywczym) produktów nabiałowych a dolegliwościami (bóle brzucha, wysypki, lejący katar), które występowały u dziecka po ich spożyciu.

Zauważyłam, że w porównaniu z innymi produktami to właśnie te nabiałowe wywołują u mojej córki najsilniejszą reakcję. Postanowiłam więc przyjrzeć im się bliżej. Zaczęłam interesować się procesami, jakim jest poddawane mleko w przemyśle spożywczym, zanim trafi na sklepowe półki, tzn. przede wszystkim procesami pasteryzacji, sterylizacji i homogenizacji.

Procesy pasteryzacji, homogenizacji i sterylizacji błyskawicznej (UHT) mają w sobie coś z wojny. W ich wyniku giną zarówno dobrzy, jak i źli. W przypadku mleka są to zarówno dobroczynne, jak i potencjalnie chorobotwórcze bakterie, a także część witamin, soli mineralnych i enzymów. Podczas wymienionych procesów struktura białka ulega zmianie, w wyniku czego mleko i jego przetwory są trudniej przyswajalne przez człowieka i – zamiast pomagać – mogą mu szkodzić.

Procesem najbardziej zbliżonym do naturalnego jest pasteryzacja, czyli podgrzewanie mleka.

Dzięki rozwojowi techniki od jakiegoś czasu możemy także kupić mleko poddane dodatkowo – oprócz procesu pasteryzacji – procesowi mikrofiltracji (nieszkodliwemu).

Procesami nieco bardziej ingerującymi w strukturę mleka są procesy sterylizacji błyskawicznej (UHT) oraz proces homogenizacji. Mleko UHT ma niemalże nieskończenie długi termin przydatności do spożycia, co jest sprzeczne z naturą. Czy w takim razie mleko UHT jest w ogóle nieprzydatne? Otóż sprawdzi się

Pasteryzacja – w wyniku pasteryzacji, czyli ogrzewania mleka w konkretnej temperaturze przez konkretny czas, następuje zabicie bakterii chorobotwórczych i mikroflory saprofitycznej. W wyniku pasteryzacji giną zarówno złe, jak i dobre bakterie, a także część witamin i soli mineralnych. Takie mleko może być przechowywane w niskiej temperaturze do siedmiu dni. To jest jego zaletą. Wadą natomiast jest to, że jest gorzej trawione przez człowieka.

Pasteryzacja przebiega przy stosowaniu:

• wysokiej temperatury w krótkim przedziale czasowym (co najmniej 72°C przez 15 sekund)

• niskiej temperatury w długim przedziale czasowym (co najmniej 63°C przez 30 minut)

• innych kombinacji warunków czasowych i termicznych.

Bardziej przyjazny dla naszego zdrowia będzie zapewne produkt poddany procesowi niskiej pasteryzacji.

Mikrofiltracja jest nowoczesną technologią stosowaną przy produkcji mleka. Polega ona na oczyszczaniu mleka z drobnoustrojów w sposób nienaruszający zupełnie struktury mleka. Po procesie mikrofiltracji mleko można pasteryzować w stosunkowo niskiej temperaturze 72°C–74°C.

Homogenizacja polega na rozdrabnianiu kuleczek tłuszczu, tak że zaczynają one tworzyć z mlekiem jednolitą strukturę. W wyniku tego procesu minerały i witaminy z mleka są trudniej absorbowane przez z człowieka.

Sterylizacja błyskawiczna / (UHT – ang. *ultra high temperature*) polega na ogrzaniu mleka w wysokiej temperaturze w krótkim przedziale czasowym (nie mniej niż 135°C). Ocalałe w procesie sterylizacji związki aktywne giną potem podczas długotrwałego magazynowania mleka UHT.

świetnie do usuwania z odzieży plam ze świeżych owoców. (Podobnie zresztą jak mleko mniej przetworzone, ale to lepiej jest po prostu spożyć).

Niemal każdy produkt nabiałowy dostępny w sprzedaży sklepowej ma za sobą w najlepszym razie tylko proces pasteryzacji. Większość jest poddawana dodatkowo innym procesom przetwórczym, „wzbogacana" różnymi dodatkami chemicznymi oraz mlekiem w proszku. Znane nam z dawnych czasów mleko w woreczku z bardzo krótkim terminem przydatności do spożycia (3–5 dni) jest poddane jedynie procesowi pasteryzacji. Szkopułem jest jednak ów woreczek (plastikowy), którego miło byłoby uniknąć.

Uwaga – W obiegowej opinii panuje pogląd, że mleko w woreczku jest najmniej przetworzone oraz że posiada ono krótki termin przydatności do spożycia. Być może tak było kiedyś. Obecnie można znaleźć zarówno takie, które mają zaledwie kilka dni przydatności do spożycia, ale również mleko UHT w woreczku. Należy więc zawsze czytać skład etykiety, aby mieć pewność, że kupujemy produkt, o jaki nam chodzi.

Po zapoznaniu się z procesami, jakim poddawane jest mleko przeznaczone do sprzedaży, i po analizie substancji dodawanych do produktów nabiałowych postanowiłam poszukać krowy z małej hodowli, która żywi się trawą i sianem i której mleko pije też gospodarz. Zważywszy na to, że mieszkamy w Krakowie, zadanie zapowiadało się na prawdziwą *mission impossible*. Jak się już jednak okazywało niejednokrotnie, determinacja ma wielką moc sprawczą. Wypytując znajomych, znalazłam w krótkim czasie dwa gospodarstwa rolne, gdzie mogłam zaopatrywać się w mleko prosto od krowy. Oprócz krowy udało mi się zlokalizować w Krakowie i jego bezpośrednim sąsiedztwie dodatkowo inne zwierzęta z pogranicza egzotyki: kozy (mleko),

kury i strusia (jaja). Wynika z tego niezbicie, że dla chcącego
nic trudnego.

Na czym właściwie polega przewaga mleka od krowy nad
tym ze sklepu? Krowy hodowane na masową skalę są karmione paszą. W jej składzie występuje: soja, kukurydza, rzepak,
jęczmień, żyto (przy czym soja i kukurydza mogą pochodzić
z upraw GMO). Jeśli krowa zamiast trawy w lecie i siana w zimie je paszę, to można się spodziewać, że będzie to mieć także
wpływ na jakość mleka. Nie od parady ukuto wśród hodowców
bydła porzekadło „krowa pyskiem się doi", co znaczy, że dobra
karma to klucz do uzyskania dobrego mleka, i nie o wydajność
tutaj chodzi, ale o jakość.

Stosowany w masowej hodowli zwierząt, w tym bydła, **model
skoncentrowanego karmienia** wymusza na zwierzętach jedzenie
produktów, do których nie zostały przystosowane w drodze ewolucji.
Ma to bezpośrednie zdrowotne konsekwencje dla krów. Nie wiemy
natomiast, jak wpływa to na nasze zdrowie. Krowy hodowane
w celach przemysłowych trzymane są często w niehumanitarnych
warunkach, nie wychodzą na świeże powietrze, w związku z czym
zapadają na choroby, które leczy się antybiotykami. Jeśli krowa je
antybiotyki i hormony (mające przyspieszyć jej wzrost), to my, jedząc
jej produkty, także się przy okazji „leczymy". Jeśli krowa je trawę
skażoną metalami ciężkimi, te metale trafiają również do naszego
krwiobiegu. Pijemy mleko, jemy masło od takich krów. Spożywamy
również ich mięso.

Obawiam się, że za jakiś czas ilustracje przedstawiające zre-
laksowane krowy skubiące na łące zieloną trawkę i od niechce-
nia odganiające ogonem muchy wkrótce przejdą do lamusa jak
niegdyś *Elementarz* Falskiego. Ilustracje w nim zawarte, choć

piękne, przestały w pewnym momencie odpowiadać realiom. No bo co powiemy naszym prawnukom, kiedy przybiegną do nas z książeczką edukacyjną i zapytają: „Babciu / dziadku! A co je krówka?". Serce wyrwie się, by orzec triumfalnie: „Trawkę, wnusiu", ale wewnętrzny cenzor może w tym momencie uderzyć na alarm, bo albo trawki za tych pięćdziesiąt lat już nie będzie i zastąpi ją soczystozielony żwirek, albo miejsca, gdzie rośnie, uznane zostaną za tereny chronione i spożywanie tego zagrożonego cuda uznawane będzie za co najmniej dziwne, z pewnością zaś karalne. W tekście *Dezyderaty* słyszymy wprawdzie, że miłość jest wieczna jak t r a w a, ale ponieważ nigdy nic nie wiadomo, z westchnieniem odszepniemy prawnusi / prawnuczkowi, że krówka je, owszem, specjalnie dla niej przygotowaną paszę. A potem zasmucimy się troszeczkę. Nie na długo – jak to przy dzieciach.

Czy da się zatem rozstrzygnąć jednoznacznie, czy mleko jest zdrowe czy wręcz przeciwnie? Z mlecznym mitem każdy musi uporać się sam. Jedno jest pewne, między mlekiem prosto od krowy a mlekiem prosto ze sklepu jest kolosalna różnica. Mój syn po spożyciu sklepowych produktów nabiałowych natychmiast dostaje czerwonych rumieńców. Kiedy je ten sam produkt wytworzony przeze mnie z mleka „od krowy" (lub produkt ekologiczny), nic takiego się nie dzieje. Nie jest to odosobniony przypadek braku spodziewanej reakcji na mleko krowie. Pewna rodzina z Warszawy, spędzając wakacje na mazurskiej wsi, przeżyła niemały wstrząs, gdy okazało się, że dzieci dotychczas „uczulone" na mleko krowie, pijąc mleko od tamtejszej krowy, która skubie koniczynkę na czystej łące, nagle ozdrowiały.

Zarówno przeciwnicy, jak i zwolennicy tego napoju są zgodni w jednej kwestii: lepiej przyswajalne niż mleko słodkie są jego przetwory – masło, zsiadłe mleko, twaróg czy jogurt.

Mleko i jego przetwory stanowią źródło różnych witamin i minerałów, m.in. wapnia. Kiedy zmuszona byłam czasowo wykluczyć produkty mleczne z diety córki, przeżywałam katusze, martwiąc się, czy aby nie zafunduję jej niedoborów wapnia. Po zagłębieniu się w literaturę fachową dowiedziałam się, że oprócz mleka bogatym źródłem wapnia są rośliny strączkowe i zielone, a także orzechy i różne nasiona. Na bazie dwóch ostatnich grup produktów można przyrządzić mleko (napój) domowym sposobem. Napój zbożowy jest alternatywą dla mleka krowiego lub jego uzupełnieniem. Na rynku dostępne jest mleko owsiane, ryżowe, sojowe, orzechowe, migdałowe, orkiszowe. Przy wyborze należy zwrócić uwagę na możliwą obecność dodatków, takich jak np. cukier czy syrop glukozowo-fruktozowy. Mleko to jest stosunkowo drogie, dlatego można je rozcieńczać wodą lub zrobić samemu.

Od jakiegoś czasu powstają w Polsce mlekomaty, gdzie można zaopatrzyć się w świeże, nieprzetworzone mleko prosto od hodowcy (a właściwie prosto od krowy). Pojawiające się coraz częściej stoiska z produktami tradycyjnymi, nieprzetworzonymi także oferują świeże, niepasteryzowane mleko. Jeśli taki produkt nie jest opatrzony certyfikatem rolnictwa ekologicznego, pytanie o to, co jadły krowy, pozostaje jednak również otwarte, podobnie jak w odniesieniu do mleka ze sklepu. Zaopatrując się w mleko niepasteryzowane, należy zawsze szukać zaufanego źródła. Mleko źle przechowywane, wystawione np. na działanie zbyt wysokiej temperatury (powyżej $6°C$), może zawierać bakterie chorobotwórcze.

Zgromadziwszy wiedzę na temat mleka, po przeprowadzeniu wnikliwej analizy mlecznych produktów sklepowych i po znalezieniu źródła świeżego mleka od krowy rozpoczęłam przetwórstwo nabiału na domową skalę. Kierując się zasadą: „jedz to, co jadłaby twoja babcia tudzież prababcia", zaczęłam robić jogurt, kwaśne mleko, czasem twaróg i ser żółty, a sporadycznie nawet masło.

MLEKO W PROSZKU | Niemało trudu kosztowało mnie rozprawienie się z mlekiem w proszku. Intuicyjnie czułam, że do najzdrowszych produktów ono nie należy, jednak dostępne mi informacje o jego potencjalnej szkodliwości były szczątkowe. Za punkt wyjścia do udowodnienia swojej tezy, że mleko w proszku jest niezdrowe, przyjęłam, iż jeżeli naturalna konsystencja płynu została przekształcona w proszek, to musiała w trakcie tego procesu nastąpić duża ingerencja technologiczna. Moja wiedza została tymczasem wzbogacona przez panią doktor nauk chemicznych, która ujawniła mi, że do produktów w proszku dodaje się (bywa, że szkodliwe) substancje przeciwzbrylające. Wertując różne artykuły, natykałam się od czasu do czasu na informację, że mleko w proszku jest źródłem utlenionego cholesterolu. Postanowiłam więc dowiedzieć się czegoś o owym tajemniczego związku. Jak się okazało, utleniony cholesterol frakcji LDL (ox-LDL) podejrzewany jest o wpływ na rozwój miażdżycy. W tym momencie wszystkie kawałki puzzli trafiły na swoje miejsce, a ja w spokoju ducha mogłam nadal omijać szerokim łukiem produkty z mlekiem w proszku. Podczas zakupów staram się świadomie wybierać artykuły, które go nie zawierają. To oczywiście niezmiernie zawęża ilość wyrobów, które mogę kupić. Mleko w proszku jest bowiem dodawane do jogurtów, kefirów, serków topionych i twarogowych, słodyczy, pieczywa, kaszek i deserków dla niemowląt oraz małych dzieci, a nawet do chrzanu.

PRZEPISY

napój ryżowy

1 porcja ugotowanego (nawet rozgotowanego) ryżu, 4 porcje
gorącej wody, szczypta soli (ewentualnie 1 łyżeczka domowego
cukru waniliowego)

◇ ◇ ◇

Wszystko razem bardzo dokładnie zmiksować. Przecedzić przez
sitko z bardzo małymi otworami lub przelać napój przez gazę.

1 litr napoju ryżowego w kartonie kosztuje 8–11 zł
1 litr napoju ryżowego domowego kosztuje 1–2 zł

napój owsiany

1 szklanka płatków owsianych górskich, 4 szklanki wody,
1 łyżeczka domowego cukru waniliowego, szczypta soli

◇ ◇ ◇

Płatki zalać na noc 2 szklankami wody. Rano dokładnie
zmiksować. Dodać pozostałą wodę. Przecedzić przez sitko
z bardzo małymi otworami (ewentualnie przelać przez gazę). Jeśli
napój jest za gęsty, można dolać więcej wody. Dodać sól i cukier
waniliowy, wymieszać. Przechowywać w lodówce do 48 godzin.
(inspiracja: pinkcake.blox.pl/2012/03/Jak-zrobic-mleko-owsiane.
html, dostęp 17.06.2013.)

1 litr napoju owsianego w kartonie kosztuje 7–11 zł
1 litr napoju owsianego domowego kosztuje ok. 1 zł

W podobny sposób jak napój z płatków owsianych można zrobić napój z pestek słonecznika, blanszowanych migdałów lub sezamu.

PODSUMOWANIE:
- unikajmy mleka UHT i homogenizowanego, zamiast tego wybierajmy mniej przetworzone mleko pasteryzowane w niskiej temperaturze lub mikrofiltrowane z krótkim terminem przydatności do spożycia
- znajdźmy gospodarstwo / stoisko z żywnością tradycyjną / mlekomat, gdzie będziemy mogli zaopatrywać się w świeże mleko prosto od krowy (najlepiej z ekologicznym certyfikatem lub z hodowli tradycyjnej)
- wybierajmy sfermentowane przetwory mleczne zamiast mleka słodkiego

a| Masło czy margaryna? Oto jest pytanie

Czym smarować chleb? Masłem, margaryną czy miksem (będącym mieszanką masła z margaryną)? Masło, które jest tłuszczem zwierzęcym otrzymywanym ze śmietany, przez ostatnie dekady okryte było złą sławą i zostało częściowo wyparte przez margarynę oraz mieszanki masła.

Margaryna, czyli utwardzony tłuszcz roślinny (lub zwierzęcy), a także mieszanki masła i margaryny zawierają w składzie (najczęściej) tzw. tłuszcze trans, które zaliczane są do najbardziej niezdrowej grupy tłuszczów. (Są one kojarzone z m.in. następującymi chorobami: miażdżyca, nowotwory, otyłość, cukrzyca). Przez lata – ba, dekady – wmawiano ludziom, że margaryna jest wybawicielką ludzkości od chorób układu krążenia jako alternatywa dla niezdrowych tłuszczów nasyconych (głównie zwierzęcych). Aby ciekły olej roślinny zamienił się w postać stałą, poddany jest skomplikowanym procesom technologicznym (uwodornieniu lub estryfikacji). Margaryny twarde (przeznaczone do smażenia) zawierają więcej szkodliwych tłuszczy typu trans w stosunku do margaryn miękkich (przeznaczonych do smarowania pieczywa).

> Pod wpływem dodania wodoru do oleju roślinnego zostaje on przekształcony w tłuszcz o stałej konsystencji w temperaturze pokojowej. Taki uwodorniony tłuszcz zawiera niezdrowe kwasy tłuszczowe o konfiguracji trans.

Gdzie możemy znaleźć uwodorniony olej? W bardzo wielu gotowych produktach takich jak: margaryna, przeróżne smarowidła do chleba, wyroby cukiernicze, żywność typu *fast food*. Jak można się ustrzec przed zakupem produktów ze szkodliwymi tłuszczami typu trans? Zamiast margaryn wybierajmy masło, unikajmy produktów, na których etykiecie widnieje oznaczenie: „uwodorniony", „utwardzony", czy też „częściowo utwardzony", unikajmy gotowych wyrobów cukierniczych, chipsów i dań typu *fast food*.

Jeśli nadal mamy wątpliwości, co wybrać, możemy zadać sobie sakramentalne pytanie: „Czym smarował chleb pradziadek?". Odpowiedź jest prosta – nie margaryną czy jakimś margarynowo-maślanym miksem, tylko masłem właśnie. Margaryny i przeróżnych miksów należy najzwyczajniej w świecie unikać. Trzeba bowiem pamiętać przede wszystkim o tym, że margaryna jest produktem syntetycznym. W odróżnieniu od niej masła bać się nie należy.

A jakie masło wybrać? Pamiętam z dzieciństwa, że masła, którego nie wyjęło się z lodówki odpowiednio wcześnie, nie dało się rozsmarować. Dzisiaj nie mam już takiego problemu, bowiem najczęściej, kiedy wyjmę masło z lodówki, ono jest „zwarte i gotowe" do bezproblemowego rozsmarowywania. Co takiego jest w maśle, że jest inne niż parę dekad temu? Jak podaje definicja, masło to „produkt zawierający nie mniej niż 80% i nie więcej niż 90% tłuszczu mlecznego, nie więcej niż 16% wody i nie więcej niż 2% suchej masy beztłuszczowej mleka".

Ważna z punktu widzenia konsumenta jest *nomen omen* wysoka zawartość tłuszczu w owym tłuszczu. Masło z zawartością tłuszczu minimum 82% smakuje już dobrze. Masło jest tłuszczem zwierzęcym i w związku z tym nie powinno zawierać dodatku tłuszczów roślinnych. Dawniej, dokonując wyboru masła, można było opierać się na badaniu palpacyjnym (zwanym potocznie omacywaniem). Im masło było twardsze, tym lepsze. Zasada ta, do niedawna w obiegowej opinii uznawana za niezawodną, obecnie przestaje już być wiarygodna. Wraz z rozwojem technologicznym zmienia się także konsystencja masła. Dlatego np. to, że po zastosowaniu metody palpacyjnej w przypadku masła osełkowego stwierdzimy empirycznie, iż jest ono miękkie, nie powinno budzić naszego niepokoju. Niektóre mleczarnie w Polsce dysponują najnowocześniejszymi rozwiązaniami technologicznymi (prawdopodobnie to właśnie implikuje wysoką cenę masła osełkowego),

---

MARGARYNA / MIKS TŁUSZCZOWY

Annato (rocou) E 160b ⊖

Aromat ?

Beta-karoten E 160a (ii) ⊕

Kwas cytrynowy E 330 ❗

Kwas sorbowy E 200 ❗

Lecytyna słonecznikowa ⊕

Lecytyna sojowa ⊕

Mono- i diglicerydy kwasów tłuszczowych E 471 ⊕

Mono- i diglicerydy kwasów tłuszczowych estryfikowane kwasem cytrynowym E 472c ⊕

Palmitynian askorbylu E 304 ⊕

Polirycynoleinian poliglicerolu E 476 ⊕

Skrobia modyfikowana E 1404 ❗

Sorbinian potasu E 202 ❗

Sól ?

Sól wapniowo-disodowa kwasu etylenodiaminotetraoctowego (EDTA wapniowo-disodowy) E 385 ⊖

Utwardzane oleje roślinne ❗

dzięki którym można wyrabiać **masło osełkowe** ze słodkiej (a nie jak to było dotychczas – z kwaśnej) śmietany. Dzięki temu przedłużona zostaje trwałość masła. Możemy zauważyć także pewną prawidłowość w odniesieniu do tego samego masła o różnych porach roku. A mianowicie w lecie masło będzie bardziej miękkie niż w zimie i jest to rzecz naturalna. Ponadto masło wyjęte z zamkniętej chłodni będzie twardsze niż masło tego samego producenta zakupione w innym sklepie, gdzie leżakuje w chłodniach otwartych. Na twardość masła ma również wpływ to, czy powstało z kwaśnej (wtedy jest twardsze) czy słodkiej śmietany (wówczas jest bardziej miękkie).

Kupując **masło extra** mamy gwarancję, że wybieramy produkt, który ma następujący skład: 82% tłuszczu mlecznego, 16% wody i 2% suchej masy beztłuszczowej mleka. Czytajmy więc etykiety i świadomie wybierajmy produkt, jaki zamierzamy kupić.

Oprócz mleka i wody masło może także zawierać uznawane za nieszkodliwe dla zdrowia człowieka karoteny (E 160a).

PRZEPISY

masło

Powstałą podczas kwaszenia mleka śmietanę zebrać i miksować w malakserze, aż do oddzielenia masła i maślanki. Masło należy zanurzyć w wodzie, którą trzeba kilkakrotnie zmieniać, i uciskać łyżką, aby wypłukać resztki maślanki.

PODSUMOWANIE:

• chleb smarujmy masłem, a nie margaryną

b| Śmietana

Po wnikliwej analizie etykiety przekonałam się, że można dodać do śmietany przeróżne ingrediencje, a produkt nadal nazywać się będzie śmietaną. W składzie śmietany znalazłam m.in. pektynę, mączkę chleba świętojańskiego, gumę guar. Żadna z tych substancji dodatkowych nie jest uznawana za szkodliwą, jednak jako konsument wymagający uparłam się, że kupię po prostu śmietanę, a nie śmietanę z gumą czy mączką. Okazuje się, że nie jest to przedsięwzięcie wykraczające poza możliwości konsumenta. Wymagającego rzecz jasna.

Przy wyborze śmietany obowiązuje ta sama zasada co przy wyborze mleka – procesem przyjaźniejszym dla naszych jelit i żołądków jest pasteryzacja, a nie proces UHT ani homogenizacja. Aby dojść do takiego wniosku, wystarczy kierować się zdrowym rozsądkiem i porównać termin przydatności do spożycia śmietany domowej, pasteryzowanej i UHT. Domowa i pasteryzowana zepsują się mniej więcej w tym samym czasie, natomiast „uhata", niczym twarz potraktowana botoksem, będzie długo, długo zachwycać wątpliwą świeżością.

Aby uniknąć spożycia substancji dodatkowych, śmietanę można zastąpić jogurtem naturalnym. Mniejsza kaloryczność tego ostatniego jest tu również nie do przecenienia.

> **ŚMIETANA**
>
> Guma guar E 412 ➕
>
> Kwas cytrynowy E 330 ❗
>
> Mączka chleba świętojańskiego (guma karobowa) E 410 ➕
>
> Pektyny E 440 ➕
>
> Skrobia modyfikowana E 1404 ❗

PODSUMOWANIE:

- w miarę możliwości śmietanę UHT i homogenizowaną zastępujmy śmietaną pasteryzowaną, która nie zawiera żadnych substancji dodatkowych, poza kulturami bakterii
- w miarę możliwości śmietanę zastępujmy jogurtami naturalnymi

---

SER ŻÓŁTY

Annato (rocou) E 160b ⊖

Azotan potasu E 252 ⊖

Chlorek wapnia E 509 ⊕

Kwas cytrynowy E 330 ⚠

Lizozym E 1105 ⚠

Natamycyna E 235 ⊖

---

c| Ser żółty

Kupując żółty ser, niejednokrotnie zapewne nie zdajemy sobie sprawy z tego, że z zakupów nie wracamy do domu z żółtym serem, tylko z wyrobem seropodobnym. Pierwszą rzeczą, która już powinna budzić naszą czujność, jest cena. Cena produktów seropodobnych będzie niższa niż prawdziwego sera. Jak jeszcze można odróżnić ser od jego podróbki? Oczywiście analizując jego skład na etykiecie produktu. Ser żółty oprócz mleka (krowiego, koziego bądź owczego) ma prawo zawierać kultury bakterii i podpuszczkę. A to, co jeszcze znalazłam w różnych rodzajach sera żółtego oraz w wyrobach seropodobnych, podaję w ramce.

SEREK WIEJSKI

Guma guar E 412 ⊕

Guma ksantanowa E 415 ⊕

Sól ❓

---

d| Ser biały

Ser biały zwany również twarogiem lub serem twarogowym możemy kupić w plastikowym opakowaniu oraz na szczęście także owinięty w papier. Im krótszy ma termin ważności, tym większa szansa na to, że został wytworzony w sposób zbliżony do tradycyjnego. Twaróg powinien składać się z białego sera i kultur bakterii. I niczego więcej. Na półkach sklepowych mamy do wyboru wiele różnych rodzajów białego sera. Poniżej zostały wyliczone składniki dodatkowe, które mogą występować w danym produkcie.

SERKI HOMOGENIZOWANE

Aromat ❓

Cukier ❓

Guma ksantanowa E 415 ➕

Karmel amoniakalny E 150c ➖

Karmina (kwas karminowy, koszenila) E 120 ➖

Kurkumina E 100 ➕

Kwas cytrynowy E 330 ❗

Pektyny E 440 ➕

Skrobia modyfikowana E 1404 ❗

Sorbinian potasu E 202 ❗

Syrop glukozowo-fruktozowy ❓

SERKI TOPIONE

Aromat ❓

Beta-karoten E 160a (ii) ➕

Cytryniany sodu E 331 ➕

Difosforany E 450 ➕

Fosforany sodu E 339 ➕

Guma ksantanowa E 415 ➕

Karagen E 407 ➖

Kwas cytrynowy E 330 ❗

Mleko w proszku ❓

Polifosforany E 452 ➕

Skrobia modyfikowana E 1404 ❗

Tłuszcz roślinny utwardzony ❗

PRZEPISY

żółty ser

1 kg białego sera (twarogu), niecałe 1/2 litra mleka, 2–3 łyżki masła,

1 jajko, 1 żółtko, 1 łyżeczka sody, 1 łyżeczka octu, sól do smaku

◇ ◇ ◇

Ser zalać mlekiem, doprowadzić do wrzenia i gotować ok. 10 minut, co jakiś czas mieszając. Przelać na sitko i osączyć. W garnku roztopić masło, dodać ser, 1 całe jajko, 1 żółtko i cały czas mieszając, gotować na małym ogniu. Po kilku minutach dodać sodę, ocet i sól. Razem chwilę pogotować, ciągle mieszając. Gotowy ser przełożyć do niewielkiego, szklanego pojemnika docisnąć i owinąć papierem śniadaniowym. Po wystudzeniu pojemnik z serem szczelnie przykryć i włożyć do lodówki. Ser powinniśmy zużyć w ciągu kilku dni. Jeśli zrobiliśmy większą jego ilość, możemy go zamrozić.

SERKI TWAROGOWE

Aromat ❓

Guma guar E 412 ➕

Mączka chleba świętojańskiego (guma karobowa) E 410 ➕

Mleko w proszku ❓

Pektyna E 440 ➕

---

biały ser

Zsiadłe mleko (minimum 4 litry, bo większość zsiadłego mleka oddzieli się jako serwatka) przelać ostrożnie do garnka. Postawić na ogniu i mieszając od czasu do czasu bardzo delikatnie chochlą, czekać, aż stanie się gorące. Nie wolno mleka zagotować! Przelać na sitko i na 15 minut zanurzyć je w serwatce.

Następnie postawić sitko z serem na pustym garnku i zostawić tak na kilka godzin.

Serwatkę, która jest źródłem wielu aminokwasów, witamin i składników mineralnych, można po prostu wypić albo dodać do koktajlu owocowego.

PODSUMOWANIE:

• wybierajmy ser, który zawiera jedynie kultury bakterii i podpuszczkę, no i mleko rzecz jasna

e| Kefir

Kefir sprzedawany jest w plastikowych kubeczkach i najczęściej zawiera dodatek mleka w proszku. Kefir polecany przez gastrologów (w celu zasiedlania jelit zdrową florą bakteryjną) jest sprzedawany w szklanych butelkach. Nie powinien mieć w swoim składzie mleka w proszku.

ZSIADŁE MLEKO oraz KEFIR

Białka mleka ✚

Mleko w proszku ❓

KEFIR SMAKOWY

Aromat ❓

Beta-karoten E 160a (ii) ✚

Cukier ❓

Cytrynian sodu E 331 ✚

Guma ksantanowa E 415 ✚

Hydroksypropylofosforan diskrobiowy E 1442 ❗

Karagen E 407 ➖

Karmina (kwas karminowy, koszenila) E 120 ➖

Kwas cytrynowy E 330 ❗

Mleko w proszku ❓

Pektyny E 440 ✚

Skrobia modyfikowana E 1404 ❗

Syrop glukozowo-fruktozowy ❓

PRZEPISY

kefir

1 litr słodkiego mleka, 2–3 łyżki (zakupionego w sklepie) kefiru

◇ ◇ ◇

Mleko zagotować i ostudzić do temperatury ciała, czyli ok. 37°C
(najlepszy pomiar uzyskuje się, wkładając palec do studzącego
się mleka, i jeśli mleka już „nie czujemy" lub jest odrobinę
cieplejsze, tzn. że jest gotowe do dalszego procesu). Odlać ok.
1/2 szklanki, wymieszać z kefirem i rozprowadzić w pozostałym
mleku. Wszystko przelać do termosu, szczelnie zamknąć
i odstawić na minimum 12 godzin. Im dłużej kefir będzie się robić,
tym będzie kwaśniejszy. Gotowy kefir przechowywać w lodówce.

zsiadłe (kwaśne) mleko

słodkie, niepasteryzowane mleko

◇ ◇ ◇

Przygotowanie zsiadłego mleka jest dziecinnie proste. Świeże,
niegotowane mleko przelewamy do szklanego słoika, zakrętkę
pozostawiając niedokręconą, i odstawiamy w ciepłe miejsce.
W zimie dobre będą okolice kaloryfera, w pozostałych miesiącach
wystarczy po prostu blat kuchenny. Zsiadłe mleko w zależności od
temperatury otoczenia będzie gotowe po upływie około 1-3 dni.

f| Jogurty, serki i deserki

W Polsce jest znana pewna firma produkująca m.in. jogurty
i słodkie serki dla dzieci, której nazwa stała się niejako synonimem słodkiego owocowego jogurtu (podobnie jak to się dzieje

z pieluszkami jednorazowymi w przypadku innego producenta). Kiedyś moja najstarsza córka po powrocie z przedszkola zapytała mnie z przestrachem w oczach, dlaczego nie daję jej tych właśnie jogurtów do przedszkola. W s z y s t k i e mamy dają je swoim dzieciom, tylko ja nie, a pani mówiła, że trzeba je jeść, bo wzmacniają zęby i kości.

Z powodu nachalnej reklamy w mediach i sloganów, których przekaz był taki, że należy bezwzględnie i nieodzownie zaopatrzyć swoje pociechy w serek, a on jako idealne źródło wapnia zapewni im (pociechom) zdrowe i mocne kości, wiedza ta wdarła się tak głęboko i mocno w świadomość rodziców, że nawet teraz, choć upłynęło już kilka lat od czasu emisji tamtej reklamy, kiedy rozmawiam z różnymi matkami o zdrowym żywieniu, okazuje się, że większość z nich jest ostrożna przy serwowaniu swoim pociechom np. parówek, natomiast absolutnie nie dostrzega zagrożenia związanego z konsumpcją słodzonych serków i jogurtów.

Myślę, że wiedza, co tak naprawdę kryje się pod kolorowym

MLECZNE PRODUKTY DLA DZIECI

Aromat ❓

Błękit patentowy V E 131 ➖

Cukier ❓

Cytryniany sodu E 331 ➕

Dekstroza ❓

Ekstrakt słodowy ❓

Fosforany sodu E 339 ➕

Guma arabska E 414 ❗

Guma guar E 412 ➕

Karagen E 407 ➖

Karmina (kwas karminowy, koszenila) E 120 ➖

Kwas cytrynowy E 330 ❗

Lecytyna sojowa ➕

Mączka chleba świętojańskiego (guma karobowa) E 410 ➕

Mąka pszenna ❓

Mleczan wapnia E 327 ❗

Mleko w proszku ❓

Mono- i diglicerydy kwasów tłuszczowych E 471 ➕

Skrobia modyfikowana E 1404 ❗

Syrop glukozowo-fruktozowy ❓

Tłuszcz roślinny ➕

JOGURTY OWOCOWE

Acesulfam K E 950 ⊖

Antocyjany E 163 ⊕

Aromat ❓

Aspartam E 951 ❗

Cukier ❓

Cytrynian trisodowy E 331 (iii) ⊕

Cytrynian triwapniowy E 333 (iii) ⊕

Guma arabska E 414 ❗

Guma guar E 412 ⊕

Kwas cytrynowy E 330 ❗

Lecytyna sojowa ⊕

Mleko w proszku ❓

Pektyny E 440 ⊕

Skrobia modyfikowana E 1404 ❗

Syrop glukozowo-fruktozowy ❓

wieczkiem, na którym widnieje dorodna truskawka, mogłaby im przynajmniej pomóc świadomie podjąć decyzję o tym, czy chcą, by ich dziecko jadło regularnie: cukier, syrop glukozowo-fruktozowy, skrobię modyfikowaną, syntetyczne witaminy, szkodliwe barwniki, a także aromaty (etykietka raczej nas enigmatyczną informacją i nie zdradza, czy są one sztuczne czy naturalne). Skład świadczy o tym, że jest to raczej deser (do sporadycznego serwowania) niż pełnowartościowy posiłek przeznaczony dla dziecka.

O tym, że warto być czujnym, zwłaszcza kiedy chodzi o dzieci i reklama nakłania nas do kupienia czegoś, bo jest „niezbędne dla..." i „bogate w...", świadczy chociażby skład jednego z deserków mlecznych z czekoladą i orzechami. Etykieta informuje, że poza przetworzonym, a więc pozbawionym witamin, minerałów i enzymów mlekiem, cukrem, odtłuszczonym kakao, skrobią modyfikowaną, mączką chleba świętojańskiego, cytrynianem wapnia i aromatem deser ów zawiera czekoladę w proszku w ilości 0,6% oraz orzechy laskowe również w ilości 0,6%. Po przeliczeniu okazuje się, że 0,6% orzechów laskowych w 400 g deseru to 2,4 g orzechów. Jeden orzech laskowy waży około 2–3 g, aby więc prawdzie stało się zadość, na opakowaniu powinno być napisane: deser mleczny z czekoladą i j e d n y m orzechem laskowym.

JOGURT NATURALNY | Przez długi czas używałam jogurtu naturalnego zamiast słodzonych jogurtów i śmietany, żyjąc w przeświadczeniu, że wybieram produkt najzdrowszy z oferowanych. Byłam w błędzie, bo choć napis na opakowaniu zapewniał mnie z mocą, że produkt jest naturalny, wcale taki nie był. Po dokładnym przejrzeniu etykiet okazało się, że do większości jogurtów naturalnych (z nazwy) dodawane jest mleko w proszku. Na szczęście dostępne są również takie, które udało się wyprodukować z dodatkiem samych kultur bakterii.

Co zatem może zawierać jogurt naturalny prócz naturalnie mleka?

JOGURT NATURALNY

Białka mleka ➕

Mleko w proszku ❓

MLECZNE PRODUKTY FUNKCJONALNE / PROBIOTYCZNE / POPRAWIAJĄCE METABOLIZM CHOLESTEROLU / WZMACNIAJĄCE ODPORNOŚĆ *ETC*.

Acesulfam K E 950 ➖

Antocyjany E 163 ➕

Aromat ❓

Cukier ❓

Fruktoza ❓

Glukoza ❓

Guma arabska E 414 ❗

Mleko w proszku ❓

Pektyny E 440 ➕

Sukraloza E 955 ❗

Syrop glukozowo-fruktozowy ❓

Karmina (kwas karminowy, koszenila) F 120 ➖

PRZEPISY

jogurt naturalny

1 litr słodkiego mleka, 2–3 łyżki naturalnego jogurtu

◇ ◇ ◇

Przygotowanie domowego jogurtu tylko na pierwszy rzut oka wydaje się skomplikowane. Po dwóch razach robi się go już automatycznie. Przygotowując domowy jogurt naturalny, postępujemy podobnie jak przy kefirze. Jedyna różnica polega na dodaniu do mleka jogurtu zamiast kefiru.
Jak w przypadku kefiru, im dłużej jogurt będzie się robić, tym będzie kwaśniejszy. Im więcej gotowego jogurtu dodamy, tym gęściejszy będzie produkt końcowy.
Jeśli mamy bazę w postaci jogurtu naturalnego, można ją wykorzystać do produkcji jogurtu owocowego lub kakaowego.

jogurt owocowy

1/2 litra jogurtu naturalnego, ok. 200 g świeżych rozdrobnionych owoców (np. banan, maliny, truskawki) bądź mrożonych owoców (uprzednio rozmrożonych), lub pasteryzowanych w słoiku, 1 łyżka syropu z agawy

◇ ◇ ◇

Do jogurtu dodajemy resztę składników. Wszystko razem mieszamy łyżką.

jogurt kakaowy

kubek naturalnego jogurtu, 1 łyżka naturalnego kakao, 1 łyżka syropu z agawy

◇ ◇ ◇

Do jogurtu dodajemy resztę składników. Wszystko razem mieszamy łyżką.

ZŁOTA RADA: By ułatwić sobie pracę, należy małą część jogurtu wymieszać z całą ilością kakao lub owoców i naturalnego zamiennika cukru, a następnie rozprowadzić w całości.

PODSUMOWANIE:
- unikajmy słodzonych serków, deserków i jogurtów
- wybierajmy jogurt naturalny bez mleka w proszku
- róbmy jogurty smakowe na bazie jogurtu naturalnego

g| Mleko modyfikowane

Pewnego razu wspominana już wcześniej bardzo mądra pani dietetyk Bożena Kropka na wieść o tym, że moje dzieci piją modyfikowane mleko dla niemowląt, ze zdziwieniem zapytała: „I nie chorują?". Przyznam, że w pierwszej chwili nie zrozumiałam pytania. Wydawało mi się mianowicie, że karmię dzieci najzdrowszym możliwym rodzajem mleka.

Kiedy jednak po jakimś czasie spokojnie przeanalizowałam skład pierwszego lepszego mleka modyfikowanego dla niemowląt, przeszły mnie ciarki. Doliczyłam się ponad trzydziestu dodatków! Większość nazw była dla mnie zagadką. Zastanowiło mnie również samo słowo „modyfikowane". Modyfikowane, a więc zmienione, przekształcone, czyli już nie naturalne.

Zdarzają się sytuacje, kiedy kobieta nie może karmić dziecka piersią. Wówczas nie ma wyjścia i należy sięgnąć po mleko modyfikowane. Jednakże z moich obserwacji znajomych i z własnego doświadczenia wynika, że czasami chyba zbyt łatwo

MLEKO MODYFIKOWANE

Chlorek potasu E 508 **!**

Chlorek sodu (sól kuchenna) **?**

Chlorek wapnia E 509 **+**

Cytrynian potasu E 332 **+**

Lecytyna sojowa **+**

Maltodekstryna **+**

Mączka chleba świętojańskiego
(guma karobowa) E 410 **+**

Mleko w proszku **?**

Mono- i diglicerydy kwasów
tłuszczowych estryfikowane
kwasem cytrynowym E 472c **+**

Olej roślinny **+**

Skrobia **+**

Syrop glukozowy **?**

rezygnuje się z naturalnego karmienia na rzecz sztucznych mieszanek, nie zdając sobie sprawy, że „»prawie« robi wielką różnicę".

Poniżej wyliczam niektóre substancje dodatkowe, jakie można spotkać w mleku modyfikowanym. Oprócz nich mleko modyfikowane zawiera także syntetyczne witaminy i minerały.

PODSUMOWANIE:
• mleko modyfikowane
podawajmy niemowlętom
nie jako łatwo dostępną
alternatywę dla mleka matki,
lecz jedynie w ostateczności

3 | CZY Z TEJ MĄKI BĘDZIE CHLEB?

Kolejnym owianym złą sławą białym produktem jest biała mąka. Dzięki rozwojowi technologicznemu udało się wydłużyć okres przydatności mąki do spożycia, równocześnie jednak pozbawiając ziarna składników najzdrowszych, a więc otrąb (błonnika) oraz bogatych w witaminy i mikroelementy zarodków. W wyniku prowadzonych przez lata badań stwierdzono, że taka przetworzona przemysłowo mąka jest pozbawiona składników odżywczych i może powodować wiele dolegliwości, a nawet poważnych chorób (takich jak np. choroba beri-beri). Dziś – jeśli jesteśmy naprawdę zdesperowani lub wyjątkowo mocno zmotywowani – możemy spróbować przywrócić mąkę do jej stanu niejako prenatalnego, a więc kupić sobie w sklepie osobno: mąkę, otręby i zarodki, i połączyć wszystko w jedną całość. Musimy mieć jednak świadomość, że każdy z tych składników został poddany obróbce przemysłowej. Należy zdawać sobie również sprawę z tego, że pewne procesy są nieodwracalne. Tak jak z mąki, zarodków i otrąb nie da się z powrotem zrobić ziarna, tak pomiędzy sumą poszczególnych składników a świeżo zmielonym ziarnem zbóż nie da się postawić znaku równości.

W trakcie pisania niniejszego poradnika ukazał się w Polsce bestseller amerykańskiego kardiologa Williama Davisa *Dieta bez pszenicy*. Wiedza zawarta w tej książce rzuca zupełnie nowe światło na nasz codzienny jadłospis i wywraca do góry nogami całą dotychczasową wiedzę z dziedziny dietetyki. Według teorii Davisa to nie pszenicę jemy, tylko efekt genetycznych badań, które prowadzone były w drugiej połowie dwudziestego wieku.

Do udokumentowanych negatywnych działań współczesnej pszenicy należą m.in.: pobudzanie apetytu, podwyższanie poziomu cukru we krwi, stany zapalne różnych narządów, negatywny wpływ na układ kostny, aktywacja nieprawidłowych reakcji immunologicznych. Choroby wynikające ze spożywania pszenicy to m.in.: celiakia (liczba przypadków celiakii wzrosła w ciągu ostatnich pięćdziesięciu lat czterokrotnie), cukrzyca, choroby serca czy zapalenie stawów.

Jak wynika z książki, współczesna pszenica, mimo żc być może smakuje, wygląda i pachnie tak jak pszenica naszych przodków, to jednak jest już zupełnie innym produktem na skutek zmian biochemicznych, jakie w niej zaszły w ciągu ostatnich dziesięcioleci. W wyniku interwencji człowieka została ona poddana procesom genetycznym, hybrydyzacji i introgresji. Na skutek tych działań stworzono zboże odporne na działanie środowiska oraz bardziej wydajne. Zmiany w kodzie genetycznym pszenicy oraz wpływ innych procesów, jakim podlegała, nie pozostają jednak obojętne dla naszego zdrowia.

> **Hybrydyzacja** – krzyżowanie, czyli kojarzenie płciowe dwóch genetycznie różnych organizmów.
> **Introgresja** – krzyżowanie hybrydy międzygatunkowej z jednym z jego rodziców.

Davis obala w swojej książce także mit pełnoziarnistego pieczywa. Uważa on, że dla naszego zdrowia nie ma większego znaczenia, czy zjemy białą pszenną bułkę czy kromkę pełnoziarnistego pszennego razowca. Pszenica to pszenica. Zawsze wyrządzi nam krzywdę. W swoich teoriach posuwa się jeszcze dalej, twierdząc, że pszenica podwyższa poziom cukru we krwi jeszcze bardziej niż sacharoza (chleb pełnoziarnisty ma IG o wartości 72, a zwykły cukier 59). Swoim pacjentom zaleca bezwzględne odstawienie pszenicy z pożywienia. Obserwuje niewiarygodne rezultaty takiej diety. Jego pacjenci bez wyrzeczeń tracą na wadze, gubią swój „pszenny brzuch". Co ważniejsze jednak – odzyskują zdrowie.

Nic tak nie uwiarygodnia prac badawczych jak autoeksperyment – pomyślałam po lekturze książki Davisa. Z zapałem młodego naukowca zabrałam się więc do eliminacji pszenicy z codziennego menu i skrupulatnego odnotowywania wszelkich efektów. Mimo że nie jestem właścicielką „pszennego brzucha", już po kilku dniach diety bez pszenicy poczułam się lepiej. Ustały nękające mnie od czasu do czasu kurcze jelit i przelewanie w brzuchu. Może to zasługa odstawienia pszenicy, a może historia rodem z opowieści mojej cioci *à rebours*. Krewna owa bowiem w czasie studiów germanistycznych zaczytywała się wraz z koleżankami z roku w *Czarodziejskiej górze* Tomasza Manna. Wszystkie rozentuzjazmowane czytelniczki bardzo szybko wypielęgnowały w sobie rodzaj posępnego kaszlu i z zapałem śledziły u siebie kolejne symptomy gruźlicy (dla przypomnienia – akcja powieści rozgrywa się w sanatorium przeciwgruźliczym). Być może ja również uległam autosugestii. Jeśli nawet, to w ostatecznym rozrachunku mam zdrowszy brzuch, a nie chore płuca.

Jeśli wywody doktora Davisa nie przekonały nas i w dalszym ciągu uważamy, że właśnie pszenica powinna być podstawowym zbożem w naszym codziennym menu, to rozsądne wydaje się chociaż przygotowywanie produktów mącznych w domu, a nie kupowanie gotowych w sklepie. Jeżeli jednak argumenty amerykańskiego kardiologa do kogoś przemówiły i postanowił od tej pory unikać mąki pszennej, poniższy fragment poradnika jest właśnie dla niego.

W tradycyjnej kuchni polskiej na co dzień jadano mąkę żytnią i pszenną razową, mąka pszenna oczyszczona przeznaczona była na święta. Obecnie, po wielu latach niepodzielnego panowania w piekarniach wypieków z białej mąki pszennej, zaczynają pojawiać się tam także produkty z różnych rodzajów zboża. Dobrą sławą cieszy się mąka orkiszowa, która jest wprawdzie odmianą pszenicy, ale taka z niej cwana sztuka, że nie poddaje się łatwo modyfikacjom genetycznym, a na sztucznych nawozach rośnie mniej wydajnie. Do wypieku chleba bądź ciasta można używać również mąki żytniej. Interesującym doświadczeniem kulinarnym jest stosowanie mieszanek różnych mąk uzyskanych ze zmielonych kasz lub ryżu. Przykładowo: mąkę z ryżu brązowego możemy zrobić sami, mieląc w młynku do kawy brązowy ryż. Podobnie zemleć możemy kaszę gryczaną, jaglaną czy kukurydzianą, a nawet płatki owsiane. Co ciekawe, zemleć na mąkę w młynku do kawy można również rośliny strączkowe, np. fasolę czy soczewicę. Właściwie każdy przepis można zmodyfikować na zdrową modłę. Czy będzie to placek, ciastka, naleśniki, racuchy, chleb, bułki czy lane ciasto, zawsze białą mąkę z pszenicy można zastąpić. Pewnym problemem na początku naszych eksperymentów z mąką inną niż pszenna jest dostosowanie przepisu wyjściowego do składników, których chcemy użyć. Trzeba uwzględniać to, że każda mąka (bezglutenowa w szczególności) jest mniej wydajna od pszennej. Wyjątek stanowi tu mąka żytnia, która jest podobnie wydajna.

Mąka pełnoziarnista zawiera cenne dla organizmu związki, które jednak stosunkowo szybko po zmieleniu tracą swoje właściwości. Aby więc spożywanie mąki z pełnego przemiału miało faktycznie sens dla naszego zdrowia, najlepiej byłoby robić wypieki z mąki bezpośrednio zmielonej. Czy w ogóle istnieje taka możliwość? Okazuje się, że tak. Wymaga to oczywiście odrobiny organizacji i samozaparcia, ale niewątpliwie warto. Możemy się mianowicie zaopatrzyć w ziarna interesującego nas gatunku zboża w sklepie internetowym, we młynie lub u kogoś znajomego. W tym ostatnim przypadku uzyskamy informację, w jakich warunkach rosło zboże, tzn. czy na sztucznych czy naturalnych nawozach i czy stosowano środki ochrony roślin i jakiego rodzaju. Zdobyte ziarno dajemy do młyna do zmielenia. Przed takim przedsięwzięciem warto znaleźć inne osoby, które również będą tym zainteresowane, ponieważ młyn to nie sklep i musimy zlecić mielenie większej ilości zboża. Możemy również zemleć ziarno w specjalnym młynku żarnowym (koszt ok. 400 zł). Ponadto niektóre wyciskarki do soków i maszynki do mielenia mięsa mają dodatkowe przystawki do mielenia ziarna. Młynek do kawy, który świetnie sprawdza się jako urządzenie wielofunkcyjne, w tym przypadku nie zda egzaminu. Chyba że zapragniemy zemleć ziarno na jedną bułkę.

Białej mąki należy unikać również z tego powodu, że podczas procesu jej wybielania stosuje się substancje przeciwzbrylające oraz toksyczne dla zdrowia aluminium.

Pszenica – jeden z czynników sprzyjających rozwojowi cukrzycy. Pszenica podwyższa poziom cukru (glukozy) we krwi, a ten zaś nasila wytwarzanie insuliny. Insulina jest hormonem wydzielanym przez trzustkę w odpowiedzi na obecność cukru we krwi. Im wyższy poziom cukru, tym więcej potrzeba insuliny. Jeśli trzustka nie jest w stanie produkować wystarczającej ilości insuliny, może się rozwinąć cukrzyca.

PODSUMOWANIE:

• unikajmy wyrobów z mąki pszennej
• wybierajmy mąkę orkiszową lub żytnią
• zamiast białej używajmy mąki razowej
• mielmy w młynku kasze i ryż na mąkę

Pieczywo

Zadałam sobie kiedyś pytanie: „Z czego składa się chleb?". Założyłam, że odpowiedź przerośnie moje oczekiwania, i rzeczywiście tak się stało. Okazało się, że naiwny jest ten, kto sądzi, że chleb składa się z mąki, wody, soli i zakwasu lub drożdży. Chleb dwudziestego pierwszego wieku to tryumf formy nad treścią w najgorszym wydaniu. Na liście składników odnajdujemy bowiem: cukier, słód, mleko w proszku, aromaty. Na pierwszy rzut oka wygląda to na jakiś konkurs, zakład lub przedziwną licytację: komu uda się umieścić w produkcie najwięcej dodatków. Mamy do czynienia ze swoistym hazardem, w którym stawką jest zdrowie konsumenta lub też, mówiąc precyzyjnie: szybkość jego utraty. Pieczywo produkowane na wielką skalę powstaje z gotowych mieszanek, które niewiele mają wspólnego z naturalnymi produktami: barwniki, konserwanty, substancje spulchniające, emulgatory, polepszacze, regulatory kwasowości, przeciwutleniacze. Mała, niewinnie wyglądająca bułeczka może być w rzeczywistości prawdziwą „bombą chemiczną", która składa się z kilkunastu, a może nawet kilkudziesięciu substancji. Czy można mieć wątpliwości, że ma to wpływ na nasze zdrowie? Czy można mieć wątpliwości, jaki ma to wpływ?

Półki sklepowe uginają się od pieczywa różnego rodzaju. Chleb, bułki, bułeczki, bagietki, podpłomyki – nie wiadomo doprawdy, co wybrać. Na pewno nie należy kupować pieczywa o przedłużonym terminie ważności, pakowanego w folię (chyba że wybieramy się akurat w podróż śladami Marka Kamińskiego na jeden z biegunów Ziemi – wtedy jak najbardziej na miejscu jest zakup takiego zakonserwowanego pieczywa).

Informacja umieszczona na opakowaniu pieczywa „nie zamrażać" również powinna wyostrzyć naszą czujność, w zakamuflowany sposób wskazuje bowiem najprawdopodobniej, że produkt został rozmrożony, zanim trafił na sklepową półkę.

Aby bronić się przed artykułami chlebo- i bułkopodobnymi, najlepiej jest zaopatrywać się w małych sprawdzonych piekarniach. Zanim znajdziemy pieczywo, które nam odpowiada, jak rasowi reporterzy odpytajmy panią sprzedawczynię, z jakiej mąki jest chleb, czy jest na zakwasie czy na drożdżach, a najlepiej niech nam przeczyta skład.

Coraz więcej osób świadomie rezygnuje z zakupów w piekarni i robi chleb (a nawet bułki) w domu. W domowy wyrób pieczywa idealnie wpisuje się trend *slow food*. Czy istnieje jakiś inny zapach bardziej kojarzący się z domowym ogniskiem niż zapach domowego chleba? Na rynku dostępne są automaty do wyrobu pieczywa, przeznaczone dla tych, do których i ja się zaliczam. A mianowicie dla wszystkich, którzy nie przepadają za bezpośrednim kontaktem z surowym ciastem. Dostępne są również maszyny, które nie tylko wyrabiają ciasto, ale i same je pieką.

Sklepy oferują również gotowe mieszanki chlebowe, do tychże jednak, jak do wszystkich miksów jako takich, lepiej podejść z rezerwą. Zawierają one bowiem składniki, bez których chleb sobie i tak poradzi, a które do najzdrowszych nie należą. Istotą domowego wypieku jest przecież nie tylko to, by nam ładnie pachniało w kuchni, ale przede wszystkim by ten chleb nasz powszedni był zdrowy. Na stronach internetowych, jak i w księgarniach możemy bez trudu znaleźć sprawdzone przepisy na domowe pieczywo.

CHLEB

Ekstrakt słodowy jęczmienny lub żytni ❓

Karmel – jeśli amoniakalny: ➖ / jeśli inny: ❗

Kwas askorbinowy (witamina C) E 300 ➕

Kwas cytrynowy E 330 ❗

Mleko w proszku ❓

Mono- i diglicerydy kwasów tłuszczowych E 471 ➕

Mono- i diglicerydy kwasów tłuszczowych estryfikowane kwasem mono- i diacetylowinowym E 472e ➕

Syrop glukozowy ❓

Węglan wapnia E 170 ➕

Pozostaje jeszcze do rozstrzygnięcia kwestia, czy chleb powinien być na zakwasie czy na drożdżach? Oto jest pytanie. Odpowiedź jest jednak bardzo prosta – oczywiście, że na zakwasie. Kiedy przed kilkoma laty wyposażona już w wiedzę na temat zdrowego odżywiania udałam się na podbój piekarni w celu

zakupu chleba na zakwasie bez drożdży, pani ekspedientka, ura-
czywszy mnie pobłażliwym uśmiechem, wytłumaczyła mi głoś-
no i dobitnie, aby wszyscy pozostali klienci piekarni usłyszeli
i zapamiętali, że „chleb bez drożdży przecież nie urośnie". Na
szczęście moja determinacja była silniejsza niż perswazje sprze-
dawczyni i nie zraziwszy się jej wywodem, udałam się w dalsze,
tym razem owocne poszukiwania pieczywa bez drożdży. Obecnie piekę je sama bądź kupuję w piekarni, która spełnia oczekiwania klientów i piecze chleb nie dość że na zakwasie, to jeszcze
bez dodatku pszenicy.

Toksyny pochodzące z powietrza, wody i pożywienia wpływają na ogólne osłabienie układu odpornościowego, a co za tym
idzie powstawanie różnych chorób, w tym nowotworów. Niemal od momentu wprowadzenia pokarmów stałych w naszej diecie
(a więc od około szóstego miesiąca życia) towarzyszy nam rafinowany
cukier i inna przetworzona żyw-
ność, a także kilkaset substancji
dodawanych do tego rafinowanego i przetworzonego jedzenia.
Jedną z przykrych konsekwencji
takiej diety jest nadmierny rozwój
drożdżaków (głównie *Candida al-
bicans*) oraz mnożenie się bakterii
beztlenowych w jelitach.

Skoro i tak grozi nam nad-
wyżka grzybów, to może warto
dla równowagi dostarczyć zamiast
drożdży (grzyby) pożytecznych
bakterii kwasu mlekowego w formie zakwasu? Tradycyjny chleb

CHLEB TOSTOWY

Aromat ❓

Cukier ❓

Kwas askorbinowy (witamina C)
E 300 ➕

L-cysteina E 920 ➕

Mąka sojowa ➕

Mono- i diglicerydy kwasów
tłuszczowych E 471 ➕

Propionian wapnia E 282 ❗

Stearoilomleczan sodu E 481 ➕

Tłuszcz roślinny ➕

Węglan wapnia E 170 ➕

wiejski pieczony był na zakwasie. Zakwas jest źródłem pro-
zdrowotnych bakterii probiotycznych. Przypisuje się mu działanie przeciwnowotworowe, a dzięki substancjom w nim zawar-
tym przyswajane są pewne mikroelementy ze zbóż, do czego nie
dochodzi w towarzystwie drożdży.

Moja znajoma zaobserwowała pewną zależność: po zjedzeniu chleba żytniego na drożdżach jej dzieci miały problemy tra-
wienne. Natomiast chleb z tej samej mąki upieczony na zakwasie nie wywołał żadnych skutków ubocznych. Można mniemać,
że zakwas w pozytywny sposób wpłynął na mąkę.

Chleb z dodatkiem drożdży upieczemy szybciej niż chleb
na zakwasie, ponieważ przygotowanie zakwasu oprócz mąki,
wody i temperatury wymaga czasu, a czas to w naszym zabie-
ganym świecie towar deficytowy. Warto jednak podkreślić, że
nawet jeśli domowy wypiek pieczywa ograniczy się do chleba na
drożdżach upieczonego w automacie z normalnej mąki (a nie
gotowej chemicznej mieszanki), to i tak będzie przepaść między nim a chlebem z supermarketu, którą odczują wszyscy domownicy, a w szczególności ich żołądki i jelita.

Przy okazji pieczenia nie sposób nie wspomnieć o proszku
do pieczenia. **Proszek do pieczenia** jest mieszanką substancji
spulchniających i regulujących kwasowość. Dodatkowo dodaje
się do niego mąkę pszenną. Przy wypiekach można go zastąpić:
zakwasem, drożdżami, sodą oczyszczoną z dodatkiem kwaśnej
śmietany czy maślanki bądź kefiru. Można także samemu zrobić proszek do pieczenia.

• Uważajmy na dodatek karmelu w pieczywie. Naszą czujność
powinny wzbudzić sformułowania w stylu: „barwiony karmelem" lub „karmel". Wyróżnia się bowiem kilka rodzajów karmelu, ale żaden z nich nie jest bezpieczny dla zdrowia. Chleb

z dodatkiem karmelu przyjmuje nienaturalnie brązowy kolor, jakby ktoś zaaplikował mu zbyt intensywną dawkę solarium. Taki chleb ma za zadanie jedynie udawać chleb razowy.

PRZEPISY

chleb żytni na zakwasie

Krok pierwszy. **ZAKWAS**
mąka żytnia typ 720, woda, fakultatywnie: 1 łyżka zakwasu, 1 łyżka żurku lub skórka chleba.

◇ ◇ ◇

Dzień 1.
1 łyżkę mąki wymieszać z 2 łyżkami wody i odstawić w ciepłe miejsce, przykrywając tak, by był dopływ powietrza. (Aby zakwas szybciej dojrzał, można dodać otrzymaną od kogoś łyżkę zakwasu. Można także dodać łyżkę żurku albo kawałek skórki chleba).

Dzień 2.
Do zakwasu dodać 1 łyżkę mąki i 2 łyżki wody. Wymieszać.

Dzień 3.
Do zakwasu dodać 1 łyżkę mąki i 2 łyżki wody. Wymieszać.

Dzień 4.
Do zakwasu dodać 2 łyżki mąki i 4 łyżki wody. Wymieszać.

Dzień 5.
Do zakwasu dodać 3 łyżki mąki i 6 łyżek wody. Wymieszać.

Ewentualnie: Dzień 6.
Do zakwasu dodać 3 łyżki mąki i 6 łyżek wody. Wymieszać.

Zakwas jest gotowy do użycia, kiedy zaczyna bulgotać.
Wieczorem piątego lub szóstego dnia robimy zaczyn.

Jeśli przez dłuższy czas nie pieczemy chleba, to i tak musimy
pamiętać o zakwasie. Nieużywany zakwas należy odnawiać mniej
więcej co tydzień. Polega to na tym, że na godzinę wyjmujemy go
z lodówki. Gdy osiągnie temperaturę pokojową, dodajemy 2 łyżki
mąki i 4 łyżki wody, mieszamy i odstawiamy na 12 godzin, po czym
znów chowamy do lodówki.

Krok drugi. **ZACZYN**
1 szklanka zakwasu, 5 kubków mąki żytniej (ok. 650 g),
ok. 800 ml lekko ciepłej wody

◇ ◇ ◇

W wysokim szklanym lub emaliowanym naczyniu umieszczamy
zakwas, który mieszamy z mąką i wodą. (Mamy uzyskać
konsystencję gęstej śmietany).
Naczynie przykrywamy ścierką i dodatkowo ręcznikiem.
Zostawiamy na noc w ciepłym miejscu.

Robiąc zaczyn, musimy pamiętać, aby zawsze zostawić trochę
zakwasu. Do pozostałego zakwasu dodajemy 2 łyżki mąki
i 4 łyżki wody, mieszamy, odstawiamy na 12 godzin w ciepłe
miejsce, a następnie chowamy do lodówki.

Krok trzeci. **CHLEB**
zaczyn, 5 kubków mąki żytniej (ok. 650 g), ok. 150 ml lekko ciepłej
wody, 2 i 1/2 łyżeczki soli

◇ ◇ ◇

Rano dodajemy do zaczynu mąkę, wodę i sól. (Mamy uzyskać
konsystencję jak na ciasto drożdżowe. Ciasto ma się łatwo
odklejać od dłoni, czyli ma nie być ciągnące). Dwie keksówki
(o wymiarach 12 cm × 30 cm) wyłożyć papierem do pieczenia
(lub tylko nasmarować tłuszczem) i napełnić ciastem
do 3/4 wysokości. Zwilżyć wierzch ciasta wodą.
Pozostawić na 1–3 godziny do wyrośnięcia. Kiedy zobaczymy, że
chleb zaczyna wyrastać, wkładamy go do nagrzanego piekarnika
i pieczemy w temperaturze 200°C przez 1 godzinę. W przypadku
piekarnika, który grzeje słabiej, trzeba piec w wyższej
temperaturze. (W moim piekarniku piekę chleb w temperaturze
200°C przez 80 minut). Chleb po wyjęciu i odwróceniu spodem
do góry ma wydawać głuchy dźwięk podczas ostukiwania.
Bochenek skropić wodą i położyć na kratce, aby odparował.
Przykryć ścierką (tak, aby zapewnić dopływ powietrza). Jeśli
wolimy, by skórka chleba była chrupiąca, nie przykrywamy
chleba podczas studzenia.
Po wystygnięciu chleb odkryć i włożyć do papierowej torby
(lub lnianej ściereczki), a następnie zawinąć w plastikową torbę,
lub schować do szczelnego chlebaka.

Jeśli planuję upiec chleb we wtorek, to w poniedziałek rano
wyjmuję zakwas z lodówki i go odświeżam. Trzymam go przez
cały dzień w ciepłym miejscu. W poniedziałek wieczorem
robię zaczyn, we wtorek rano kończę robić chleb, który piekę
około południa. Dla naszej pięcioosobowej rodziny wystarcza,
jeśli piekę chleb (dwa bochenki naraz – dokładnie w takich
proporcjach jak w podanym przepisie) średnio raz na cztery dni.
Jeśli chce się upiec chleb z dodatkiem mąki razowej, należy
część mąki jasnej zastąpić odpowiednią częścią mąki np. żytniej
razowej. Trochę mąki razowej można dodać do zaczynu, a resztę
wtedy, kiedy już wyrabiamy chleb.

bułki orkiszowe na zakwasie

10 łyżek zakwasu żytniego (ok. 3/4 szklanki), 3 szklanki mąki orkiszowej typ 720, 1 łyżeczka soli, 1 łyżeczka oleju (do ciasta) i 1 łyżeczka (do natłuszczenia pojemnika), ok. 3/4 szklanki lekko ciepłej wody, ziarna (sezamu, słonecznika, siemienia lnianego), ewentualnie 1 jajko

◇ ◇ ◇

Odświeżyć zakwas (wyjąć z lodówki, dosypać 2 łyżki mąki żytniej i 4 łyżki wody, wymieszać i pozostawić na 12 godzin w ciepłym miejscu). Odświeżony zakwas połączyć z pozostałymi składnikami i wyrobić ciasto (mamy uzyskać konsystencję jak na bułki drożdżowe) w naczyniu natłuszczonym niewielką ilością oleju. Zostawić do wyrośnięcia w ciepłym miejscu na 2–3 godziny (najlepiej, by ciasto podwoiło swoją objętość). Teraz można dodać ziarna. Wyrabiać ciasto, zgarniając je z zewnątrz do środka, by podczas zagniatania je napowietrzyć. Odstawić do wyrośnięcia w ciepłym miejscu na 1–2 godziny. Ciasto przekładać do foremek na płytkie mufinki lub układać uformowane bułeczki blisko siebie na blasze i oddzielać je od siebie papierem do pieczenia (aby ciasto nie rozlewało się na boki). Odstawić do wyrośnięcia na 1–2 godziny. Zwilżyć z wierzchu ciepłym mlekiem lub wodą. Jeśli chcemy bułki posypać ziarnami, musimy najpierw posmarować je z wierzchu tylko rozmieszanym jajkiem. Piec w nagrzanym piekarniku 2–3 minuty w temperaturze 220°C, a następnie przez 25–30 minut w temperaturze 170°C. Po wyjęciu bułki wystudzić.

racuchy z jabłkami

300 ml zsiadłego mleka, 300 g mąki żytniej, 2 jajka, 3 łyżki domowego cukru waniliowego, (ewentualnie: 1 płaska łyżeczka sody oczyszczonej), 8 średnich jabłek, tłuszcz przeznaczony do smażenia

◇ ◇ ◇

Wszystkie składniki oprócz jabłek zmiksować. Jabłka obrać
i zetrzeć na grubej tarce. Połączyć z masą. Smażyć na rozgrzanym
tłuszczu i wykładać na ręcznik papierowy, aby je osączyć.

razowe ciasteczka

120 g miękkiego masła, 70 g nierafinowanego cukru, 1 jajko,
100 g płatków owsianych, 140 g mąki żytniej razowej, 1/2 łyżeczki
domowego proszku do pieczenia, 250 g gorzkiej posiekanej czekolady

◇ ◇ ◇

Masło utrzeć z cukrem. Nie przerywając ucierania dodać jajko
i dalej ucierać. Wsypać resztę składników i wymieszać. Z ciasta
formować kulki wielkości orzecha włoskiego. Układać na blaszce
wysmarowanej tłuszczem. Spłaszczyć łyżką. Piec w temperaturze
180°C ok. 15 minut, aż ciasteczka lekko zbrązowieją. Po upieczeniu
chwilę odczekać przed zdjęciem ich z blaszki. Studzić na kratce.
(inspiracja: www.mojewypieki.com)

brauni

2 tabliczki gorzkiej czekolady po 100 g, 1 masło (200 g),
250–300 g nierafinowanego cukru, 5 jajek, 3/4 szklanki mąki
żytniej, garść orzechów włoskich

◇ ◇ ◇

W kąpieli wodnej rozpuścić masło i 1 i 2/3 tabliczki czekolady.
Ubić jajka z cukrem, dodać mąkę i zmiksować. Do powstałej masy
powoli wlewać ostudzoną czekoladę z masłem. Do ciasta dodać
siekane orzechy i pozostałą 1/3 pokrojonej czekolady. Wymieszać.
Ciasto przełożyć na wyłożoną natłuszczonym papierem
śniadaniowym blaszkę o wymiarach ok. 36 cm × 22 cm.
Piec ok. 50 minut w temperaturze 160°C.

biszkopt

3 jajka, 6 łyżek nierafinowanego cukru, 1 czubata łyżka mąki
owsianej, 1 czubata łyżka mąki żytniej jasnej, 1 łyżeczka mąki
orkiszowej, szczypta sody oczyszczonej

◇ ◇ ◇

Białka ubić, dodać cukier, ubić. Dodawać po jednym żółtku i dalej
ubijać. Wymieszać łyżką z mąką i sodą. Ciasto przelać do niedużej
tortownicy wyłożonej natłuszczonym papierem śniadaniowym. Piec
w nagrzanym piekarniku ok. 25 minut w temperaturze 170°C. Po
upieczeniu biszkopt zostawić jeszcze na 10 minut w piekarniku.

domowy proszek do pieczenia

125 g mąki ryżowej, 50 g sody oczyszczonej, 50 g winianu
potasu (zwanego także winnym kamieniem, można go dostać
w niektórych aptekach)

◇ ◇ ◇

Wszystkie składniki wymieszać i kilkakrotnie przesiać przez
sitko. Przechowywać w szczelnie zamkniętym słoiku.

(źródło: *Pokonaj alergię*)

PODSUMOWANIE:
• unikajmy zakupu pieczywa w wielkich sieciowych piekarniach
  i w supermarketach
• zapoznajmy się ze składnikami pieczywa, które chcemy kupić
• sięgajmy po pieczywo na zakwasie, a nie na drożdżach
• najlepiej pieczmy chleb w domu

IV. CZYM SKORUPKA ZA MŁODU NASIĄKNIE

JAJKA

Do jajek kurzych można dosłownie odnieść przysłowie „Czym skorupka za młodu nasiąknie, tym na starość trąci". To bowiem, co zje kura, zjemy potem my, racząc się, dajmy na to, jajkiem sadzonym. Czym się kierować przy wyborze jajek? Przede wszystkim pierwszym numerem kodu na stempelku na skorupce. Im niższy numer, tym wartościowsze jajko. Jajkom kurzym w handlu przyporządkowuje się cztery numery.

3	Oznacza jajka od kur z chowu klatkowego. Jest to najbardziej nieetyczny sposób hodowli kur. Kury takie spędzają całe życie w klatce, w ogromnym stłoczeniu. Karmione są paszą. Aby nie chorowały i były jeszcze bardziej wydajne, dodaje się im do pożywienia hormony i antybiotyki.
2	To chów ściółkowy, który od klatkowego różni się tym, że kury mają nieco więcej swobody ruchu.
1	Oznacza jajka od kur z wolnego wybiegu. Kurze tak hodowanej, jak wskazuje nazwa, wolno wychodzić z klatki na świeże powietrze, skubać trawkę, cieszyć się słońcem i powietrzem. Jajka takie są więc pewnie trochę lepsze i wartościowsze od opisanych powyżej. Nie możemy jednak zapominać, że taka kura nadal je paszę.
0	Tym numerem definiuje się chów ekologiczny. Kury tak chowane korzystają bez ograniczeń z dobrodziejstw natury, a ponadto karmione są paszą z certyfikatem ekologicznym.

Regulacje dotyczące oznaczania jajek pod kątem chowu są na szczęście dla konsumenta jednoznaczne i łatwo czytelne. Dlatego jeśli będzie się czytać oznaczenie na opakowaniu, wybór nie powinien nastręczać wielu problemów.

Należy uważać na hasła w stylu „jajka ze wsi" czy „jajka od baby", ponieważ niekoniecznie muszą one mieć cokolwiek wspólnego z wsią czy też babą. Alternatywą dla jajek z półek sklepowych są jajka z chowu indywidualnego. Na wsiach i w miejscowościach podmiejskich hoduje się kury. Rozpytując wśród znajomych, można bez trudu do nich dotrzeć. Na targach często spotkać można gospodynie oferujące jajka z własnej zagrody. Jeśli taka pani ma na sprzedaż kilkadziesiąt jajek w różnych opakowaniach, jeśli ponadto nie wyglądają one „jak z taśmy", ale są wśród nich i mniejsze, i większe, to można z dużą dozą prawdopodobieństwa założyć, że nie jest to oszustka oferująca nam trójki w cenie zerówek.

W składzie nieoznaczonej certyfikatem ekologicznym paszy dla kur króluje niestety modyfikowana genetycznie soja. Decydując się więc na zakup jajek nieoznaczonych (od przypadkowego rolnika) lub oznaczonych inaczej niż „0", musimy liczyć się z tym, że prawdopodobnie, chcąc nie chcąc, zjemy produkt pochodzący w jakimś stopniu z upraw GMO.

W czasach, kiedy zamiast słuchać swojej intuicji stosowałam się jeszcze do porad przeróżnych autorytetów ds. żywienia, potrawy z jajek były starannie planowane w naszym domowym jadłospisie. Widmo wysokiego poziomu cholesterolu, który podnosi się jakoby z powodu nadmiernej konsumpcji jajek, skutecznie nas powstrzymywało przed przekroczeniem zalecanej „dawki". Ostatnio z radością odnotowałam, że nadszarpnięta reputacja jajek zaczyna się na szczęście poprawiać i znane nam już dobrze autorytety pozwalają niefrasobliwie cieszyć się ich delikatnym aromatem, ba! – zachęcają nas wręcz do tego. I całe szczęście, że jajko w glorii i chwale powraca z wygnania na nasze stoły. Uchodzi ono bowiem (chyba nieprzypadkowo?) za symbol życia. Jajko zawiera taki układ aminokwasów, że w 1965 roku Światowa Organizacja Zdrowia uznała go za wzorcowy dla innych produktów pod względem proporcji tych właśnie związków. Oprócz pełnowartościowego białka jest ono także źródłem wielu witamin, minerałów, kwasów. Zawiera właściwie wszystkie witaminy prócz witaminy C. Usłyszałam kiedyś w audycji radiowej pewną żartobliwą wypowiedź na temat wyższości jajka nad innymi produktami, a mianowicie konkluzję, że skoro nie zawiera witaminy C, nie jest ona człowiekowi do niczego potrzebna.

Przy obróbce termicznej jajek pamiętajmy o podanej już wcześniej zasadzie, aby nie ugotować/usmażyć ich „na śmierć".

PODSUMOWANIE:

• kupujmy jajka oznaczone jak najniższym numerem kodu
• najlepiej kupujmy jajka „prosto od kury"

V. JAK JEM KASZĘ, NIE GRYMASZĘ!

1 | MAKARON

Makaron to głównie mąka. Przy wyborze makaronu kierujmy się więc podobną zasadą jak przy wyborze mąki: im mniej białej pszennej, tym lepiej. Tak się jednak nieszczęśliwie składa, że większość dostępnych na rynku makaronów powstała z białej, pozbawionej wartościowych minerałów i witamin mąki pszennej.

Alternatywą dla makaronów pszennych są makarony z mąki np. orkiszowej, żytniej, gryczanej, jęczmiennej czy też kukurydzianej. Są one dostępne w sklepach z żywnością ekologiczną. Coraz częściej można je również spotkać w większych supermarketach. Czytajmy dokładnie skład makaronów, abyśmy nie kupili kota w worku, czyli w tym wypadku makaronu z dodatkiem jajek w proszku zamiast zwykłych jajek.

Mimo rewolucyjnych zmian, jakie wprowadziłam w swojej kuchni, ciągle jeszcze pewne rewiry nie zostały przeze mnie odkryte. Tak jest choćby z domowym wyrobem makaronu. Nie jest to rzecz niemożliwa (moja mama np. od czasu do czasu go robi), jednak z pewnością nieco bardziej skomplikowana niż wrzucenie gotowego produktu na wrzątek. Złotym środkiem, jaki tu stosuję, jest dodawanie do zup zamiast makaronu lanego ciasta (z mąki żytniej i jajek z chowu tradycyjnego).

2 RYŻ

Kierując się przy wyborze ryżu prostą zasadą: nieprzetworzone (czy raczej: mniej przetworzone) jest lepsze niż przetworzone, lepiej wybrać ryż brązowy niż ryż biały. Ryż brązowy zawiera składniki mineralne, których ryż biały został z premedytacją pozbawiony podczas procesu technologicznego.

W świetnym skądinąd wynalazku, jakim jest ryż w woreczkach, kryje się niestety pułapka. Ryż w torebkach gotuje się w większej ilości wody, do której podczas gotowania witaminy i składniki mineralne „uciekają", a potem wylewa się je z nią do zlewu. Ponadto gotowanie ryżu w plastikowej torebce naraża nas na mimowolne spożywanie trujących substancji, które uwalniają się ze sztucznego tworzywa podczas gotowania. Nie bez znaczenia jest również to, że gotowany plastik nie doda smaku naszej potrawie. Kupować powinniśmy więc albo ryż na kilogramy, albo uwalniać go z torebek przed gotowaniem.

ZŁOTA RADA: Pokolenie naszych babć i mam bez trudu radzi sobie z gotowaniem ryżu bez woreczków. Podejrzewam, że pokolenia późniejsze mogą mieć niejakie trudności z doprowadzeniem ryżu do miękkości, jednocześnie go nie przypalając. Pamiętam do dziś swoje przerażenie, kiedy pierwszy raz miałam ugotować ryż w tradycyjny sposób. Klasyczny przepis na ugotowanie ryżu sprawdza mi się tylko wtedy, gdy gotuję biały ryż dla naszego psa. Przyrządzając posiłki dla rodziny, używam ryżu brązowego. W związku z tym, że mamy do wyboru różne gatunki ryżu, gotują się one w różny sposób. Po serii nieudanych prób ugotowania ryżu według jednego przepisu zaczęłam stosować następujące sztuczki: jeśli damy do gotowania ryżu za dużo wody, należy ją pod koniec gotowania po prostu odlać. Aby ryż nie był wtedy zbyt kleisty, należy go – cały czas mieszając – przez chwilę podprażyć w garnku, aby odparować wodę. Gdy dodamy za mało wody, należy po prostu dolać wrzątek w czasie gotowania. Po ugotowaniu zostawiam brązowy ryż w zawiniętym w gruby ręcznik garnku, aby jeszcze bardziej napęczniał i zmiękł.

3 KASZE

W kuchni tradycyjnej kasza zajmowała poczesne miejsce: była przede wszystkim typowym dodatkiem do mięsa, składnikiem farszów, pierogów. Dziś została zdetronizowana przez ziemniaki, które pod względem odżywczym do pięt kaszom nie dorastają.

Zanim kasze zaczęły w naszym domu powracać do łask, nie miałam pojęcia, że ich oferta jest tak bogata. Dostępne są: kasza jaglana (zwana królową kasz, najbardziej lekkostrawna, powstaje z prosa), gryczana, kukurydziana, manna (z oczyszczonej z wartościowych składników odżywczych pszenicy) i kuskus (z pszenicy twardej), jęczmienna, tapioka (z manioku). Jak czytamy w książce Barbary Ogrodowskiej *Tradycje polskiego stołu*, dawniej napominano dzieci zgrabnym hasłem: „Jak jem kaszę, nie grymaszę". Gdy słucham swoich (i nie tylko swoich) dzieci, nasuwa mi się raczej rymowanka: „Jak jem kaszę, to grymaszę".

Z mojego doświadczenia wynika, że po odstawieniu butelki apetyt dzieci na kaszki zmniejsza się i z wiekiem redukuje do zera. W pewnym momencie musiałam na nowo zacząć wprowadzać kasze, co wymagało niemałej ekwilibrystyki. Najnaturalniej kasze (gryczaną niepaloną, orkiszową, jęczmienną) serwuje się jako dodatek do zup. Zanim dziecko przyzwyczai się do nowego smaku, można kasze miksować w zupach kremach. Jako dodatek do drugiego dania zjadliwe (z punktu widzenia dzieci) są kasze z dodatkiem sosu (jaglana, jęczmienna, gryczana). Można też podawać kasze (orkiszową, jaglaną, kukurydzianą) lub ryż brązowy na słodko z dodatkiem bakalii i owoców. Kasza manna, pochodząca z przetworzonej pszenicy, w naszym domu znajduje zastosowanie niezupełnie zgodne ze swoim przeznaczeniem. A mianowicie moje dzieci używają jej do prac plastycznych, posypując nią kartkę papieru uprzednio pokrytą klejem.

Każdą kaszę, a także ryż, można zemleć na mąkę.

TABELA GOTOWANIA KASZ

RODZAJ ZIARNA	OBJĘTOŚĆ PŁYNU NA SZKLANKĘ ZIARNA	CZAS GOTOWANIA W MIN	CZAS GOTOWANIA W SZYBKOWARZE W MIN
Ryż naturalny	2 1/2 – 3 szkl. wody	60 (pierwsze 10 na dużym ogniu)	20 min
„Dziki ryż"	3 szkl. wody	60 (pierwsze 10 na dużym ogniu)	20
Kasza kukurydziana	3 szkl. wody	35	15
Kasza jaglana	2 ½ szkl. wody	30	15
Kasza gryczana	2 ½ szkl. wody	30	10

4 KASZKI

Moje dzieci, wyczulone na wszelkie chemiczne dodatki w pożywieniu, reagowały na oferowane w sprzedaży kaszki i kleiki dla niemowląt i małych dzieci bąblami na twarzy przypominającymi ślad po ukąszeniu gigantycznego komara. Przez długi czas głowiłam się nad zaobserwowanym związkiem między kaszką a ich nieadekwatną reakcją. Sytuacja była o tyle dziwna, że po zjedzeniu ryżu i kukurydzy żadne bąble nikomu nie wyskakiwały. W składzie kaszki kukurydzianej nie było wyszczególnione nic poza kukurydzą, a kleik ryżowy nie zawierał niczego poza ryżem. Jedynym wytłumaczeniem tej sytuacji, jakie znalazłam, było to, że w kleiku i kasce prawdopodobnie znajduje się coś jeszcze, co nie zostało ujęte na etykiecie produktu.

W jaki sposób można uchronić się przed podobną sytuacją? Można skorzystać z dość sporej oferty kaszek w sklepach ze zdrową żywnością lub zrobić kaszki domowym sposobem. W tym celu należy się zaopatrzyć po prostu w kasze normalnie dostępne w sklepie lub kasze ekologiczne (co i tak wychodzi taniej niż kupno gotowych kaszek ekologicznych dla dzieci). Kaszę orkiszową, gryczaną niepaloną (jest delikatniejsza w smaku niż palona, a do tego zdrowsza), jaglaną, kukurydzianą lub ryż można ugotować w wodzie i połączyć z wodą, z mlekiem zbożowym, w ostateczności z mlekiem modyfikowanym. Następnie kaszę zmiksować.

KASZKI / KLEIKI
Aromat ❓
Cukier ❓
Lecytyna sojowa ➕
Maltodekstryna ➕
Mleko w proszku ❓
Mono- i diglicerydy kwasów tłuszczowych estryfikowane kwasem cytrynowym E 472c ➕
Oleje roślinne ➕
Skrobia kukurydziana ➕
Węglan wapnia E 170 ➕

5 | ZBOŻOWE PŁATKI ŚNIADANIOWE

Czy zbożowe płatki śniadaniowe są faktycznie pełnowartościowym posiłkiem przeznaczonym na śniadanie? Niekoniecznie. Większość z oferowanych w sprzedaży płatków jest tak przetworzona, że to z całą pewnością dyskwalifikuje je jako zdrowe pożywienie (zwłaszcza dla dzieci). Ponadto większość płatków odstrasza dodatkiem rafinowanego cukru, glukozy, szkodliwych dla zdrowia barwników, mleka w proszku i wielu innych składników.

Idealne zbożowe płatki śniadaniowe nie zawierają niczego prócz zboża, które zostało poddane specjalnej obróbce. Oprócz

PŁATKI / KULECZKI / PODUSZECZKI ZBOŻOWE

Annato (rocou) E 160b ➖

Aromat ❓

Cukier ❓

Dekstroza ❓

Ekstrakt słodu jęczmiennego ❓

Fosforany sodu E 339 ➕

Fruktoza ❓

Karmel amoniakalny E 150c ➖

Lecytyna słonecznikowa ➕

Lecytyna sojowa ➕

Miód ➕

Mono- i diglicerydy kwasów
   tłuszczowych E 471 ➕

Olej palmowy ➕

Oligofruktoza ➕

Palmitynian askorbylu E 304 ➕

Sorbinian potasu E 202 ❗

Syrop glukozowy ❓

MUSLI

Aromat ❓

Askorbinian sodu E 301 ➕

Cukier ❓

Inulina ➕

Kwas cytrynowy E 330 ❗

Lecytyna sojowa ➕

Mąka pszenna ❓

Mono- i diglicerydy kwasów
   tłuszczowych E 471 ➕

Syrop glukozowo-fruktozowy ❓

Tłuszcz roślinny ➕

CORN FLAKES

Annato (rocou) E 160b ➖

Cukier ❓

Ekstrakt słodu jęczmiennego ❓

Fosforan trisodowy E 339 (iii) ➕

Glukoza ❓

Karmel amoniakalny E 150c ➖

Mono- i diglicerydy kwasów
   tłuszczowych E 471 ➕

Sól ❓

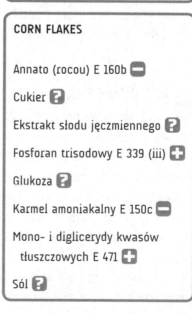

bogatej oferty płatków ekologicznych na półkach sklepowych można również znaleźć jednoskładnikowe płatki zbożowe, np. owsiane, jęczmienne, żytnie. Możemy je sami dosłodzić zdrowszym miodem lub syropem z agawy i wzbogacić orzechami, suszonymi owocami, pokrojonym bananem, tartą gorzką czekoladą.

Jedne z najbardziej wartościowych płatków to płatki owsiane. W ofercie handlowej znajdują się płatki górskie i błyskawiczne. Płatki górskie wymagają dłuższego gotowania, mają niższy IG, natomiast płatki błyskawiczne są produktem bardziej przetworzonym.

PRZEPISY

kasza jaglana z morelami

szklanka kaszy jaglanej, 2-3 łyżki masła, kilka suszonych moreli (opcjonalnie banan, garść ziaren słonecznika), można dodać 1/2 szklanki mleka od krowy lub zbożowego

◇ ◇ ◇

Do ugotowanej na sypko kaszy jaglanej dodać masło (tyle, żeby kasza stała się wilgotna), pokrojone morele, ewentualnie pokrojony banan, czy słonecznik. Dolać mleka. Wymieszać.

ZŁOTA RADA: Aby pozbawić kaszę jaglaną gorzkiego posmaku, należy ją przed gotowaniem podprażyć na suchej patelni bądź zalać wrzątkiem. Ja opłukaną na sitku pod bieżącą wodą kaszę wrzucam do garnka i chwilę podprażam, cały czas mieszając, by się nie przypaliła.

ZŁOTA RADA: Jak ugotować kaszę jaglaną? Sparzoną porządnie wrzątkiem bądź podprażoną na suchej patelni kaszę zalać dwa razy większą niż ilość kaszy ilością wody. Dodać odrobinę soli. Gotować pod przykryciem w garnku z grubym dnem od zawrzenia przez 10 minut. Po ugotowaniu odczekać 5 minut, aż kasza wchłonie całą wodę.

sałatka z kaszą jaglaną

3/4 szklanki kaszy jaglanej, szczypta soli, 1 awokado, 1 duży pomidor, 100 g groszku konserwowego ze słoika albo mrożonego (lub kukurydzy konserwowej również ze słoika)

SOS: 50 ml oliwy z oliwek, 2 ząbki czosnku, sól, pieprz; do posypania: zioła prowansalskie, papryka słodka

◇ ◇ ◇

Ugotowaną kaszę wystudzić. Dodać pokrojone w kostkę awokado i pomidor oraz groszek. Oliwę wymieszać z wyciśniętym przez praskę czosnkiem, solą i pieprzem, a następnie połączyć z sałatką. Posypać ziołami.

kaszka ryżowa z malinami

1/3 szklanki brązowego ryżu, 1 szklanka wody lub mleka, 1/3 szklanki świeżych malin

◇ ◇ ◇

Ryż ugotować do miękkości. Pod koniec gotowania wrzucić maliny (lub dodać dopiero po ugotowaniu). Zmiksować, dolewając (ewentualnie) wodę lub mleko.

granola (musli)

4 szklanki płatków owsianych, garść pestek słonecznika, garść pestek dyni (lub orzechów laskowych), garść pokrojonych migdałów (lub płatków migdałowych), 2 garście rodzynek, garść sezamu, (ewentualnie kilka kostek tartej gorzkiej czekolady), kilka łyżek miodu (lub syropu słodowego), 1/2 łyżeczki soli, kilka łyżek oleju (ewentualnie 1 łyżeczka cynamonu)

◊ ◊ ◊

Wszystkie składniki wymieszać (oprócz płatków migdałowych, rodzynek i czekolady), wyłożyć na blachę pokrytą papierem do pieczenia. Piec w temperaturze ok. 180°C ok. 40 minut, co jakiś czas mieszając. Jeśli zamiast całych migdałów używamy płatków migdałowych, należy je dodać pod koniec pieczenia, by się nie przypaliły. Po wystudzeniu dodać rodzynki, ewentualnie startą gorzką czekoladę. Przechowywać w szczelnie zamkniętym słoiku.

(inspiracja: Pokonaj alergię)

PODSUMOWANIE:

- zamiast makaronu z pszenicy wybierajmy makaron z innych rodzajów mąki, najlepiej razowy
- zrezygnujmy z białego ryżu na rzecz brązowego
- unikajmy gotowania ryżu i kaszy w plastikowych woreczkach
- kasze oraz ryż można mleć na mąkę
- unikajmy kaszy manny
- zamiast kupować gotowe kaszki dla małych dzieci, możemy robić je w domu
- unikajmy słodzonych, przetworzonych płatków śniadaniowych
- kupujmy niesłodzone, najlepiej jednoskładnikowe płatki zbożowe

VI. JAK PACHNIE BROKUŁ?

1 | **WARZYWA I OWOCE**
Nigdy wcześniej nie zastanawiałam się nad tym, jak pachnie brokuł. Brokuł jest przecież bezzapachowy, a jemy go ze względu na wartości odżywcze. Jakież było więc moje zdziwienie, kiedy koleżanka obwieściła mi tonem odkrywcy, że brokuł pachnie! Okazuje się, że brokuł wyhodowany bez nawozów sztucznych, bez środków grzybobójczych i pleśniobójczych ma naturalny, przyjemny dla zmysłu powonienia aromat.

Poradniki z dziedziny dietetyki wyliczają nam, ile porcji warzyw lub owoców i jakiego koloru wypadałoby dziennie zjeść, aby długo cieszyć się dobrym zdrowiem. Okazuje się jednak, że te porady były dobre dla naszych mam i dla mojego pokolenia w okresie dziecięctwa. Aby zdrowo odżywiać siebie i swoją rodzinę w obecnych czasach, wypadałoby przed każdym warzywem i owocem, które ów dietetyczny poradnik zaleca, postawić określenie „ekologiczny", a przynajmniej „uprawiany w sposób tradycyjny".

Babcia moich kuzynek słynęła z przepięknej cery nawet w zaawansowanym wieku. Sekret jej urody tkwił w nawyku robienia sobie maseczek na twarz ze wszystkiego, co akurat przyrządzała w kuchni. Jeśli właśnie robiła mizerię, to kilka plasterków ogórka lądowało na jej twarzy, jeżeli w danym dniu kroiła marchewkę do zupy, ścierała na tarce pół marchewki tylko dla siebie i takim specyfikiem odżywiała swoją skórę. Przed oczami staje mi idylliczny obrazek, na którym wypielęgnowana pani w białej maseczce na twarzy uzupełnia swoją kurację odżywczą dwoma plasterkami ogórka położonymi na powiekach. Obrazek jak z Arkadii, dawno niestety utraconej. Z dwóch zasadniczych powodów. Po pierwsze, dziś zrobienie sobie maseczki z ogórka zakupionego w supermarkecie jest związane z ryzykiem osiągnięcia efektu odwrotnego do zamierzonego. Zamiast upiększenia okolic oczu można by sobie przez przypadek zafundować konieczność odczulania. Po drugie, gdybyśmy jednak, po wielu staraniach, uzyskali dostęp do ogórków ekologicznych, to kładzenie ich na oczy wydawałoby się nam marnotrawstwem. Najpewniej spożylibyśmy je z najbliższymi.

Włos się jeży na głowie, gdy zgłębi się (nawet pobieżnie) tajniki uprawy roślin jadalnych na masową skalę (przyznam, że sama zadaję sobie czasem pytanie: I po co mi była ta wiedza?). Jeśli więc ktoś nie ma stalowych nerwów, odradzam czytanie poniższego akapitu.

Zanim warzywo zielone, czerwone czy żółte trafi na nasz stół, może zaznać bliższego kontaktu z: regulatorami wzrostu, sztucznymi nawozami, środkami chwastobójczymi, grzybobójczymi, kwaśnymi deszczami, metalami ciężkimi czy innymi środkami chemicznymi.

Pestycydy – każdy o nich słyszał, nikt ich nie widział, można więc na dobrą sprawę przyjąć, że skoro ich nie widać, to ich nie ma. Takie myślenie jest wygodne i potencjalnie zaoszczędza nam mnóstwo stresu. Jest jednak małe „ale". Okazuje się bowiem, że pestycydy, stosowane w celu ochrony roślin przed szkodnikami, które wynaleziono m.in. po to, by chroniły człowieka (np. przed malarią przenoszoną przez komary), w rezultacie okazały się bronią obosieczną. Uważa się, że wszystkie pestycydy są toksyczne, choć w różnym stopniu. Wykazują one działanie kancerogenne, mutagenne i teratogenne. Nie ma więc dla konsumenta większego znaczenia, jaki pestycyd był stosowany przy uprawie danej rośliny: grzybobójczy, pleśniobójczy czy chwastobójczy: wszystkie one są na dłuższą metę dla nas potencjalnie zabójcze.

Kancerogenny – rakotwórczy

Mutagenny – wywołujący zmiany dziedziczne

Teratogenny – prowadzący do powstania wad rozwojowych płodu

Pestycydy mają dość szerokie spektrum zastosowania i zagrażają nam w związku z tym nie tylko w pożywieniu. Są dodatkiem do m.in. środków przeciw owadom, specyfików do konserwacji drewna, farb, lakierów itp. Przede wszystkim jednak używa się ich podczas uprawy warzyw i owoców, które – czy nam się to podoba czy nie – są niezbędne dla naszego zdrowia i wypadałoby jednak mimo wszystko z nich nie rezygnować. Rośliny przeznaczone na pokarm opryskiwane są pestycydami już w miejscu uprawy. Podczas transportu i magazynowania są one dodatkowo zabezpieczane substancjami chemicznymi. Warzywa z supermarketu mogą zawierać ponad dziesięć rodzajów pestycydów, których nie widać ani nie czuć.

Jak wynika z raportu zamieszczonego na stronie amerykańskiej organizacji zajmującej się informowaniem konsumentów o wpływie produktów na zdrowie i środowisko – Environmental Working Group (EWG) – do najbardziej zanieczyszczonych pestycydami owoców zalicza się jeden z symboli zdrowia, a mianowicie poczciwe jabłko. Obliczono, że 98% dostępnych na konwencjonalnym rynku jabłek zawiera szkodliwe dla zdrowia pestycydy. Stopień skażenia warzyw i owoców zależy od wielu czynników, np. miejsca uprawy czy rodzaju stosowanych środków ochrony roślin. Dlatego też poniższe zestawienie możemy jedynie potraktować jako poglądowe, ponieważ daje niejakie wyobrażenie o stanie zanieczyszczenia produktów spożywanych przez nas codziennie.

Raport EWG za rok 2012 podaje listę warzyw i owoców najbardziej i najmniej zanieczyszczonych pestycydami, sugerując, aby produkty z „parszywej dwunastki" zastępować w miarę możliwości produktami ekologicznymi.

„PARSZYWA DWUNASTKA"	„CZYSTA PIĘTNASTKA"
jabłka	cebula
seler	kukurydza
słodka papryka	ananas
brzoskwinie	awokado
truskawki	kapusta
nektarynki	groszek cukrowy
winogrona	szparagi
szpinak	mango
sałata	bakłażan
ogórki	kiwi
borówki	kantalupa (odmiana melona)
ziemniaki	słodkie ziemniaki
	grejpfruty
ponadto:	arbuz
zielona fasola	grzyby
jarmuż i jego odmiany	

Azotany – w kontekście zanieczyszczenia warzyw warto przyjrzeć się także azotanom, a konkretnie ich nadmiernej kumulacji w świeżych warzywach. Bardziej groźne od azotanów są azotyny, które powstają podczas częściowej redukcji azotanów. Zatrucie azotynami prowadzi do obniżenia ciśnienia krwi. Mogą one również wpływać na destrukcję witamin z grupy A i B. Tak więc warzywa zawierające duże ilości azotanów mają dużo niższą wartość odżywczą w stosunku do ich odpowiedników z uprawy ekologicznej.

WARZYWA POD WZGLĘDEM KUMULOWANIA AZOTANÓW W CZĘŚCIACH UŻYTKOWYCH

1.	Gromadzące małe ilości azotanów	pomidor, ogórek, papryka, groch, fasola szparagowa (szczególnie żółta)
2.	Gromadzące średnie ilości azotanów	marchew, pietruszka korzeniowa, seler naciowy
3.	Gromadzące znaczne ilości azotanów	sałata, szpinak, wczesna kapusta, rzodkiewka, burak ćwikłowy
4.	Wykazujące znaczne różnice w zawartości azotanów u tego samego gatunku	cebula, kalafior, kapusta biała i włoska, por

Dużą zawartością azotanów charakteryzują się odmiany wczesne oraz gatunki roślin o krótszym okresie wegetacji. W przypadku np. kapusty najwięcej azotanów znajduje się w liściach zewnętrznych i głąbie.

• Co roku media ostrzegają nas przed kupowaniem nowalijek, a więc pierwszych wiosennych warzyw, istnieje bowiem duże prawdopodobieństwo, że aby mogły one wyrosnąć tak wcześnie i wbrew naturalnemu kalendarzowi, były „dokarmiane" dużą ilością szkodliwych nawozów sztucznych i środkami chemicznymi. Co roku na wiosnę przeżywam w związku z tym dylemat, bo jest mi trudno jednoznacznie stwierdzić, że czas nowalijek definitywnie się skończył i warzywa sprzedawane na targu stają się już relatywnie mniej groźne dla zdrowia, tzn. zawierają przede wszystkim mniej związków azotu.

Przeżyłam niemały wstrząs, gdy pewien znajomy gospodarz przestrzegł mnie na przełomie maja i czerwca przed kupowaniem kalafiora, ponieważ jego wzrost jest jeszcze wówczas sztucznie wspomagany tak intensywnie, że pracownicy zatrudnieni przy zbiorach mają poparzone ręce. Pomyślałam wtedy, że czas zaopatrzyć się w kalendarz sezonowych warzyw i owoców, by przynajmniej minimalizować ilość chemii, którą razem z rodziną spożywamy. Aby mieć pewność, że nowalijki

nie wzbogacą nas przy okazji w metale ciężkie, azotany i pestycydy, najlepiej wyhodować je samemu w przydomowym ogródku
(na balkonie, tarasie, parapecie *etc.*).

• W zimie i wczesną wiosną zaopatruję się raczej w mrożonki niż
świeże (o wątpliwej wartości odżywczej i zdrowotnej) warzywa
i owoce, z wyjątkiem całorocznych, takich jak np. buraki, marchew, kapusta czy jabłka, które kupuję świeże. Jeśli mamy wątpliwości, czy wybrać mrożonkę czy „świeżynkę", trzeba sobie zadać
zdroworozsądkowe pytanie: czy ta dorodna, czerwona truskawka
wyrosłaby w środku marca w polskim ogródku? Nie wyrosłaby ani
w połowie marca, ani nawet kwietnia. Więc albo jest sztucznie po-
wołana do życia i sztucznie przy nim utrzymywana (oznacza to
jedną wielką bombę chemiczną), albo może sobie i rosła gdzieś
w ciepłej Hiszpanii, traktowana szczodrze jakimś herbicydkiem
z jednej strony, a fungicydkiem z drugiej. Ale na tym nie koniec
truskawkowej przygody. Każdy dysponuje zapewne doświadczeniem (albo umie to sobie wspaniale wyobrazić) dowożenia truskawek z targu do domu. Na ogół nie transportuje się ich przez kilka
dni, boby się po prostu rozpłynęły. A tym marcowym jakimś cudem udało się odbyć kilkudniową podróż, która w najmniejszym
stopniu nie wpłynęła na ich świeżość. Ktoś musiał im więc zafundować niezły lifting w postaci kolejnej dawki chemii.

• Warto na bieżąco śledzić ofertę sklepów ze zdrową żywnością,
bowiem w pewnych okresach roku ceny warzyw ekologicznych
zrównywały się z cenami tychże w normalnej sprzedaży, a nawet były od nich niższe.

• Starajmy się kupować warzywa i owoce bezpośrednio od lokalnych rolników. Dzięki temu nawiązujemy bezpośrednią relację
z wytwórcą, co procentuje tym, że możemy dowiedzieć się, co tak

naprawdę kupujemy. Kolejnym plusem lokalnej żywności jest jej świeżość, a także niższa cena, pomijamy bowiem pośredników. W tym momencie słyszę pełne powątpiewania głosy: „Aha, łatwo powiedzieć". „Owszem, stosunkowo łatwo" – odpowiadam. To prawda, jest to skomplikowane przedsięwzięcie, niekiedy żywo przypominające wyprawę po złote runo. Jest to jednak równocześnie inicjatywa, która bardzo się opłaca zarówno finansowo, jak i ze względów zdrowotnych. Wpadając w wir poszukiwań zdrowej, taniej, nieprzetworzonej żywności, pytałam wszystkich z mojego otoczenia o ich kontakty na tym *nomen omen* polu. Od najbliższych sąsiadów dostaję bądź kupuję jabłka i orzechy włoskie, które niełuskane zimują sobie spokojnie w papierowej torbie. Będąc u rodziców na wakacjach, zaopatruję się w rejonie, gdzie mieszkają, w ekologiczne warzywa i owoce na przetwory. Są one tańsze niż uprawiane masowo, dostępne w moim mieście. Przy okazji kupuję je dla znajomych z Krakowa.

• Warto również starać się kupować sezonowe warzywa i owoce. Nie oznacza to bynajmniej rezygnacji z cytryn czy grejpfrutów. Chodzi raczej o to, by produkty sezonowe stanowiły podstawę naszej diety. W praktyce znaczy to mniej więcej tyle, że jeśli w czwartek pani Wanda sprzedawała na targu cukinię i marchewkę, to u nas w piątek będzie zupa krem z cukinii. Moje dzieci na przełomie sierpnia i września jedzą maliny, a zaraz potem jabłka i gruszki. A wspomniane już moje ukochane truskawki jemy jedynie na początku czerwca, tzn. w sezonie. Staram się ograniczać zakup żywności z importu na rzecz produktów krajowych. Kupuję zatem polski czosnek, a nie np. chiński czy hiszpański, wybieram jabłka polskie, a nie importowane.

• Jak rozpoznać, czy warzywa lub owoce kupowane na targu rzeczywiście pochodzą z małej lokalnej uprawy (w domyśle: są

uprawiane w sposób raczej tradycyjny, bądź też są mniej nawo-
żone od innych, również dostępnych na targu, ale uprawianych
na skalę przemysłową, a więc nawożonych bardzo hojnie)? Jeśli
jakaś pani (najczęściej są to bowiem przedstawicielki płci pięk-
nej w wieku, w którym się już o wiek nie pyta) rozkłada przed
sobą dwie cukinie, trzy tacki kurek i trzy woreczki ziemniaków
po dwa kilogramy każdy, to przyjmujemy, że – skoro dysponuje
takim plonem – raczej nie inwestowała w nawozy i przeróżne
środki „-bójcze". Dodatkowo wdaję się z nią zazwyczaj w rozmowę, dopytując, czy sama prowadzi uprawę i co przy niej stosuje, gdzie znajduje się pole uprawne itp. Powstają również skle-
piki, które oferują lokalne sezonowe warzywa i owoce. Pytajmy
o nie znajomych, szukajmy w sieci, polecajmy je sobie nawzajem.

Pamiętajmy dodatkowo o jeszcze paru prostych zasadach:

• Można trochę zminimalizować ryzyko spożycia szkodliwych
dla nas substancji, którymi warzywa i owoce zostały spryskane.
Trzeba je oczywiście porządnie umyć. Należy to robić za każdym razem bardzo dokładnie jeszcze przed obraniem warzyw
i owoców. Ponadto moczenie warzyw w wodzie przed ich obraniem przez parę minut może w jakimś stopniu rozcieńczyć zawarte w nich chemiczne substancje, jakimi „karmiono" je podczas wzrostu.

Domowy sposób na zneutralizowanie pestycydów w warzywach
i owocach jest następujący: 50 ml destylowanego octu na
4 l przefiltrowanej (najlepiej na drodze odwróconej osmozy) wody.
W takim roztworze moczyć produkty przez kilka lub kilkanaście
minut, a następnie je opłukać.

• Lepiej kupować nieumyte warzywa (ziemniaki czy marchew), ponieważ istnieje możliwość, że zostały przez kogoś wypucowane mocnymi środkami czystości.

• Lepiej również kupować warzywa luzem niż takie, które zostały już dla nas usłużnie zapakowane. Po pierwsze, kontakt z folią (będącą tworzywem sztucznym) ma na roślinę bezpośredni (negatywny) wpływ, a ponadto warzywa pakowane mogą podlegać dodatkowo różnym procesom takim jak woskowanie, gazowanie, promieniowanie.

• Zamiast warzyw (a także napojów) w puszkach należy wybierać pakowane w szklane pojemniki, ponieważ wnętrze puszek jest pokryte żywicą epoksydową, która wydziela toksyczny bisfenol A (BPA). Puszka może być również po prostu wykonana z potencjalnie szkodliwego aluminium (uznawanego za neurotoksynę, kojarzoną z chorobą Alzheimera). Jeśli jednak zdecydujemy się na zakup produktu w puszce, należy po otwarciu przełożyć zawartość do szklanego pojemnika, by nie wchodziła w niekorzystne dla zdrowia reakcje z substancjami chemicznymi, jakich użyto do produkcji puszki, a jakie mogą zajść po otwarciu.

A na koniec jeszcze krótka refleksja na temat ulegania wpływowi reklamy, która mówi, że należy jeść codziennie owoce. Kierując się prostą zasadą towarzyszącą nam od początku w tym poradniku, wystarczy zadać sobie kolejne sakramentalne pytanie, czy nasz dziadek jadł codziennie owoce? Nie robili tego ani dziadek, ani babcia, ani nasi rodzice. Ja również, kiedy przywołuję z pamięci czasy dzieciństwa, nie przypominam sobie, abym codziennie dostawała na podwieczorek porcję owoców. Jadło się zgodnie z porami roku i cyklem natury. A więc jabłka, gruszki, śliwki, czereśnie, porzeczki, agrest, borówki, maliny latem, a jesienią i zimą głównie owocowe przetwory. Okazuje się, że para warzywa i owoce zakorzeniona w obiegowym myśleniu jak Bolek i Lolek, tak naprawdę parą nie jest. Podczas gdy warzywa należą do grupy produktów spożywczych, które można (a nawet trzeba) jeść do woli, zakwalifikowanie owoców do tej samej kategorii już takie oczywiste nie jest. Owoce zawierają bowiem fruktozę, cukier owocowy,

> **WARZYWA W PUSZKACH**
>
> Cukier ❓
>
> Kwas askorbinowy (witamina C) E 300 ➕
>
> Kwas cytrynowy E 330 ❗
>
> Sól ❓
>
> Sól wapniowo-disodowa kwasu etylenodiaminotetraoctowego (EDTA wapniowo-disodowy) E 305 ➖

który spożywany w dużych ilościach może nasilać tendencje cukrzycowe i odkładanie się tkanki tłuszczowej oraz zaburzać homeostazę pierwiastków śladowych. Naturalnie występująca w owocach ilość cukrów została przez ostatnie dziesięciolecia nienaturalnie zwiększona w procesach krzyżowania i hybrydyzacji, a także pod wpływem działania herbicydów, nawozów i gazów.

A dlaczego tak ważne jest, by jeść dużo warzyw (ale też i owoców), w szczególności pochodzących z upraw ekologicznych,

> **Wolne rodniki** – molekuły, które „kradną" brakujący elektron zdrowym komórkom. Są one naturalną konsekwencją pewnych procesów takich jak przemiana materii czy walka z infekcjami. Występują również w dymie papierosowym, spalinach, pestycydach itp. Nadmiar wolnych rodników mogą zwalczyć antyoksydanty.
>
> **Antyoksydanty** – przeciwutleniacze, które kontrolują wolne rodniki, kończąc ich destruktywną dla organizmu działalność. Bogate w przeciwutleniacze są warzywa i owoce.

lecz także lokalnych? Zawierają one mianowicie przeciwutleniacze (antyoksydanty), które redukują negatywny wpływ wolnych rodników. Są również bogatym źródłem naturalnych witamin, minerałów, błonnika i enzymów.

DANIA W SŁOICZKACH DLA DZIECI | Gotowe dania w słoiczkach dla dzieci były dla mnie wybawieniem podczas wakacyjnych wyjazdów lub dłuższej podróży samochodem. Dając je dzieciom, zastanawiałam się jedynie, czy nie zawierają składników potencjalnie alergizujących, takich jak seler czy białko mleka krowiego. Nie było dla mnie istotne wówczas (a więc przed nastaniem ery zdrowego żywienia w moim domu), czy do potrawy dodano np. cukier ani jaki jest udział procentowy poszczególnych składników.

> **DESERKI**
>
> Aromat ❓
>
> Cukier ❓
>
> Glukoza ❓
>
> Mączka chleba świętojańskiego (guma karobowa) E 410 ➕
>
> Mleko w proszku ❓
>
> Pektyna E 440 ➕
>
> Skrobia modyfikowana E 1404 ❗

Kiedy niedawno przyjrzałam się etykietom słoiczków, nie byłam zaskoczona. Jeżeli żywność dla dorosłych jest zaśmiecana niepotrzebnymi dodatkami, to dlaczegóż by dla dzieci i niemowląt miała nie być? W końcu to przecież ten sam wszystkożerny gatunek.

Przy obecnym stanie swojej wiedzy zastanowiłabym się dwa razy, zanim wrzuciłabym słoiczek do koszyka z zakupami. Wybierałabym produkty, które w składzie nie miałyby przede wszystkim: cukru, skrobi kukurydzianej ani pszennej, oleju rzepakowego pochodzącego z upraw nieekologicznych, kurczaka z hodowli nieorganicznej.

FRYTKI – JAK BEZ NICH ŻYĆ? | Nie znam osoby, która powiedziałaby z ręką na sercu, że nie lubi frytek. Sama również je lubię, a świadomość, że są niezdrowe, niestety nie sprawiła, że udało mi się zredukować ich spożycie do zera. Jest rzeczą powszechnie wiadomą, że smażenie jest niezdrowe, a smażenie w głębokim tłuszczu jest bardzo, bardzo niezdrowe. A to głównie za sprawą akroleiny.

> **Akroleina** wydziela się podczas długotrwałego ogrzewania tłuszczu w wysokiej temperaturze. Jest ona podejrzewana o działanie rakotwórcze oraz toksyczne działanie na mózg. W czasie pierwszej wojny światowej stosowana była jako gaz bojowy.

Aby minimalizować zły wpływ smażonego oleju na zdrowie, powinno się go zmieniać po każdym użyciu. Nie ma się jednak co łudzić, że bary szybkiej obsługi lub restauracje typu *fast food* stosują się do tej zasady. Jedząc produkty smażone w głębokim tłuszczu, a do tego w tłuszczu wielokrotnie podgrzewanym, robimy sobie wielką krzywdę. Niestety frytki, chipsy oraz niektóre produkty cukiernicze, takie jak np. pączki, musimy wrzucić do jednego wora z produktami smażonymi w głębokim tłuszczu.

Wracając jednak do naszych frytek. Są sposoby, aby i wilk był syty, i owca cała, a więc w tym przypadku, aby można było zjeść frytki i nie zaszkodzić sobie tak bardzo.

• Można pokrojone ziemniaki piec w piekarniku na wysmarowanej tłuszczem blaszce.

• Innym sposobem jest zakup frytownicy, w której używa się bardzo niewielkiej ilości tłuszczu. Są to rozwiązania z kategorii „dietetyczne", które jak podpowiada mi moje doświadczenie, są trudne do przeforsowania u mężczyzn.

• Jeśli nasz mężczyzna żadną miarą takich zdrowych frytek za-akceptować nie potrafi, musimy przynajmniej regularnie zmie-niać olej przeznaczony do smażenia w wysokich temperaturach.

Jeżeli będziemy stosować się do powyższych zaleceń i nie trak-tować frytek jako warzywnego dodatku do obiadu (ziemniak to przecież warzywo), to chyba możemy sobie od czasu do czasu po-zwolić na ich konsumpcję bez (większych) wyrzutów sumienia.

PODSUMOWANIE:

• starajmy się kupować przede wszystkim warzywa i owoce uprawiane w sposób naturalny, z upraw ekologicznych i lokalnych
• zamiast kupować nowalijki, uprawiajmy zioła i warzywa w ogródku lub na balkonie
• w zimie kupujmy przede wszystkim warzywa całoroczne, ewentualnie mrożonki zamiast świeżych warzyw niesezonowych
• w supermarketach wybierajmy warzywa nieumyte, niepakowane w folię
• zamiast produktów w puszkach wybierajmy produkty w szklanych pojemnikach
• kupujmy warzywa i owoce sezonowe od lokalnych rolników
• jedzmy dużo warzyw, a także owoce
• jedzmy zdrowe frytki

2 | PRZEMYCANIE WARZYW

Warzywa to niekoniecznie to, co Tygrysy i najmłodsi członkowie naszych rodzin lubią najbardziej, dlatego też w ce-nie są wszelkie metody służące ich przemycaniu. Jednym ze sposobów na przechytrzenie milusińskich jest pasztet warzywny albo zupa krem.

a| Warzywa strączkowe

Traktat o łuskaniu fasoli Wiesława Myśliwskiego porwał mnie bez reszty. Nie przestałam być jednak sobą i raz po raz powracała do mnie natrętna myśl. Co takiego jest w tej fasoli, że poświęcono jej cały traktat? W swoich peregrynacjach zdrowożywieniowych niejednokrotnie napotykałam wzmianki o bogactwie składników pokarmowych i dobroczynnym działaniu warzyw suchych strączkowych, do których zalicza się m.in.: soczewicę, ciecierzycę, groch, fasole, soję. I choć ja sama i mój mąż daliśmy się bez trudu przekonać do ich zalet, wytłumaczenie naszym dzieciom, że fasola jest smaczna, nie było już takie proste. Niewiele jest takich potraw z roślin suchych strączkowych, które moje dzieci zjedzą bez grymaszenia. Chcąc wychować „dziecko emocjonalnie inteligentne", staram się, by w relacji rodzic – dziecko nie było przegranych. Aby więc nie doszło do tego, że przegram ja, bo trzy talerze fasolki po bretońsku trafią do śmieci, i aby nie zmuszać dziecka do zjedzenia czegoś, czego nie chce, znów uciekam się do fortelu. A mianowicie używam suchych warzyw strączkowych jako ekwiwalentu części porcji mięsa. Oznacza to, że robiąc np. kotlety mielone, 1/3 ilości mięsa zastępuję np. fasolą. Moja szwagierka dorzuca ciecierzycę do zupy pomidorowej i miksuje wszystko na krem. Mam zawsze w zamrażarce ugotowaną fasolę bądź ciecierzycę, by móc w każdej chwili przemycić cenne białko w jakiejś potrawie.

PRZYGOTOWANIE SUCHYCH WARZYW STRĄCZKOWYCH

1. Fakultatywnie: zalej warzywa wrzącą wodą i zostaw w niej na 1 godzinę, aby wypłukać pewne niekorzystne dla zdrowia związki. Odlej wodę z moczenia.

2. Przepłucz warzywa na sicie pod bieżącą wodą.
3. Zalej je na noc wodą w stosunku 3:1 (wody do nasion).
4. Dodaj kminek i tymianek.
5. Następnego dnia gotuj w tej samej wodzie. (Jeśli pominęło się punkt 1., wodę z moczenia należy odlać i nalać świeżej).

TABELA GOTOWANIA SUCHYCH WARZYW STRĄCZKOWYCH

RODZAJ	CZY TRZEBA MOCZYĆ	CZAS GOTOWANIA W MIN	CZAS GOTOWANIA W SZYBKOWARZE W MIN
Bób	tak	60–90	25–30
Fasola adzuki	tak	45	15
Fasola mung	tak	30–45	10–15
Groch cały	tak	60–90	25–30
Groch połówki	nie	40–45	12–15
Soczewica	czerwona nie, pozostałe tak	30 30–45	10 10–15
Fasola kidney	tak	60–90	25–30
Fasola jaś	tak	60–90	25–30
Fasola biała	tak	60–90	25–30
Ciecierzyca	tak	60–90	25–30

ZŁOTA RADA: Przygotowanie warzyw suchych strączkowych wiąże się z planowaniem. Warzywa strączkowe można namoczyć rano przed wyjściem do pracy, a ugotować w szybkowarze po powrocie do domu.

b| Zielenina

Mimo że za pomocą przeróżnych sztuczek na ogół osiągałam swój cel na niwie skutecznego przemycania warzyw, to cały czas miałam poczucie, że mój sukces był połowiczny. Ciągle brakowało mi bowiem sposobu na to (w siłę perswazji w tej akurat kwestii przestałam wierzyć już jakiś czas temu), aby moje latorośle zjadły zieloną sałatę czy inną zieleninę. Odpowiedzią na moje poszukiwania okazał się rewolucyjny sposób na przemycanie surowych warzyw opisany w książce autorstwa Victorii Boutenko *Rewolucja zielonych koktajli*. Metoda przedstawiona w książce polega na takim dobraniu składników do koktajlu, że sałata, szpinak, jarmuż, natka pietruszki giną w tłumie znanych i lubianych owoców. Dzięki tak przygotowanym koktajlom, dziecko nie wie, co je, co akurat w tym konkretnym przypadku jest ogromną zaletą. Koktajle owe przeznaczone są dla wszystkich, którzy chcą w prosty sposób wzbogacić swoją dietę w enzymy, przeciwutleniacze, błonnik i minerały.

c| Czosnek

Najbardziej niepostrzeżenie można czosnek przemycić w sosie pomidorowym przy okazji spaghetti. Innym sposobem są tosty (chleb posmarowany masłem, uprzednio przeciśniętym przez praskę czosnkiem, z pokrojoną w plasterki cebulą, serem żółtym itp.).

PRZEPISY

warzywna baza do zup kremów

cebula, marchew, pietruszka, seler, oliwa z oliwek, kurkuma, pieprz

◇ ◇ ◇

Pokrojoną w kostkę cebulę wrzucić na lekko rozgrzaną patelnię z niewielką ilością oliwy z oliwek, po chwili dolać wody i dusić z dodatkiem kurkumy i pieprzu. Po mniej więcej 5 minutach dodać starte na grubej tarce warzywa i dusić razem do miękkości, uzupełniając wodą.

(inspiracja: *Pokonaj alergię*)

ZŁOTA RADA: Dla oszczędności czasu można przygotować większą ilość warzyw, a następnie je zamrozić.

zupa grochowa

ok. 1/2 kg łuskanego grochu (połówki), 3–4 ziemniaki, 3/4 szklanki warzywnej bazy do zup, kminek, majeranek, tymianek, sól, owoce jałowca

◇ ◇ ◇

Groch przepłukać i zagotować w wodzie. Aby zminimalizować ryzyko wzdęć, można odlać wodę po chwili gotowania i dalej gotować po ponownym zalaniu wodą z dodatkiem ziół. Zupę grochową gotuje się ok. 1/2 godziny. Mniej więcej 15 minut przed końcem gotowania dodajemy pokrojone w kostkę ziemniaki. Następnie dodajemy bazę do zup. Wszystko razem miksujemy.

Aby uczynić zupę grochową daniem nieco bardziej atrakcyjnym dla młodszych członków naszych rodzin, można podać do niej grzanki albo – mniej zdrowe – boczek lub kiełbasę pokrojone w kostkę i podsmażone (przy czym korzyści wynikające ze zjedzenia grochu przeważają nad minusami podsmażonego mięsa).

barszcz czerwony z botwinką

3 średnie buraki czerwone, 1/2 szklanki warzywnej bazy do zup, pęczek botwinki, kilka łyżek jogurtu naturalnego, koper, ziele angielskie, pieprz, sól, lubczyk

◇ ◇ ◇

Do gotującej się wody dodać pokrojone buraki czerwone oraz przyprawy i gotować do miękkości. Kilka minut przed

końcem gotowania dodać pokrojoną botwinkę. Na końcu połączyć
z bazą do zup.

Aby uniknąć pytań w stylu: „Co to za trawa?", najlepiej wszystko
zmiksować na jednolitą masę i zabielić jogurtem naturalnym,
Można dla intensywniejszego koloru i smaku (oraz zdrowia)
doprawić niewielką ilością domowego zakwasu buraczanego.
Zakwas dodajemy po ugotowaniu barszczu i nie zagotowujemy go.
Na końcu barszcz posypać koperkiem.

zupa brokułowa

ok. 1/2 kg brokułów, 3 4 ziemniaki, 1/2 szklanki warzywnej bazy
do zup, 3 łyżki jogurtu naturalnego, sól, pieprz, majeranek, ziele
angielskie, lubczyk, koper

◇ ◇ ◇

Do gotującej się wody dodać rozdrobnione brokuły, pokrojone
w kostkę ziemniaki i przyprawy. Po ugotowaniu dodać bazę
do zup i wszystko razem zmiksować. W niewielkiej ilości zupy
rozprowadzić jogurt naturalny, dodać do całości i zagotować.
Posypać koperkiem. Podawać z grzankami.

grzanki

Pyszne i chrupiące grzanki, a do tego bez odrobiny tłuszczu
i bez smażenia, można zrobić w opiekaczu do pieczywa.
Drugim, nieco bardziej czasochłonnym sposobem, jest
przygotowanie ich w piekarniku.

pasztet warzywny

mała cukinia, mały bakłażan, 3 obrane ze skórki średniej
wielkości pomidory, 2 ząbki czosnku, łyżeczka przyprawy
włoskiej (bazylia, oregano, cząber), 3 jajka, 3 łyżki masła, oliwa,
sól, pieprz

◇ ◇ ◇

Pokroić cukinię i bakłażany i podsmażyć na oliwie, aż zmiękną.
Pomidory pozbawić wodnistego miąższu i pokroić w kostkę.
Wszystkie warzywa zmiksować wraz z wyciśniętym czosnkiem,
ziołami, masłem, solą i pieprzem. Na końcu dodać jajka i całość
dokładnie zmiksować. Masę przelać do keksówki wyłożonej
papierem do pieczenia i piec w rozgrzanym piekarniku
w temperaturze 180°C przez 40–50 minut. Po ostudzeniu przełożyć
do lodówki.
(źródło: www.gotowanie.onet.pl)

purée z ciecierzycy

400 g ciecierzycy, 100 ml śmietany, 50 g masła, sól, 1/3 łyżeczki
świeżo startej gałki muszkatołowej

◇ ◇ ◇

Ciecierzycę namoczyć na noc. Rano odlać wodę i zalać
świeżą, posolić i ugotować do miękkości. Odcedzić i gorącą
zmiksować z masłem i śmietaną. Doprawić solą, pieprzem, gałką
muszkatołową. Podawać zamiast ziemniaków do drugiego dania.
(źródło: www.uwielbiam.pl)

burger „szczęśliwa krówka"

240 g dowolnej gotowanej fasoli, 200 g gotowanego bobu,
1/2 łyżeczki kminu rzymskiego, 1/2 łyżeczki kolendry, 1/2 łyżeczki
pieprzu cayenne, 1 łyżka mąki orkiszowej (lub żytniej)
do kotletów i 1 łyżka do oprószenia, starta skórka z całej cytryny,
łodyga świeżej kolendry

◇ ◇ ◇

Wszystkie składniki dokładnie zmiksować. Podzielić na cztery
części, uformować kotlety, oprószyć mąką i smażyć na oliwie
kotlety.

Burgery wkładać do przekrojonej bułki. Dodać trochę
pokrojonego pomidora, ogórka, sałaty, sera feta lub innych
dodatków według uznania.
(inspiracja: program TV Kuchnia plus, *15 minut Jamiego*)

koktajl „śmiejący się goryl"

1 główka sałaty rzymskiej (lub innej), 2 dojrzałe mrożone banany
bez skórki, 2 obrane pomarańcze bez pestek, 1 mango,
2 filiżanki wody

◇ ◇ ◇

Wszystkie składniki dokładnie zmiksować w blenderze
kielichowym. Z przepisu uzyskamy 2 litry koktajlu.
(źródło: *Rewolucja zielonych koktajli*)

PODSUMOWANIE:

- nielubiane przez dzieci produkty można umiejętnie przemycać
  w zupach kremach, pasztetach, koktajlach lub jako purée

3 | DOMOWY OGRÓDEK

Niekoniecznie trzeba dysponować ogródkiem działkowym, by stworzyć namiastkę ogrodu w domu. W doniczce na parapecie można hodować szczypiorek, natkę pietruszki, rzeżuchę czy zioła (np. bazylię, oregano, miętę). W doniczce na balkonie mogą obrodzić pomidory koktajlowe. Większą ilość natki pietruszki, koperku czy ziół można po posiekaniu zamrozić lub wysuszyć i przechowywać w szklanym pojemniku szczelnie zamknięte.

4 | KALENDARZ WARZYW I OWOCÓW SEZONOWYCH

Kalendarz warzyw i owoców sezonowych traktować należy jako pomoc podczas zakupów. Podaje on orientacyjne ramy czasowe dla występowania poszczególnych warzyw i owoców w Polsce, od których mogą wystąpić odstępstwa (np. w zależności od regionu kraju, odmiany czy czynników atmosferycznych w danym roku). Obecnie istnieje wiele odmian tej samej rośliny (np. odmiany wczesne i późne), są one uprawiane w gruncie, szklarni bądź tzw. tunelu foliowym. Ponadto są one wysiewane nie jak dotychczas raz w roku, tylko więcej razy, aby zwiększyć plon. Dlatego też współczesny kalendarz warzyw i owoców sezonowych różni się od tego sprzed kilkunastu lat. Oczywiste jest, że warzywa, które urosły w gruncie, są lepsze i bardziej naturalne od tych ze szklarni czy spod folii. Jednakże nawet wówczas, kiedy cierpliwie czekamy, aby kupić np. ogórki gruntowe w sezonie, to i tak nigdy nie mamy pewności, czy są one faktycznie gruntowe, czy tylko są takie z nazwy i wyrosły pod folią.

W tabeli *Cały rok* wyliczone zostały warzywa i owoce, które po osiągnięciu dojrzałości zbiorczej są zebrane z pola, a następnie przechowywane w specjalnych warunkach. Nadają się do spożycia przez cały rok i nie są już przeze mnie wyliczane w poszczególnych miesiącach.

CAŁY ROK

czosnek ◇ kapusta biała ◇ kapusta czerwona ◇ burak ćwikłowy ◇ por ◇ cebula ◇ jabłka ◇ ziemniaki ◇ fasola ◇ gruszki ◇ pietruszka (korzeń) ◇ orzechy laskowe ◇ orzechy włoskie ◇ seler (korzeń) ◇ marchew

miesiąc	warzywa i owoce sezonowe
ZIMA	
styczeń	jarmuż ◇ topinambur ◇ pasternak ◇ brukselka
luty	jarmuż ◇ topinambur ◇ pasternak ◇ brukselka
marzec	jarmuż ◇ topinambur
WIOSNA	
kwiecień	rzodkiewka ◇ szpinak
maj	rzodkiewka ◇ cebula dymka ◇ sałata ◇ szparagi ◇ rabarbar ◇ szpinak ◇ koper
czerwiec	rzodkiewka ◇ cebula dymka ◇ kapusta biała ◇ kapusta pekińska ◇ marchew ◇ czosnek ◇ cebula ◇ truskawki ◇ kalafior ◇ kalarepa ◇ sałata ◇ szparagi ◇ ziemniaki ◇ rabarbar ◇ porzeczka czarna ◇ brzoskwinie ◇ szpinak ◇ groszek zielony ◇ poziomka ◇ czereśnie ◇ koper
LATO	
lipiec	rzodkiewka ◇ cebula dymka ◇ jabłka ◇ gruszki ◇ kapusta biała ◇ kapusta czerwona ◇ kapusta pekińska ◇ burak ćwikłowy ◇ marchew ◇ czosnek ◇ cebula ◇ pomidor ◇ fasola szparagowa ◇ fasola na suche nasiona ◇ truskawki ◇ agrest ◇ kalafior ◇ brokuł ◇ kalarepa ◇ ogórek ◇ sałata ◇ ziemniaki ◇ rabarbar ◇ groszek zielony ◇ bób ◇ malina ◇ poziomka ◇ borówka amerykańska ◇ porzeczka czarna ◇ porzeczka czerwona ◇ brzoskwinie ◇ wiśnie ◇ czereśnie ◇ koper ◇ karczoch ◇ kabaczek ◇ bakłażan ◇ patison ◇ kukurydza ◇ śliwki ◇ cukinia ◇ cykoria

miesiąc	warzywa i owoce sezonowe
sierpień	rzodkiewka ◇ cebula dymka ◇ gruszki ◇ jabłka ◇ kapusta biała ◇ kapusta czerwona ◇ kapusta pekińska ◇ burak ćwikłowy ◇ seler naciowy ◇ marchew ◇ czosnek ◇ cebula ◇ por ◇ pomidor ◇ fasola szparagowa ◇ fasola na suche nasiona ◇ agrest ◇ kalafior ◇ brokuł ◇ kalarepa ◇ ogórek ◇ sałata ◇ ziemniaki ◇ groszek zielony ◇ bób ◇ morela ◇ malina ◇ poziomka ◇ borówka amerykańska ◇ wiśnie ◇ koper ◇ karczoch ◇ kabaczek ◇ bakłażan ◇ patison ◇ kukurydza ◇ śliwki ◇ mirabelki ◇ jeżyny ◇ rokitnik ◇ aronia ◇ borówka brusznica ◇ cukinia ◇ cykoria ◇ czarny bez (owoc)
wrzesień	rzodkiewka ◇ gruszki ◇ jabłka ◇ kapusta biała ◇ kapusta czerwona ◇ kapusta pekińska ◇ burak ćwikłowy ◇ seler (korzeń) ◇ seler naciowy ◇ pietruszka (korzeń) ◇ marchew ◇ czosnek ◇ cebula ◇ por ◇ pomidor ◇ fasola na suche nasiona ◇ orzechy laskowe ◇ orzechy włoskie ◇ kalafior ◇ brokuł ◇ kalarepa ◇ ogórek ◇ sałata ◇ szparagi ◇ ziemniaki ◇ morela ◇ malina ◇ poziomka ◇ brzoskwinie ◇ koper ◇ karczoch ◇ kabaczek ◇ bakłażan ◇ patison ◇ kukurydza ◇ pigwa ◇ śliwki ◇ mirabelki ◇ jeżyny ◇ rokitnik ◇ aronia ◇ borówka brusznica ◇ cukinia ◇ dynia ◇ winogrona domowe ◇ dzika róża (owoc) ◇ cykoria ◇ czarny bez (owoc)
JESIEŃ	
październik	jarmuż ◇ topinambur ◇ brukiew ◇ rzodkiewka ◇ gruszki ◇ jabłka ◇ kapusta biała ◇ kapusta czerwona ◇ kapusta pekińska ◇ burak ćwikłowy ◇ seler (korzeń) ◇ seler naciowy ◇ pietruszka (korzeń) ◇ marchew ◇ cebula ◇ por ◇ pomidor ◇ fasola na suche nasiona ◇ orzechy laskowe ◇ orzechy włoskie ◇ kalafior ◇ brokuł ◇ kalarepa ◇ sałata ◇ ziemniaki ◇ szpinak ◇ malina ◇ koper ◇ karczoch ◇ kabaczek ◇ patison ◇ pigwa ◇ śliwki ◇ borówka brusznica ◇ cukinia ◇ dynia ◇ skorzonera ◇ pasternak ◇ winogrona domowe ◇ dzika róża (owoc) ◇ żurawina ◇ brukselka ◇ cykoria
listopad	jarmuż ◇ topinambur ◇ brukiew ◇ seler (korzeń) ◇ seler naciowy ◇ rzodkiewka ◇ kapusta pekińska ◇ por ◇ brokuł ◇ szpinak ◇ skorzonera ◇ pasternak ◇ żurawina ◇ brukselka ◇ cykoria
grudzień	jarmuż ◇ topinambur ◇ brukiew ◇ por ◇ pasternak ◇ brukselka

VII. ILE MIĘSA W MIĘSIE?

1 MIĘSO

Boję się kupować mięso w sklepie. I nie mam tu nawet na myśli mięsa z supermarketu, gdzie z pół kilograma mielonego wrzuconego na patelnię po dziesięciu minutach smażenia zostaje ilość jak dla kotka. Gdzie się podziało mięso? Czyżby wyparowało? To jest wbrew zasadom fizyki. Jeżeli więc mięso jednak nie wyparowało, to co się stało? A może lepiej nie dociekać, skoro raczej wiadomo, że nic dobrego? Wracając do meritum: boję się kupować mięso w sieciowym sklepie mięsnym, ponieważ zdarzyło mi się po przyrządzeniu wyrzucić je do kosza ze względu na specyficzny zapach i kompletny brak smaku. Mięso sprzedawane na wagę nie ma niestety etykiety, z której mogłabym poznać jego faktyczny skład. Ekspedientka w supermarkecie czy zwykłym „mięsnym" nie dysponuje informacją, czym były karmione zwierzęta, czy były faszerowanc antybiotykami, hormonami itd.

Zdarzyło mi się kiedyś wdać się w rozmowę z pewnym miłym sprzedawcą w sklepie mięsnym, który zdecydowanie odradził mi kupowanie kurczaków, jeśli zamierzam karmić nimi dzieci. Są one bowiem tuczone szybko, niezdrowo, jedzą antybiotyki, hormony. Jeśli się upieram przy drobiu, to on proponuje już raczej indyka, który z natury jest duży, w związku z czym hodowca pakuje w niego mniej chemii. Kiedy po jakimś czasie natknęłam się na informację, że hormony, którymi faszerowane są kurczaki, powodują zmiany hormonalne i w efekcie m.in. powiększenie piersi u małych dziewczynek, przestraszyłam się nie na żarty. Próbując pogłębić temat, doczytałam, że kurczaki z chowu przemysłowego żyją w niehumanitarnych warunkach. Obiekcje dotyczące kurczaków przeniosłam na cały drób, a więc i na indyka. Pojawiło się wówczas pytanie: „Czy w związku z tym ja i moja rodzina mamy z dnia na dzień przejść na wegetarianizm?".

Słysząc okrzyk zdecydowanego protestu mojego męża, będącego z natury i z wyboru stworzeniem mięsożernym, postanowiłam zdobyć dostęp do prawdziwego mięsa z naturalnej hodowli, które pachnie i smakuje. Dzięki zastosowaniu sprawdzonej metody pytania wszystkich dookoła udało mi się w krótkim czasie dotrzeć do źródła hodowanych we w miarę tradycyjny sposób królików, kurczaków, indyków, gęsi, świń, cieląt, a nawet jagniąt. Imponująco bogaty asortyment mięsiwa, trzeba przyznać.

Po zmianie naszego podejścia konsumenckiego niezbędny okazał się zakup dodatkowej zamrażarki, co całym sercem wszystkim polecam. (Na argument o niewystarczającej powierzchni użytkowej odpowiadam, że można przechowywać „mebel" u kogoś z rodziny, kto dysponuje większym metrażem niż my). Kiedy po pewnym czasie moje zapasy mięsa się wyczerpały, a na kolejne „bicie" trzeba było jeszcze trochę poczekać, musiałam poszukać nowego źródła zaopatrzenia (ponaglana i motywowana przez mojego męża, którego już zaczynały nękać koszmary z morderczymi bakłażanami w roli głównej).

Rozwiązanie problemu znalazłam w renomowanym sklepie oferującym własne wyroby wędliniarskie. Stosując starą sprawdzoną metodę, zapytałam panią, czy można tam zamówić mięso. Założyłam, że skoro szynki nie ociekają śliskim płynem, parówki zawierają aż 95% mięsa (*sic!*), sklep oferuje wyroby i z glutaminianem sodu, i bez niego (o czym rzetelnie informuje etykieta), chyba można firmie zaufać. Okazało się, że można tam zamówić mięso, które nie tylko wygląda jak mięso, ale nawet tak smakuje i pachnie. Zauważyłam, że asortyment sklepu jest stosunkowo skromny. Jednak konstatacja ta raczej mnie ucieszyła, niż zmartwiła. Dobry sklep mięsny jest widocznie jak dobra restauracja. Przyjęło się bowiem sądzić, że ta, która w menu oferuje niewiele dań, przygotowuje je ze świeżych i dobrych składników.

Jako trzecie wyjście w poszukiwaniu prawdziwego jedzenia zostawał mi jeszcze sklep ekologiczny, gdzie również można zaopatrzyć się w mięso, które po przyrządzeniu nie będzie wymagało żadnych podejrzanych wzmacniaczy, aby pachnieć i smakować.

Tak naprawdę, jeśli mięso nie pochodzi z bardzo zaufanego źródła ani nie ma certyfikatu ekologicznego, to i tak nie wiemy, co dane zwierzę jadło. Jest bardzo prawdopodobne, że pasza dla zwierząt zawiera niestety np. genetycznie zmodyfikowaną soję.

Pewna znajoma osoba zdradziła mi niezawodny sposób na stwierdzenie, czy zakupione mięso jest świeże. Sposób nazywa się „na kota" i niestety wymaga posiadania rzeczonego zwierzęcia. Metoda ta oparta jest na wrodzonych instynktach naszego pupila. Kot mianowicie nieświeżego mięsa nie tknie. Dla tych, którzy nie mają kota, podaję inne sposoby pozwalające określić (przynajmniej w przybliżeniu), jaka jest jakość mięsa.

CECHY ŚWIEŻEGO I NIEŚWIEŻEGO MIĘSA

CECHA	ŚWIEŻE MIĘSO	NIEŚWIEŻE MIĘSO
Wygląd	elastyczne, lekko błyszczące	wysuszone po bokach
Kolor	róż, czerwień	bardzo jasny, żółtawy, brązowy
Zapach	zapach krwi	każdy inny zapach
Środki chemiczne		jeśli na mięsie widoczne są ślady nakłucia lub w opakowaniu próżniowym zbiera się woda, to do mięsa mogły zostać dodane środki chemiczne
Szpik kostny	kolor czerwony	kolor żółty

W tradycyjnej hodowli świń używa się ziemniaków i zboża. Tuczenie wówczas zajmuje około sześciu miesięcy. W hodowli wspomaganej gotowymi mieszankami paszowymi oraz stymulatorami wzrostu świnia osiąga wagę ubojową dwa razy szybciej.

Kilka lat temu w jednej z książek kucharskich Jamiego Olivera przeczytałam, że lepiej jest kupić „gorszy" kawałek mięsa, np. łopatkę, ale z ekologicznej hodowli, niż najlepszy schab z hodowli masowej. Przyznam, że wtedy brzmiało to dla mnie dziwnie i nie zrozumiałam przesłania, ale prawdopodobnie zasiane zostało wówczas ziarno, które po jakimś czasie wykiełkowało.

Po rozmowie z miłym panem z „mięsnego", który odradził mi kupowanie kurczaków, nastały w naszym domu ciężkie czasy, a na niedzielnym stole zabrakło rosołu z kury. Oczywiście trochę ironizuję. Jednakże z rosołem związana jest pewna historia, bynajmniej nie śmieszna. Babcia mojego męża od kilkudziesięciu lat gotuje w niedzielę rosół według tego samego przepisu. I od zawsze jadają z dziadkiem na drugie danie mięso z tego rosołu. Od niedawna, mimo że gotowany przez tę samą wytrawną kucharkę, rosół „nie wiadomo dlaczego nie smakuje tak jak kiedyś", a mięsa, jak stwierdziła ze smutkiem babcia, „po prostu nie da się zjeść". Wyobraźmy sobie taki tradycyjny rosół z kury: gorący, dymiący, aromatyczny, serwowany na chrzcinach, komuniach, weselach. Podawany na wzmocnienie w czasie choroby i dla rozgrzania wychłodzonego organizmu. W powieści Małgorzaty Musierowicz *Opium w rosole* mała Aurelia wpada do głównych bohaterów książki na niedzielny rosołek, który staje się symbolem domowego ciepła. Zastanawiam się, czy gdyby ta część *Jeżycjady* powstawała w dzisiejszych czasach, autorka odważyłaby się uczynić z rosołu z kury tytułowego (pozytywnego) bohatera?

a| Wędzenie

W literaturze i artykułach traktujących o zdrowym żywieniu napotykam przestrogi przed zbyt częstą konsumpcją produktów wędzonych. Z ich jedzeniem związany jest bowiem proces powstawania w obrębie przewodu pokarmowego nitrozoamin oraz wielopierścieniowych węglowodorów aromatycznych podejrzewanych o szkodliwe działanie na ludzki organizm.

Czym są owe **nitrozoaminy**? Azotany stosowane są do konserwowania żywności, występują również w warzywach, jako konsekwencja stosowania sztucznych nawozów, oraz w wodzie pitnej (do której przedostają się z nawozów sztucznych). Pod wpływem pewnych reakcji może dojść do przekształcenia azotanów w azotyny. Te natomiast mogą po połączeniu z pewnymi białkami ulec przekształceniu we wspomniane wyżej nitrozoaminy, którym przypisywane jest silne działanie kancerogenne.

Wielopierścieniowe węglowodory aromatyczne są to związki chemiczne powstające m.in. podczas niektórych procesów przyrządzania potraw takich jak np.: wędzenie, grillowanie czy ogrzewanie na otwartym ogniu. Podejrzewa się je o silne działanie muta- i kancerogenne.

Po zagłębieniu się w temat wędzenia dowiedziałam się, że istnieje podział na wędzenie tradycyjne i nowoczesne. Przez wiele lat żyłam w błogiej nieświadomości i myślałam, że kupując wędzoną makrelę lub szynkę, nabywam faktycznie produkt wędzony, a nie tylko za taki się podający. Okazuje się, że w ostatnich latach termin „wędzenie" się nie zmienił, zmieniło się natomiast jego znaczenie. Definicja wędzenia umieszczona w książce E. Trojan i J. Piotrowskiego *Tradycyjne wędzenie* uświadamia, że „wędzenie to proces, w czasie którego produkty są poddawane działaniu dymu. Dym powstaje w wyniku spalania drewna (...). Wędzenie nadaje produktom charakterystyczny aromat, wpływa na ich barwę i konserwuje przez działanie substancji bakteriobójczych zawartych w dymie wędzarniczym". Wędzenie ryb natomiast jest „jedną z podstawowych metod konserwacji. Podobnie jak w wędlinach mięsnych jest to proces polegający na oddziaływaniu temperaturą w obecności dymu".

Jak wynika z powyższej definicji, w wędzeniu tradycyjnym, czyli konwencjonalnym, proces wędzenia zachodzi przy współudziale dymu wędzarniczego. Natomiast w wędzeniu przemysłowym, czyli nowoczesnym, stosuje się środki aromatyzujące dymu wędzarniczego (a więc produkty, które otrzymuje się w wyniku „frakcjonowania i oczyszczania skondensowanego dymu"). Uważa się, że środki aromatyzujące dymu mają podobny skład i właściwości jak (naturalny) dym wędzarniczy. Środki aromatyzujące dymu wędzarniczego zostały uznane za bezpieczne i mniej groźne dla zdrowia człowieka niż dym wędzarniczy, a ich stosowanie jest uregulowane w prawodawstwie Unii Europejskiej. Przy czym trzeba odnotować, że w związku z dużym zróżnicowaniem środków aromatyzujących dymu wędzarniczego niemożliwe jest przyjęcie wspólnego podejścia do oceny ich bezpieczeństwa. Dlatego też, aby móc ocenić dany środek pod kątem toksykologicznym, należy się skupić na poszczególnych koncentratach dymnych.

Zwolennicy wędzenia nowoczesnego zaliczają do jego plusów większe bezpieczeństwo dla zdrowia człowieka, a także m.in. oszczędność czasu i powtarzalną jakość wyrobu. Moją czujność wzbudziła każda z wymienionych zalet. Po pierwsze, zaniepokoiło mnie postawienie akcentu na oszczędności czasu. Codzienna praktyka w zdrowej kuchni nauczyła mnie już, że (najczęściej) jakość wymaga czasu. Wyroby wędzone w sposób tradycyjny cechuje niepowtarzalny smak i aromat, co dla mnie jako konsumenta jest raczej zaletą niż wadą. I wreszcie wzięłam pod lupę zachwalany aspekt zdrowotny środków aromatyzujących dymu wędzarniczego. Sprawdziłam skład aromatów dymu wędzarniczego stosowanych podczas wędzenia nowoczesnego. Jak się okazuje, mogą zawierać m.in. szkodliwy glutaminian sodu E 621, glukozę oraz aromaty przetworzone.

Każdy z nas ma zapewne jakieś wyobrażenie o tym, na czym polega wędzenie w sposób tradycyjny. Natomiast wędzenie przemysłowe może być już zjawiskiem bardziej enigmatycznym. W wędzeniu nowoczesnym stosuje się np. metodę natryskową. Polega ona na tym, że przez okres 60–120 sekund produkt jest natrystkiwany roztworem dymu wędzarniczego. Inną metodą praktykowaną w wędzeniu nowoczesnym jest wstrzykiwanie do produktu roztworu kondensatu dymnego.

Na etykiecie produktu wędzonego (takiego jak wędlina, ryba czy ser) powinna znajdować się informacja o sposobie wędzenia. Konsument ma więc wybór między produktem wędzonym w sposób tradycyjny a takim, który został uwędzony przemysłowo. Co jeszcze oprócz etykiety może ułatwić nam odróżnienie produktu wędzonego tradycyjnie od wędzonego przemysłowo? Wędlina wędzona w sposób tradycyjny będzie bardziej sucha i „osmolona" niż ta wędzona w sposób nowoczesny.

W kontekście przestróg przed produktami wędzonymi tradycyjnie zastanowiło mnie to, że ludzie przecież od dawien dawna utrwalali żywność za pomocą wędzenia i nie chorowali masowo na nowotwory przewodu pokarmowego, żołądka zaś w szczególności (rak żołądka wiązany jest z konsumpcją produktów wędzonych). W związku z tym rodzą się pytania o faktyczne bezpieczeństwo dla zdrowia wędzenia przemysłowego, podczas którego używane są syntetyczne substancje. Nie wiemy, jaki naprawdę mają na nas wpływ płynny dym i przetworzone aromaty, są bowiem stosowane dopiero od mniej więcej trzydziestu lat.

Czas pokaże, czy na tym ogniu udało się upiec dwie pieczenie: zysk dla producenta i zdrowie dla konsumenta.

b| Grillowanie

Przed zbyt częstym grillowaniem przestrzega się nas z tych samych powodów, co przed nadmiernym spożywaniem produktów wędzonych. Ponieważ jednak „sąsiedzki grill" to coś więcej niż jedzenie, to zjawisko mające wymiar kulturowy i społeczny, ostrzeżenia strażników zdrowego odżywania mogą w tym wypadku nie zadziałać. Co możemy zatem zrobić? Możemy oczywiście zminimalizować ryzyko.

Jak podaje portal EUFIC (Europejska Rada Informacji o Żywności), stosując się do poniższych porad, możemy znacznie zmniejszyć ryzyko powstania (i skonsumowania) pewnych potencjalnie szkodliwych substancji, które wytwarzają się podczas grillowania.

1. Skróć czas grillowania. Zdejmij mięso, rybę z grilla, od razu gdy są gotowe.
2. Marynuj mięso.
3. Usuń zwęglone / spalone kawałki mięsa, ryby.

W czym jeszcze tkwi niebezpieczeństwo grillowania? Szkodliwy jest dla nas stosowany w czasie grillowania węgiel drzewny. Podczas produkcji takiego węgla drewno zostaje spalane bez dostępu powietrza. Wytwarzają się wówczas smoły, które są dla nas szkodliwe. Bezpieczniejsze z punktu widzenia naszego zdrowia jest więc używanie tradycyjnego drewna zamiast węgla drzewnego.

2 | WĘDLINY

Wędliny (podobnie jak parówki) mają dość bogate „życie wewnętrzne". Nie mamy dostępu do opisu większości wędlin kupowanych na wagę. A jeżeli uda się nam z nim zapoznać, to liczba składników dodatkowych może oszołomić. Przy wyborze szynki należy się kierować (poza ceną, tzn. im szynka droższa, tym większa szansa na więcej mięsa w mięsie) jej wyglądem. Im bardziej sucha jest szynka, tym większa szansa, że nie była podrasowywana fosforanami w celu zwiększenia jej objętości. Żadna wędlina nie może mienić się tęczowo niczym rozlana w kałuży benzyna.

Warto w tym miejscu poświęcić nieco uwagi fosforanom. **Fosforany** są to związki chemiczne, które obejmują sole i estry kwasu fosforowego. Dodawane są do żywności jako regulatory kwasowości, stabilizatory czy emulgatory. Zjadamy je w mięsie, wędlinach, rybach, serkach topionych, kefirach smakowych, mlecznych produktach dla dzieci, płatkach zbożowych, parówkach, majonezie, a nawet w słodyczach. Niektóre pochodne fosforanów są uznawane za nieszkodliwe, w stosunku do innych zaś zalecana jest ostrożność. Warto zwrócić uwagę na skalę zjawiska, tzn. uświadomić sobie, w jak ogromnej liczbie produktów zjadanych przez nas na co dzień występują fosforany. Nie wiemy, jak taka skumulowana w naszym organizmie ilość fosforanów, wchodząca być może w interakcje z innymi związkami chemicznymi, wpływa na nasze zdrowie. Fosforany w małych ilościach uznaje się za nieszkodliwe. Od nas samych zależy, czy nie przekroczymy tej ilościowej granicy. Fosforany bowiem mogą się stać pożywką dla bakterii, które jeśli nadmiernie się rozmnożą, mogą zaburzyć właściwą florę bakteryjną jelit.

PASZTETY

5'-rybonukleotyd disodowy E 635 ⊖

Azotyn sodu E 250 ⊖

Białko sojowe ⊕

Cukier ❓

Cytryniany sodu E 331 ⊕

Guma guar E 412 ⊕

Izoaskorbinian sodu E 316 ⊕

Kwas cytrynowy E 330 ❗

Maltodekstryna ⊕

Mleko w proszku ❓

MOM ❓

Mono- i diglicerydy kwasów
tłuszczowych E 471 ⊕

Mono- i diglicerydy kwasów
tłuszczowych estryfikowane
kwasem cytrynowym E 472c ⊕

Skrobia modyfikowana E 1404 ❗

Tłuszcze roślinne ⊕

Pewien mój znajomy przeprowadza „test autentyczności boczku". Test ów polega na tym, że sprawdza się, jak zachowuje się boczek na patelni pokrojony w plasterki. Boczek podczas wytapiania powinien sam sobie dostarczyć tłuszczu do smażenia. Jeżeli wrzucony na patelnię przypala się, zamiast tłuszczu wydziela się z niego woda (a więc zamiast smażyć się, raczej się dusi), przyjmujemy, że nie został wytworzony w sposób tradycyjny.

W tradycyjnych wyrobach wędliniarskich jako środek konserwujący stosuje się sól peklującą i sól kuchenną. (Sól peklująca to chlorek sodu, czyli sól kuchenna, oraz związek azotu).

Jeśli nie jesteśmy pewni składników dodawanych do wędlin lub jakości mięsa, jakie zostało użyte do ich wyrobu, możemy okazać się nieco sprytniejsi od przemysłu spożywczego na co najmniej trzy sposoby.

• Możemy kupić w sklepie surową szynkę i przyrządzić ją w domu, dzięki czemu unikniemy mimowolnego spożycia różnych konserwantów, wzmacniaczy smaku, białka sojowego czy substancji zagęszczających. W tym miejscu czuję się w obowiązku ostrzec wszystkie mamy i babcie, by nastawiły się na to, co je najprawdopodobniej czeka, jeśli postanowią zmierzyć się z profesją masarza. Kiedy one będą pękać z dumy z powodu niewiarygodnej kruchości i nieziemskiego aromatu szynki własnej produkcji, ich entuzjazm ostudzi najprawdopodobniej pytanie jakiegoś członka rodziny w wieku okołopodlotkowym: „Czy w naszym domu nie może być jakiejś normalnej, p o k r o j o - n e j szynki?".

• Kolejną alternatywą jest domowy wyrób pasztetów, których skład możemy dowolnie modyfikować, dodając do nich np. „uwielbianą" wprost przez wszystkie dzieci fasolę.

• Innym rozwiązaniem jest poszukanie masarza wędliniarza, który za nas zrobi szynkę, pasztet, a nawet kiełbasę. Być może będzie nawet znał hodowcę trzody chlewnej karmionej w miarę naturalnie i bez odżywek przyspieszających wzrost. I wtedy znów będziemy oszołomieni, tym razem zapachem i smakiem tak wytworzonych wędlin.

> 1 kg dobrej szynki kosztuje ok. 40 zł
> 1 kg domowego pieczonego schabu kosztuje ok. 26 zł

PRZEPISY

pieczona szynka

ok. 1 i 1/2 kg surowej szynki, 2 ząbki czosnku, pieprz, kolendra,
5-6 ziarenek jałowca, 5 łyżek oliwy, 3 łyżki octu jabłkowego, sól

◇ ◇ ◇

Szynkę natrzeć marynatą (czyli mieszaniną ziół, octu i oliwy)
i odstawić na kilka godzin. Po upływie tego czasu szynkę posolić,
związać ją sznurkiem i ułożyć w szczelnie zamykanym naczyniu
żeliwnym lub glinianym. Piec w nagrzanym piekarniku
1 i 1/2-2 godziny.

schab pieczony

ok. 1 kg surowego kawałka schabu bez kości, liść laurowy, kilka
ziaren ziela angielskiego, sól, kminek, kilka ząbków czosnku,
słodka papryka w proszku, kilka plastrów boczku

◇ ◇ ◇

Zagotować wodę z dodatkiem liścia laurowego i ziela
angielskiego. Po zagotowaniu wodę posolić, można dodać
czosnek i kminek. W wystudzonej zalewie umieścić mięso,
tak aby było całe przykryte wodą. Przykryć i odstawić
na 2-5 dni w chłodnym miejscu (np. w lodówce).
Po wyjęciu mięso osznurować bawełnianą nitką. Posypać
papryką i kminkiem. Obłożyć z góry plasterkami boczku.
Przez pierwsze 10-15 minut piec w piekarniku w temperaturze
180°C-200°C. Następnie zmniejszyć temperaturę do 160°C-180°C
i piec jeszcze przez 1-1 i 1/2 godziny. Po wyjęciu schab studzić
pod przykryciem. Kroić po ostygnięciu.

pasztet studencki

1 duży kurczak (z hodowli tradycyjnej), 1 kg surowego boczku,
1/2 kg wątroby, 1/2 kg wołowiny, marchew, seler, pietruszka,
2 bułki orkiszowe, 6 jajek, 1/4 kostki masła, sól, pieprz,
pieprz ziołowy

◇ ◇ ◇

Ugotować kurczaka, wołowinę i boczek z warzywami. Wątrobę
gotować krótko. Mięso oddzielić od kości, bułki namoczyć
w wywarze z mięsa i warzyw, a kiedy zmiękną odcisnąć płyn
i zemleć dwukrotnie wraz z mięsem w maszynce do mięsa.
Połączyć składniki, dodać jajka i przyprawy, dokładnie wyrobić.
Przełożyć do keksówki, na wierzchu ułożyć cienkie kawałki
masła, przykryć pergaminem i zapiekać w piekarniku ok. 45 minut
w temperaturze 200°C–225°C.
(inspiracja: A. Wójcik, K. Nowakowska, T. Kościk, *Domowa
spiżarnia*, Warszawa 2010)

3 | PARÓWKI

Parówki to ulubione danie rodziców (bo szybko) i dzieci (bo
smaczne). Jak to bywa z pożywieniem typu szybko i smacznie,
tak i w tym przypadku do powyższych określeń nie uda nam
się już w żaden sposób dopasować słowa „zdrowo". Czy zatem
nie ma już nadziei dla starych poczciwych parówek? Jest, trzeba
jednak po raz kolejny trzymać się wielokrotnie przywoływanej
tu zasady i pierwszeństwo dać produktowi mniej szkodliwemu
przed produktem szkodliwym bardziej.

Czym zatem się kierować przy wyborze parówek? Przede
wszystkim prostą matematyką: ile mięsa w mięsie? Im więcej, tym lepiej. Jeśli parówka zawiera 40% mięsa, to pozostałe
jej składniki mięsem nie są. A czym są, czasem nawet lepiej

nie wiedzieć. Ale jeśli już się uparliśmy i koniecznie chcemy poznać życie wewnętrzne parówki, to bardzo proszę. Na własną odpowiedzialność. Życie wewnętrzne większości napotykanych w sklepach parówek jest bardzo bogate. Do refleksji powinny skłonić nas szczególnie następujące informacje podane na etykiecie:

• Skróty MOM (mięso oddzielane mechanicznie) i MDOM (mięso drobiowe oddzielane mechanicznie) świadczą o dodatkach mięsopodobnych, takich jak np. skóra, kości i tłuszcz, które to składniki mięsem nie są.

• Emulsja to po prostu zmielone skórki. Im mniej, tym lepiej.

• Parówki owinięte w jelita (baranie czy wieprzowe) można gotować w osłonce, natomiast osłonki sztuczne lepiej przed gotowaniem zdjąć.

Należy uważać na określenie „parówki dla dzieci". Na etykiecie parówek o takim właśnie przeznaczeniu wyczytałam, że ilość mięsa w parówkach wynosi 64%. Z prostego rachunku matematycznego wynika, że ponad 1/3 parówki nie jest mięsem. Wśród innych składników zaś znalazłam MOM, które jak już wiemy, mięsem również nie jest.

Mniej szkodliwe dla zdrowia parówki można znaleźć w sklepach ze zdrową żywnością, a także na stoiskach oferujących wyroby tradycyjne. Pozostaje zatem kierować się zdrowym rozsądkiem i po prostu wybierać te, które mają stosunkowo najmniej niebezpiecznych dodatków, i jeść je bardzo rzadko.

Pozostałe dodatki, jakie może zawierać parówka, to:

PARÓWKI

5'-rybonukleotyd disodowy E 635 ⊖

Acetylowany adypinian diskrobiowy E 1422 ❗

Askorbinian sodu E 301 ✚

Azotyn sodu E 250 ⊖

Białko kolagenowe ✚

Białko sojowe ✚

Cytryniany sodu E 331 ✚

Difosforany E 450 ✚

Glukoza ❓

Glutaminian sodu E 621 ⊖

Guma guar E 412 ✚

Guma konjac E 425 ❗

Inozynian disodowy E 631 ❗

Izoaskorbinian sodu E 316 ✚

Karagen E 407 ⊖

Karmel amoniakalny E 150c ⊖

Kwas askorbinowy (witamina C) E 300 ✚

Kwas cytrynowy E 330 ❗

Lakton kwasu glukonowego E 575 ✚

Mono- i diglicerydy kwasów tłuszczowych E 471 ✚

Mono- i diglicerydy kwasów tłuszczowych
   estryfikowane kwasem cytrynowym E 472c ✚

Octan sodu E 262 ✚

Polifosforany E 452 ✚

Skrobia modyfikowana E 1404 ❗

Skrobia ziemniaczana ✚

Sól ❓

Trifosforany E 451 ✚

PODSUMOWANIE:

- unikajmy mięsa z masowego chowu
- kupujmy mięso od zaufanych rolników lub w renomowanych sklepach mięsnych czy ekologicznych
- zainwestujmy w dodatkową zamrażarkę
- świadomie dokonujmy wyboru pomiędzy produktem wędzonym tradycyjnie a tym wędzonym przemysłowo
- rzadko jadajmy produkty wędzone i grillowane
- wybierajmy wędliny „suche"
- kupujmy parówki bez syntetycznych dodatków, w których udział procentowy mięsa jest jak największy
- pieczmy w domu pasztety i szynki
- znajdźmy masarza, który wyrabia wędliny w tradycyjny sposób

VIII. ZDRÓW JAK RYBA?

1 | **RYBY**

Mieszkańcy rejonów Polski innych niż północ muszą się pogodzić z tym, że świeżych morskich ryb z pierwszej ręki, czyli prosto od rybaka, niestety nie uświadczą. Zmuszeni są zadowolić się ofertą sklepową, a więc po raz kolejny nie wiedzą, co jedzą.

Przy zakupie ryb warto kierować się zasadą, która głosi, że należy wybierać ryby świeże. Co do ryb mrożonych kilkakrotnie ze zdumieniem konstatowałam, że po rozmrożeniu ulegają zmniejszeniu o mniej więcej jedną drugą swojej pierwotnej wagi. Być może jest w tym jakiś zamysł producenta – zafundować konsumentom doznania rodem z *Alicji w Krainie Czarów*. Problem polega jednak na tym, że książka Lewisa Carrolla należy do arcydzieł literatury światowej, „dzieło" producenta X trudno już niestety uchronić przed druzgocącą krytyką. Tym bardziej że po wnikliwszym zgłębieniu tematu nabrałam podejrzeń, iż ciecz, która ulegała rozmrożeniu, to niekoniecznie czysta woda.

Ryby mrożone są pokrywane glazurą, czyli mrożoną wodą pitną, aby nie traciły wartości odżywczych. Bywa, że na etykiecie produktu znajdziemy dane o ilości wody. Gorzej, kiedy do takiej informacji nie mamy dostępu, kupując rybę na wagę, a procedura przekształca się w proceder, tzn. objętość wody użytej do glazurowania staje się bliska 50% wagi ryby. Wtedy właśnie z kilograma zakupionej ryby zostaje nam pół kilograma ryby do zjedzenia.

Innym sposobem na zwiększenie wagi ryby kosztem konsumenta jest wstrzykiwanie do jej wnętrza skrobi fosforyzowanej, która wciągając wodę, pęcznieje. Producenci tłumaczą dodawanie jej do produktów spożywczych lepszą konserwacją. Zabieg taki umożliwia wielokrotne zamrażanie i rozmrażanie środków spożywczych oraz dłuższe utrzymywanie stanu zamrożenia. Przy okazji po raz kolejny dostajemy wbrew naszej wiedzy i woli kolejną dawkę fosforu. Dla przypomnienia – pewna ilość związków fosforu jest dopuszczalna w pożywieniu, jednak większa ich dawka może powodować zaburzenia przemiany materii i rozregulowywać gospodarkę wapniową organizmu.

Cenna może się również okazać informacja, że ryba, którą w sprzedaży oferuje się jako niemrożoną, niekoniecznie jest świeża. Robiąc kiedyś zakupy w supermarkecie z bogato zaopatrzonym stoiskiem rybami i owocami morza, zobaczyłam napis, którym opatrzony był pewien gatunek ryb. Szyld informował: „Nie zamrażać!". Mniemać można, że ryba została już uprzednio zamrożona, a następnie rozmrożona i sklep nas o tym (lojalnie) poinformował. Aby zwiększyć prawdopodobieństwo zakupu ryby świeżej, tj. nierozmrażanej, należy pamiętać, że w Polsce mamy ściśle określone w rozporządzeniu Ministra Rolnictwa i Rozwoju Wsi okresy ochronne dotyczące połowu ryb. Regulują one prawnie to, kiedy dany gatunek nie może być poławiany, a więc kiedy na 100% dana ryba nie będzie rybą świeżą.

Świeżą rybę najlepiej próbować rozpoznać po zapachu. Istnieją ponadto inne sposoby pomagające w stwierdzeniu, czy ryba jest świeża czy nie.

Po zakupie możemy w domu zrobić test, aby przekonać się, czy dokonaliśmy właściwego wyboru. Po włożeniu ryby do pojemnika z wodą nieświeża ryba będzie pływać po powierzchni wody, świeża natomiast opadnie na dno.

CECHY ŚWIEŻEJ I NIEŚWIEŻEJ RYBY

CECHA	ŚWIEŻA RYBA	NIEŚWIEŻA RYBA
Zapach	słodkawy, delikatny, charakterystyczny zapach ryby z wody morskiej lub z jeziora czy potoku	ostry, obcy zapach
Mięso	sprężyste, po naciśnięciu palcem szybko wróci do poprzedniego kształtu	mało sprężyste, po naciśnięciu palcem zachowa nadany mu kształt lub wróci do poprzedniego po dłuższym czasie
Śluz	niewielka, rzadka warstwa, śliska, ale nie lepka	nieco grubsza, gęstsza, śliska i lepka warstwa
Oczy	przejrzyste, szkliste i wypukłe	mętne, mało przejrzyste, zapadnięte
Łuski	ściśle przylegające do skóry	nastroszone, nieprzylegające do skóry
Skrzela	przylegające do skóry, jasno- lub ciemnoróżowe albo jasnoczerwone (w zależności od gatunku ryby)	nieprzylegające do skóry, blade lub bardzo ciemne, z plamami
Szczęki	jasno- lub ciemnoróżowe (w zależności od gatunku)	blade lub bardzo ciemne, z plamami

Ryby lepiej jest kupować w małych sklepach rybnych. Od ich pracowników możemy się dowiedzieć, jak często odbywa się dostawa świeżych ryb i w jakie konkretnie dni. Jeśli chcemy uraczyć się rybką wędzoną, mamy prawo jako konsumenci poznać treść etykiety, z której dowiemy się, czy ryba została uwędzona tradycyjnym czy nowoczesnym sposobem. Jak się jednak okazuje, bywa, że wybór istnieje tylko teoretycznie. Na moje zapytanie o ryby wędzone tradycyjnie w jednym ze sklepów rybnych usłyszałam: „Pani! Takie ryby to tylko nad morzem!". W innym natomiast dojrzałam obok wędzonych ryb napis na kawałku kartonu, który zaświadczał o zastosowaniu jak najbardziej tradycyjnej metody wędzenia. Na szczęście nie musiałam się więc teleportować do Gdyni po wędzoną makrelę.

Paluszki rybne, wbrew temu, że wyglądają jak pokrojona równiutko ryba w panierce, są bardziej paluszkami niż rybą. Zawierają około 50–60% ryby, choć zdarzają się i takie, które ryby mają tylko 36%. Reszta to mąka, skrobia, drożdże i inne dodatki spożywcze. Moje dzieci nie przepadają za rybą, ale uwielbiają paluszki rybne, może właśnie dlatego, że z rybą paluszki rybne mają niewiele wspólnego. Kiedy jednak ich bliższy kontakt z paluszkami rybnymi dwukrotnie zakończył się lejącym katarem, nie miałam wątpliwości, że produkt ten dla dzieci się nie nadaje.

PALUSZKI RYBNE

Drożdże ➕

Glutaminian sodu E 621 ➖

Mąka pszenna ❓

Olej roślinny ➕

Skrobia ziemniaczana ➕

Sól ❓

Przez pewien czas zdawało mi się, że odkryłam rybę idealną – tanią, łatwo dostępną, smaczną, bez charakterystycznego rybiego zapachu, bez ości. Ideał sięgnął bruku, gdy okazało się, że ryba panga pochodzi z Wietnamu, ze sztucznej hodowli w delcie Mekongu, która, elegancko mówiąc, do najczystszych nie należy. Hodowla ryb przypomina tam hodowlę zwierząt tucznych czy kurczaków na masową skalę, gdzie nie stroni się od chemikaliów i hormonów.

W Polsce również mamy sztuczne hodowle ryb. Ich plusem jest to, że ryby nie muszą pokonywać tysięcy kilometrów podczas transportu, zanim trafią na nasz stół. Minusem są niejednokrotnie złe standardy masowych hodowli. Podobnie jak w przypadku masowej hodowli zwierząt, tak i w przypadku ryb istnieje niebezpieczeństwo, że były one faszerowane antybiotykami lub innymi lekami, nie wiemy ponadto, z czego składał się ich pokarm, a więc co *de facto* zjemy my, zjadając rybę. Na szczęście coraz bardziej widoczne są również przykłady dobrych praktyk w tej branży. Możemy kupić rybę hodowlaną z ekologicznym certyfikatem. Możemy również poszukać wokół siebie małych lokalnych hodowców, od których bezpośrednio dowiemy się, czy karma i warunki hodowli ryb są zbliżone do naturalnych.

Magazyn konsumencki „Pro-test" przeprowadził w 2006 roku test na zawartość rtęci w tuńczyku w puszce różnych producentów. Okazało się, że różnice w zawartości szkodliwej rtęci są w zależności od producenta ogromne. W artykule wyszczególniono ponadto gatunki ryb zawierające największe stężenie tej toksyny oraz zawierające jej mniej. Dużo rtęci zawierają: makrela, tuńczyk, miecznik, rekin i kraby. W rybach takich jak szczupak, łosoś, sardynka, pstrąg słodkowodny, flądra, sum, sola, a także w krewetkach i ostrygach, znajdziemy jej mniej. Im starsza i większa ryba, tym więcej zdążyła zakumulować rtęci w swoim organizmie. Spośród tuńczyków najbardziej skażony związkami rtęci jest biały tuńczyk w dużych kawałkach.

Rtęć jest pierwiastkiem, który jest uwalniany z naturalnych źródeł oraz z zanieczyszczeń przemysłowych. Związki rtęci znajdujące się w wodzie dostają się do wnętrza ryb bezpośrednio z wody, a także wraz z pożywieniem.

PCB (polichlorowane bifenyle) – pochodne bifenylu. Należą do silnych kancerogenów, upośledzają działanie wielu układów człowieka. Mają toksyczny wpływ na środowisko. Głównym źródłem PCB w żywności są tłuste ryby.

PRZEPISY

paluszki rybne

3 filety z dorsza, 2 jajka, 3 łyżki kaszki orkiszowej, 1–2 garście płatków owsianych, drobno posiekana natka pietruszki, bułka tarta

◇ ◇ ◇

Filety pozbawić ewentualnych ości i pokroić w drobną kostkę. Kaszkę zalać wrzątkiem i trzymać pod przykryciem kilka minut. Rybę, kaszkę, jajka, natkę i płatki owsiane dokładnie razem wymieszać. Formować paluszki lub kotlety, obtoczyć w bułce tartej i smażyć na patelni.

marynowane śledzie

ok. 1/2 kg filetów śledziowych, 2 średnie cebule, 2 łyżki octu, 1/2 litra wody, kilka ziaren ziela angielskiego, łyżka nierafinowanego cukru, 2 listki laurowe

◇ ◇ ◇

Filety śledziowe należy moczyć przez kilkanaście godzin w wodzie (wodę można wymieniać).

Zalewa: Zagotować wodę z zielem angielskim, liśćmi laurowymi i octem i pokrojoną w plasterki cebulą. Ostudzoną zalewą zalać pokrojone na około trzycentymetrowe kawałki filety. Przechowywać w słoiku w lodówce.

2 | KONSERWY RYBNE

Po pierwsze, konserwy rybne są niestety w puszce, a to już czyni z nich żywność nieszczególnie zdrową. Aby minimalizować szkodliwy wpływ konserw na nasze zdrowie, dobrze jest po otwarciu puszki z rybą przełożyć zawartość do szklanego pojemnika, by nie zachodziła reakcja między nią a materiałem, z jakiego wykonano puszkę. W sprzedaży dostępne są również ryby (głównie tuńczyk) w słoikach, ale niestety ze względu na cenę są one raczej towarem z górnej półki.

Czy zatem można wśród niezdrowych z definicji ryb konserwowych wybrać jakieś „mniejsze zło"? Okazuje się, że tak. Należy wybierać produkty, w których udział procentowy ryby będzie jak największy. Sięgajmy po takie ryby w puszce, w jakich jest jak najmniej składników dodatkowych, aby uniknąć tych, bez których nasz organizm sobie poradzi, a nawet będzie nam wdzięczny, że nie musi ich trawić.

Na opakowaniu jednego z paprykarzy zobaczyłam np., że na pierwszym miejscu składu widnieje woda. Pytanie o to, czy rzeczony paprykarz należy zjeść, czy może raczej wypić, narzuciło mi się samo.

TUŃCZYK W PUSZCE | Tuńczyka w puszce możemy kupić w oleju roślinnym, w sosie własnym lub w wodzie. Olejem dodawanym do tuńczyka bywa np. olej sojowy, który może pochodzić z upraw GMO, lub olej słonecznikowy. Zdrowszy od tuńczyka w oleju będzie zapewne tuńczyk w sosie własnym lub w wodzie. Jednak dokonując tego wyboru musimy liczyć się z tym, że jest on mniej smaczny. Tuńczyk w sosie własnym różni się od takiego, który jest rozdrobniony (lub w kawałkach) w wodzie, właściwie tylko nazwą i stopniem rozdrobnienia. Gdy porównałam skład produktów, okazało się, że zawierają po tyle samo tuńczyka (70%) i wody (30%).

RYBA W POMIDORACH

Acetylowany adypinian
diskrobiowy E 1422 **!**

Cukier **?**

Guma guar E 412 **+**

Guma ksantanowa E 415 **+**

Kwas cytrynowy E 330 **!**

Maltodekstryna **+**

Mąka pszenna **?**

Olej roślinny **+**

Skrobia modyfikowana E 1404 **!**

RYBA W OLEJU W PUSZCE | Podobnie jak w przypadku tuńczyka, w składzie takiej konserwy oprócz ryby występują olej roślinny i sól. Zwracać należy uwagę na to, by udział procentowy ryby był jak największy.

RYBA W POMIDORACH W PUSZCE | W odróżnieniu od ryby w oleju skład ryby w pomidorach jest już bardziej różnorodny. Należy zwracać uwagę na udział procentowy ryby, by był jak najwyższy.

Co możemy znaleźć w składzie takiej konserwy?

PODSUMOWANIE:

• unikajmy ryb mrożonych, wybierajmy natomiast świeże
• zaopatrujmy się w ryby w małych sklepach rybnych
• świadomie dokonujmy wyboru między rybami wędzonymi w sposób tradycyjny a przemysłowy
• pamiętajmy, że paluszki rybne są rybą jedynie w połowie
• zamiast zagranicznych ryb słodkowodnych wybierajmy krajowe
• zamiast ryb dużych, sięgajmy po małe

IX. TŁUSZCZE

Podczas poszukiwań jak najlepszych (tzn. najzdrowszych) rozwiązań kulinarnych sporo czasu poświęciłam na rozgryzanie tłuszczów pod kątem ich przydatności do smażenia. W dostępnej literaturze jest mnóstwo wykluczających się wzajemnie informacji, z czego wynika, że trzeba być po prostu czujnym.

Smażenie – dla nikogo nie jest zapewne tajemnicą, że smażenie jako sposób przyrządzania pokarmu jest niezdrowe. Aby zminimalizować „straty", a więc w tym przypadku przede wszystkim powstawanie wolnych rodników, należy wybierać tłuszcze przeznaczone do smażenia. Do smażenia powinno się używać świeżego tłuszczu (tzn. wcześniej nieużywanego), aby nie doszło do powstania szkodliwych związków WWA (policykliczne węglowodory aromatyczne). Z najbardziej rzetelnych źródeł wynika, że do obróbki pokarmu w wysokich temperaturach nadają się zwłaszcza:

Smalec (szczególnie gęsi)	Może być używany do smażenia w bardzo wysokich temperaturach.
Masło klarowane	Jest polecane do smażenia (zamiast zwykłego masła) ze względu na to, że ma wyższą temperaturę dymienia. Jest ono również wskazane dla alergików, ponieważ po sklarowaniu masło jest niemal w całości pozbawione alergizującego białka mleka krowiego. Można je dostać w sklepie, bądź zrobić samemu w domu. Na etykiecie masła klarowanego nie znalazłam informacji o tym, z jakiego rodzaju masła ono powstało, co przemawia za tym, by starać się robić je w warunkach domowych.
Oliwa z oliwek	Rodzaj *di sansa* przeznaczony jest do smażenia, do spożywania na surowo natomiast nadaje się bardziej *extra virgin*. Oliwa nie nadaje się jednak do długotrwałego smażenia. Dobrym wyjściem jest duszenie na oliwie, czyli krótkie podsmażenie, a następnie dolanie wody.
Olej rzepakowy bezerukowy	Nie zawiera niepożądanego kwasu erukowego. Najlepiej stosować olej pochodzący z uprawy ekologicznej.
Olej z pestek winogron	Jest bezzapachowy i ma neutralny smak.
Olej z orzechów makadamia	Ma wysoką temperaturę dymienia, czyli można go stosować w wyższych temperaturach.

Można się obawiać, że podgrzanie do wysokiej temperatury jakiegokolwiek tłuszczu roślinnego powoduje powstanie niebezpiecznych dla zdrowia kwasów tłuszczowych typu trans.

ZŁOTA RADA: Usmażone naleśniki, racuchy, kotlety czy frytki warto odsączyć z tłuszczu na ręczniku papierowym.
Jeśli posiadamy dobrą patelnię i potrawa nie wymaga smażenia w głębokim tłuszczu, może wystarczyć lekkie przetarcie patelni kawałkiem słoniny.

PRZEPISY

masło klarowane

Sposób 1.

Kostkę dobrej jakości masła podgrzewać na niewielkim ogniu w garnku o grubym dnie. Gdy masło się stopi, a na wierzchu pojawi się piana, trzeba zebrać ją łyżką cedzakową. Sklarowane masło przelać do pojemnika i po schłodzeniu przechowywać w lodówce.

Z oczywistych względów z kostki masła po usunięciu białka nie uzyskamy kostki masła klarowanego, warto więc od razu stopić dwie kostki.

Sposób 2.

Przygotowujemy je podobnie jak sposobem 1. Różnica polega na tym, że nie zbieramy pojawiającej się na wierzchu niejednorodnej piany, tylko czekamy, aż osiądzie na dnie. Gdy masło pokrywa jednolita złotawa warstwa, zbieramy ją zwykłą łyżką i ostrożnie przelewamy pozostały płyn do szklanego pojemnika. Uwaga! Masło klarujmy na bardzo małym ogniu, by się nie przypaliło.

X. SÓL

Kampania społeczna prowadzona pod hasłem „Bo zupa była za słona" była owszem, bardzo sugestywna, jednak polemizowałabym z prawdziwością tego sformułowania. Nie znam mężczyzny, dla którego cokolwiek (no, może z wyjątkiem deseru) byłoby za słone. Wręcz przeciwnie. Mam wrażenie, że każdy osobnik płci męskiej zakłada, że zupa jest za mało słona, i uprzedzając powstanie niemiłych wrażeń smakowych, na wszelki wypadek ją dosoli.

Nie będę w tym rozdziale podejmowała zagadnienia szkodliwości soli. Jak wspomniałam we wstępie, skupiam się na „truciznach" dodawanych do handlowych produktów, nie uważam się za specjalistkę od diet eliminujących znane od stuleci ingrediencje.

Sól kuchenna, czyli sól warzona, to chlorek sodu pozbawiony w procesie oczyszczania innych minerałów. Aby zapobiegać niedoborom wybranych minerałów, wzbogaca się sól w jod i fluor. Po co, skoro można kupować sól niepozbawioną naturalnie występujących w niej minerałów, takich jak magnez, żelazo, wapń, cynk czy jod.

Zdecydowanie zdrowsza od soli warzonej jest sól kamienna. Sól morska, choć bogata w składniki mineralne, jest bardzo zanieczyszczona.

Jodowana czy niejodowana? Dietetyk powiedziałby: niejodowana, ponieważ wzbogacanie żywności w syntetyczne dodatki może być dla nas szkodliwe. Endokrynolog oponowałby, twierdząc: jodowana, bo niedobór jodu jest szkodliwy. Najbardziej naturalnym wyjściem jest kupowanie soli, która zawiera naturalny jod (jeśli oczywiście nie ma przeciwwskazań zdrowotnych co do jego spożywania).

Nadmiar soli szkodzi, niedobór również. To wiemy wszyscy. Nie wszystkim jednak wiadomo, że tradycyjna sól kuchenna oprócz chlorku sodu zawiera również substancję przeciwzbrylającą o mało wdzięcznej nazwie żelazocyjanek potasu (E 536), która uznawana jest za toksyczną.

W naszym domu sól warzona należy do produktów sezonowych. Kupujemy ją tylko w okresie zimowym do posypywania oblodzonych schodów.

PRZEPISY

sól ziołowa

dowolne suszone zioła, do wyboru: rozmaryn, kminek, lubczyk, tymianek, cząber, pietruszka, koper, sól (najlepiej kamienna)

◇ ◇ ◇

Mieszankę ziół i soli mielemy w młynku w proporcji odpowiednio 2:1.

Sól ziołowa może być stosowana zamiennie z solą. Z jednej strony, ograniczamy w ten sposób spożywanie soli, której nadmiar może być szkodliwy, z drugiej – wzbogacamy smak potraw.

gomasio

8 łyżeczek niełuskanego sezamu, 1 łyżeczka soli kamiennej

◇ ◇ ◇

Sezam podprażyć na patelni, co chwila mieszając, by się nie przypalił. Dodać sól. Gdy ostygnie, przesypać do młynka do soli. Dzięki temu można gomasio mleć na bieżąco, a składniki mineralne nie będą z niego „uciekać". Jeśli nie mamy młynka do soli, gomasio zemleć w młynku do kawy i przesypać do słoiczka. Używać zamiast soli do kanapek, zup, sałatek.

XI. BAKALIE

Bakalie, czyli suszone owoce, niestety (bo odczuje to nasz budżet domowy) najlepiej kupować w sklepach z żywnością ekologiczną. Te oferowane w zwykłej sprzedaży zawierają w większości bardzo szkodliwy konserwant: dwutlenek siarki (E 220). U swoich dzieci obserwowałam wysypki na ciele, które pojawiały się po zjedzeniu orzechów, pistacji czy rodzynek (u córki mojej znajomej pojawiły się czerwone plamy na ciele po spożyciu orzeszków ziemnych, a dzieci innej mojej koleżanki dostawały mocnych wzdęć po jedzeniu bakalii nieekologicznych). Testy alergiczne wykonywane pod kątem alergii na orzechy oczywiście niczego nie wykazały. Jakież było moje zdziwienie, kiedy okazało się, że po zjedzeniu orzechów ekologicznych żadna wysypka się nie pokazała. Po raz kolejny nasuwa się ten sam wniosek: winna jest chemia.

Jesienią zaopatruję się „na placu" w większą ilość niełuskanych orzechów włoskich i laskowych i przechowuję je w skorupkach (aby nie jełczały) w papierowej torbie w ciemnym miejscu. Moja mama wytrwale drąży dynie i łuska słonecznik, a potem obdziela wnuki ususzonym zdrowym ziarnem. W zwykłym supermarkecie kupuję rodzynki królewskie, które nie mają dodatku

BAKALIE

Dwutlenek siarki E 220 ⊖

Kwas cytrynowy E 330 ❗

Kwas sorbowy E 200 ❗

Olej roślinny ✚

Sorbinian potasu E 202 ❗

dwutlenku siarki. Regularnie kupuję dzieciom ekologiczne morele lub daktyle, które dostają zamiast sklepowych słodyczy. Na argument, że ekologiczne bakalie są drogie, mam przemyślaną odpowiedź. Zauważyłam mianowicie, że niektóre dzieci znajomych pochłaniają takie ilości słodyczy, iż po zsumowaniu okazałoby się, że to ja jestem finansowo na plusie.

PRZEPISY

suszone jabłka

Jabłka umyć, obrać, usunąć gniazda nasienne i pokroić w szesnastki. Ułożyć na blasze i suszyć w suszarce do owoców lub w piekarniku w temperaturze 80°C. Co jakiś czas trzeba je przemieszać. W trakcie suszenia można lekko uchylić piekarnik, aby z jabłek odparowała woda. Przechowywać zawinięte najpierw w papierową torebkę, a następnie w lniany woreczek. W sezonie grzewczym jabłka obrać, usunąć gniazda nasienne i pokroić w cienkie plasterki. Suszyć na porozkładanych na grzejnikach kartkach (lub bezpośrednio na grzejniku).

PODSUMOWANIE:

• kupujmy bakalie ekologiczne
• jesienią zaopatrujmy się w niełuskane orzechy włoskie
  i laskowe
• suszmy jabłka, pestki dyni i słonecznika

XII. *INSTANT* KARMA,
CZYLI PRODUKTY BŁYSKAWICZNE

1 GALARETKA, BUDYŃ, KISIEL
Pamiętam z dzieciństwa, z jaką ekscytacją zajadaliśmy się na podwórku oranżadą w proszku. Podobne emocje budziły w nas witaminy w proszku zapisywane przez lekarza. Dziś już raczej nikt takich ekscytacji w związku z produktami w proszku nie przeżywa i nikogo nie dziwi, że w proszku można, oprócz środków do prania, kupić prawie wszystko: galaretkę, kisiel, budyń, zupę, mieszanki przypraw do każdej potrawy z osobna, sosy, kawę. Produkty idealne na wyprawę w Himalaje. Sproszkowane, gotowe do zalania wodą i skonsumowania. Jak w wielu innych przypadkach tak i w tym, im bardziej coś jest gotowe do spożycia, tym bardziej okazuje się przetworzone i niezdrowe.

Geneza potraw gotowych, które należy jedynie podgrzać, wiąże się – podobnie jak wynalazek kawy rozpuszczalnej – z wojną. Aby żołnierze na froncie zdążyli się posilić między walkami, wymyślono dla nich gotowe puszkowane potrawy.

Galaretki, kisiele i budynie w proszku są dostępne w każdym wymarzonym kolorze i smaku. Tak bogatą

GALARETKA

Antocyjany E 163 ➕

Chlorofil E 140 ➕

Cukier ❓

Karmina (kwas karminowy, koszenila) E 120 ➖

Kompleksy miedzi E 141 ➕

Kurkumina E 100 ➕

Kwas cytrynowy E 330 ❗

Maltodekstryna ➕

Żółcień chinolinowa E 104 ➖

ofertę składa się nam jednak za cenę jakości. Walory smakowe i wizualne nie wynikają bowiem z obecności owoców, jakie widnieją na opakowaniu, lecz z chemicznych dodatków. Na opakowaniu galaretki, kisielu, budyniu możemy znaleźć informację, że produkt „nie zawiera sztucznych barwników" bądź „zawiera tylko naturalne barwniki". Jest to dla nas sygnał, że należy wczytać się w skład podany na etykiecie, by zobaczyć, czy nie ma tam szkodliwej koszenili (kwasu karminowego, karminy) bądź równie niebezpiecznego barwnika annato. Są one wprawdzie naturalne, ale dla zdrowia człowieka potencjalnie niebezpieczne.

BUDYŃ

Aromat ❓

Beta-karoten E 160a (ii) ➕

Cukier ❓

Karagen E 407 ➖

Karmina (kwas karminowy, koszenila) E 120 ➖

Kurkumina E 100 ➕

Maltodekstryna ➕

Ryboflawina E 101 ➕

Skrobia kukurydziana ➕

Skrobia modyfikowana E 1404 ❗

Skrobia ziemniaczana ➕

KISIEL

Annato (rocou) E 160b ➖

Antocyjany E 163 ➕

Aromat ❓

Beta-karoten E 160a (ii) ➕

Cukier ❓

Karmina (kwas karminowy, koszenila) E 120 ➖

Kurkumina E 100 ➕

Kwas cytrynowy E 330 ❗

Maltodekstryna ➕

Skrobia ziemniaczana ➕

PRZEPISY

galaretka pomarańczowa

5 pomarańczy, 3 łyżeczki żelatyny (ewentualnie woda)

◇ ◇ ◇

Wycisnąć sok z pomarańczy, dolewając ewentualnie wody (aby uzyskać 1/2 l płynu). Całość wymieszać z wcześniej rozpuszczoną i ostudzoną żelatyną. Wylać do salaterek, zostawić w lodówce aż do zastygnięcia.

Oprócz pomarańczy można zrobić galaretkę, wykorzystując sok z innych owoców, np.: jagód, malin, wiśni, jabłek.

ZŁOTA RADA: Jak przygotować żelatynę? Na opakowaniu żelatyny podany jest sposób przyrządzania, ale można zastosować także uniwersalną metodę: 6 łyżeczek żelatyny na 1 litr płynu. Żelatynę rozpuścić w niewielkiej ilości gorącej wody. Kiedy żelatyna się ochłodzi, wymieszać bardzo dokładnie z pozostałym płynem.

Żelatyna jest produktem zwierzęcym, w związku z czym jej jakość jest bezpośrednio związana z jakością mięsa. Jeśli zwierzę hodowane było w sposób tradycyjny, bez wspomagania lekarstwami, to i produkt końcowy (w tym wypadku żelatyna) będzie zdrowy. W przeciwnym razie jemy kolejną dawkę „chemii".

budyń waniliowy

2 szklanki mleka, 1 łyżka masła, 1 łyżka cukru waniliowego, 1 łyżka nierafinowanego cukru, 2 łyżki mąki ziemniaczanej, 2 żółtka

◇ ◇ ◇

1 i 1/2 szklanki mleka zagotować z masłem, cukrem i cukrem waniliowym. Pozostałą 1/2 szklanki mleka zmiksować z mąką ziemniaczaną i żółtkami. Dodać do gotującego się mleka. Gotować na małym ogniu. Cały czas mieszając, doprowadzić do wrzenia i pogotować jeszcze 1 minutę.
(*inspiracja*: www.mojewypieki.com)

kisiel malinowy

100 ml soku malinowego, 1/2 litra wody, 2 płaskie łyżeczki mąki ziemniaczanej, dosłodzić do smaku cukrem nierafinowanym

◇ ◇ ◇

Z 1/2 litra wody odlać niewielką ilość do kubka. Resztę wymieszać w garnku z sokiem malinowym, cukrem i zagotować. Do gotującego się soku wlać mąkę ziemniaczaną rozrobioną w niewielkiej ilości zimnej wody. Gotować przez chwilę, cały czas mieszając.

2 | KOSTKI ROSOŁOWE, PRZYPRAWY DO ZUP W PROSZKU I W PŁYNIE

Przy okazji niemal każdego przepisu w czasopiśmie lub na stronie internetowej dostajemy gratis informację, jakiego producenta kostkę rosołową mamy do danej potrawy zastosować. Można bezrefleksyjnie wrzucić dowolną kostkę do zupy i mieć święty spokój. Można też sobie zadać pytanie – a właściwie po co ta kostka? Po to mianowicie, żeby wzmocnić

PRZYPRAWA W PŁYNIE

5'-rybonukleotyd disodowy E 635 ⊖

Glutaminian sodu E 621 ⊖

Karmel amoniakalny E 150c ⊖

Kwas cytrynowy E 330 ❗

smak – brzmi odpowiedź. I tu przechodzimy do sedna sprawy i kostki, to znaczy natrafiamy po raz kolejny na glutaminian sodu, którego głównym zadaniem, oprócz szkodzenia organizmowi, jest wzmacnianie smaku potrawy.

Glutaminian sodu na dobre rozgościł się już w naszych domach i głowach. Wiele osób spośród moich znajomych nie wyobraża sobie ugotowania zupy bez dodatku wzmacniacza smaku i nie przeszkadza im nawet to, że jest on szkodliwy. Sugerowałabym określenie go raczej mianem „zmieniacza smaku" lub „osłabiacza smaku". Ponieważ to właśnie jego dodatek sprawia, że stajemy się otępiali na inne (naturalne) smaki i aromaty. Pewna moja znajoma wyznała kiedyś w rozmowie, jak na nowo odkryła (po jakimś czasie) smak zupy po wyeliminowaniu z kuchni przypraw z dodatkiem glutaminianu.

KOSTKA ROSOŁOWA

5'-rybonukleotyd disodowy E 635 ⊖

Aromat ?

Białko pszenne ?

Butylohydroksyanizol E 320 ⊖

Cukier ?

Galusan propylu E 310 ⊖

Glukoza ?

Glutaminian sodu E 621 ⊖

Guanylan disodowy E 627 !

Inozynian disodowy E 631 !

Karmel amoniakalny E 150c ⊖

Kwas cytrynowy E 330 !

Lecytyna słonecznikowa ✚

Maltodekstryna ✚

Skrobia ✚

Skrobia modyfikowana E 1404 !

Sól ?

Tłuszcz roślinny utwardzany !

Podobnie sprawa ma się z przyprawami do zup w płynie i w proszku. W ich składzie również króluje glutaminian. Jak więc ugotować smaczną zupę i ustrzec się przed wszechobecnym

PRZYPRAWA WARZYWNA W PROSZKU

5'-rybonukleotyd disodowy E 635 ⊖

Cukier ?

Glutaminian sodu E 621 ⊖

Guanylan disodowy E 627 ⚠

Inozynian disodowy E 631 ⚠

Ryboflawina E 101 ✚

Skrobia kukurydziana ✚

Skrobia modyfikowana E 1404 ⚠

glutaminianem sodu? Możemy – jak to się odbywało przed nastaniem ery kostek rosołowych – gotować zupy na wywarze mięsno-warzywnym. Dostępne są ponadto ekologiczne kostki rosołowe oraz przyprawy w płynie niezawierające glutaminianu. Smak podobny do najbardziej znanej przyprawy w płynie ma lubczyk. Można to ziele hodować w ogródku lub doniczce albo kupować już ususzone.

PRZEPISY

przyprawa w proszku do zup

125 g suszonej włoszczyzny, 1 i 1/2 łyżki kurkumy, 1 łyżka granulowanego czosnku, 2 i 1/2 łyżki soli, 1 łyżka słodkiej papryki
◇ ◇ ◇
Składniki zemleć w młynku. Trzymać w szczelnie zamkniętym szklanym pojemniku.
(za: www.idziemy.com)

domowa kostka rosołowa

1 litr esencjonalnego rosołu (wywaru warzywnego, wołowego lub grzybowego)

◇ ◇ ◇

Na małą, rozgrzaną patelnię wlać 3–4 łyżki rosołu i odparować na średnim ogniu, tak aby na patelni została 1/4 płynu. Płyn przelać do osobnego naczynia i przestudzić. Czynność powtarzać aż do odparowania całego rosołu. Taką esencję przelać do pojemników na lód i przechowywać w zamrażarce.

(za: www.idziemy.com)

domowa kostka mięsna

wywar z mięsa na pasztet lub tłuszcz z pieczeni

◇ ◇ ◇

Wywar lub tłuszcz przelać do pojemników na lód i zamrozić.

(za: www.wielodzietni.org)

3 | KAWA NATURALNA CZY NIENATURALNA?

Każdy z nas ma swój ulubiony, sprawdzony sposób parzenia kawy i każdy z nas twardo przy nim obstaje. Już pytanie o to, jaką kawę najlepiej pić – ziarnistą czy rozpuszczalną – podzieli kawoszy na zagorzałych zwolenników i przeciwników każdego rodzaju kawy.

Czy są jednak jakieś uniwersalne zasady przyrządzania kawy? Kawa rozpuszczalna ma niewątpliwe walory praktyczne, które są cechą charakterystyczną produktów typu *instant*. Aby uzyskać proszek lub granulki, a więc kawę rozpuszczalną lub rozpuszczalną granulowaną, ziarna kawy poddaje się długotrwałym i złożonym procesom technologicznym. Kawa rozpuszczalna została wymyślona podczas pierwszej wojny światowej na potrzeby amerykańskich żołnierzy, aby nie musieli tracić czasu na jej parzenie. Kiedy piłam przez wiele lat kawę rozpuszczalną, nękały mnie dolegliwości żołądka, które ustały, gdy zaczęłam pić kawę naturalną.

Być może moje problemy zdrowotne związane były z niklem, którego zwiększona ilość może być zawarta właśnie w kawie rozpuszczalnej. Warto również zwrócić uwagę na to, że kawa ziarnista jest dwa razy tańsza od kawy rozpuszczalnej.

Wydaje się, że korzystniejsza dla zdrowia będzie mniej przetworzona kawa ziarnista, określana zgodnie przez wszystkich producentów jako kawa n a t u r a l n a. Skoro więc warunki pokoju zostały ustalone, a walki ustały, czas w ten sposób zyskany możemy spożytkować na porządne zaparzenie kawy.

Kawę możemy parzyć w tradycyjny sposób, zalewając zmielone ziarna wrzątkiem. Innym sposobem przygotowania kawy ziarnistej (oczywiście po jej uprzednim zmieleniu) jest zaparzenie jej np. w ekspresie przelewowym lub ciśnieniowym. Niezwykle prosty w obsłudze jest również stały ceramiczny filtr do kawy (tzw. dripper). Smaczną, aromatyczną kawę uzyskuje się z czajniczka ciśnieniowego (zwanego też moką). Należy jednak zwracać uwagę, by nie był on wykonany ze szkodliwego aluminium (tylko np. ze stali nierdzewnej). Rozpocząwszy swą kawową przygodę od kawy rozpuszczalnej, przebyłam długą drogę, przeżywając od czasu do czasu parę nic nieznaczących flirtów z aluminiowym czajniczkiem ciśnieniowym i ekspresem ciśnieniowym, aż przystanęłam na dobre przy filtrze ceramicznym.

Koszt jednorazowy – dripper (ok. 40 zł)

Koszty stałe – filtry papierowe 100 szt. (ok. 5 zł)

Kawa ziarnista (mielona) 250 g (ok. 13 zł)

Kawa rozpuszczalna 100 g (ok. 15 zł), a więc 250 g kawy kosztowałoby ok. 35 zł

Jak wynika z powyższego, koszt ceramicznego filtra do kawy zwróci się nam już po dwóch opakowaniach kawy ziarnistej kupionej zamiast rozpuszczalnej.

Aromat kaw mielonych (ale i ziarnistych) będzie nieporów-
nywalnie bogatszy, jeśli kupimy kawę niepaczkowaną, tzn. na
wagę. Kawy ziarniste mielone na bieżąco oferowane są w spe-
cjalistycznych sklepikach dla kawoszy.

4 KAWA ZBOŻOWA

Zapach gotowanej kawy zbożowej kojarzy mi się z beztro-
skim dzieciństwem. Moja babcia, która intuicyjnie jadła i piła
tylko zdrowe rzeczy, często przyrządzała sobie taką aromatyczną
kawę, odrzucając zdecydowanie zbożową kawę rozpuszczalną,
a także kawę naturalną.

Kawa zbożowa produkowana jest z korzeni cykorii, jęczmienia,
żyta albo buraka cukrowego. Na szczególną uwagę zasługuje cykoria, będąca źródłem inuliny. Inulina ma funkcje prebiotyku (czyli
stymuluje namnażanie dobroczynnych bakterii probiotycznych).

Do wyboru oferuje się nam kawę zbożową w kilku formach.
Z założenia należy pominąć kawy witaminizowane, dosładzane
czy zabielane, ze względu na zbędne dodatki. Pozostałe kawy zbożowe można podzielić ze względu na stopień przetworzenia. Najbardziej przetworzona jest kawa typu *instant*: rozpuszczalna i rozpuszczalna granulowana. Najbardziej tradycyjną kawą zbożową jest
kawa sypka przeznaczona do gotowania. Pomiędzy tymi dwoma
rodzajami kaw plasuje się kawa w saszetkach do zaparzania.

5 HERBATA I HERBATKA

Odpowiedź na pytanie o wyższość herbaty liściastej nad
herbatą w torebce, czyli tzw. ekspresową, na szczęście nie dru-
zgoce amatorów tej drugiej. Torebka herbaty zawiera miał czy
też pył, który wykazuje jednak mniejsze właściwości prozdro-
wotne niż liście. Ma również gorszy aromat i smak.

HERBATKA ROZPUSZCZALNA

Aromat naturalny ➕

Cukier ❓

Dekstroza ❓

Glukoza ❓

Kwas cytrynowy E 330 ❗

Maltodekstryna ➕

HERBATA

Aromat ❓

Kwas cytrynowy E 330 ❗

Dostępny jest również produkt pośredni pomiędzy herbatą liściastą a herbatą z torebki, mianowicie herbata liściasta w torebkach.

Najbardziej naturalna jest herbata liściasta sypana, niearomatyzowana, którą można zaparzać w czajniczku.

Na półkach z żywnością dla małych dzieci dostępne są herbatki rozpuszczalne, które wprowadzają rodziców w błąd, sugerując, że jeżeli z nazwy są one ziołowe lub owocowe, to znaczy, że są zdrowe. Nic bardziej mylnego. Zawierają one bowiem obowiązkowo cukier, a także kwas cytrynowy.

PRZEPISY

herbatka z liści krzewów owocowych

liście czarnej porzeczki, maliny lub jeżyny

◇ ◇ ◇

Liście zerwać i przepłukać. Następnie osuszyć i rozłożyć w suchym miejscu na płótnie lub papierze, aby wyschły. Kiedy będą się już kruszyć w palcach, przesypać do słoików. Szczelnie zakręcić i odstawić w ciemne miejsce.

W podobny sposób można zrobić również herbatę miętową z ususzonych liści mięty.

XIII. SOKI I NAPOJE

Po wnikliwym zagłębieniu się w meandry etykiet soków, napojów i nektarów, po wyobrażeniu sobie procesów technologicznych, jakim owe wyroby są poddawane, zanim trafią do kartonu, po raz kolejny doszłam do (mało odkrywczego) wniosku, że najlepsza do picia jest woda. Sok w kartonie świetnie się sprawdzi na przyjęciu, jednak do codziennego obiadu lepiej podać kompot. Jeśli jednak chcemy ugasić pragnienie napojem w kartonie, warto zapoznać się z definicjami poszczególnych wyrobów, by wybrać te najlepsze.

Sok owocowy – powstaje z jednego lub większej liczby gatunków owoców. Może być otrzymywany bezpośrednio z owoców, jak również zostać odtworzony (m.in.) z zagęszczonego soku owocowego.

Jeżeli sok zawiera dodatek cukru w niewielkiej (określonej w stosownym rozporządzeniu) ilości, to w takim wypadku na etykiecie wyrobu nie musi być deklaracji producenta o dodatku cukru. Informacja o cukrze dodanym do soku w celu dosłodzenia (a więc w większej ilości) powinna się już znaleźć na jego opakowaniu.

Soki w kartonach powstają najczęściej z soku zagęszczonego. Procesy technologiczne powodują, że produkt końcowy jest wysoko przetworzony. W procesach tych wykorzystuje się także substancje dodatkowe (np. żelatynę, bentonit czy zol krzemionkowy). Zagęszczanie obejmuje dodatkowo inne procesy, do których należą np.: zamrażanie, klarowanie, de-aromatyzowanie, filtrowanie, odparowywanie, rozmrażanie, liofilizowanie. Podczas nich dochodzi do utraty cennych witamin i enzymów, które pierwotnie zawarte są w owocach. Po przyswojeniu sobie tej dawki wiedzy pojęłam (paradoksalny) sens wzbogacania soków (oraz innych produktów spożywczych) w syntetyczne witaminy i mikroelementy. Analiza etykiet soków w kartonach wykazała, że lwia ich część faktycznie została odtworzona z soku zagęszczonego, nieliczne wyprodukowano z soku częściowo zagęszczonego. Wyjątkiem potwierdzającym smutną dla konsumenta regułę był jeden sok, który nie został odtworzony z koncentratu.

NEKTAR

Aromat ❓

Cukier ❓

Kwas cytrynowy E 330 ❗

Syrop glukozowo-fruktozowy ❓

Nektar owocowy jest – mówiąc w wielkim uproszczeniu – sokiem owocowym rozcieńczonym wodą z dodatkiem (w większości przypadków dość sporej ilości) środka słodzącego. Prawo dopuszcza produkcję nektaru niesłodzonego.

Definicja napoju owocowego nie jest regulowana prawnie. W przypadku napojów nie obowiązują żadne normy dotyczące ilości owoców. Ponadto dodaje się do nich środki słodzące (np. acesulfam K czy kontrowersyjny aspartam) oraz inne substancje (np. środki konserwujące, stabilizatory).

W ofercie sklepowej można znaleźć soki trzymane w chłodniach, które opatrzone są opisem „świeżo wyciskane" czy „jednodniowe". Najlepsze są te w szklanych butelkach i bez żadnych dodatkowych składników. Coraz bogatsza staje się również oferta soków w kartonach z tzw. zaworem, które powstają z pasteryzowanych owoców i nie są odtwarzane z koncentratu.

Wody smakowe kuszą obrazkiem dorodnej truskawki czy soczystej malinki, ale nie dajmy się zwieść tej iluzji. Często zawierają one dodatkowo cukier, aromat oraz – o zgrozo! – trujący benzoesan sodu. Kiedy zdarzy mi się nieopatrznie wziąć dzieci ze sobą na zakupy do supermarketu, przychodzi mi wtedy stoczyć batalię w sprawie kupienia im takiej fajnej wody, którą

NAPÓJ
Acesulfam K E 950 ⊖
Antocyjany E 163 ✚
Aromat ❓
Aspartam E 951 ❗
Cukier ❓
Cytrynian trisodowy E 331 (iii) ✚
Karmina (kwas karminowy, koszenila) E 120 ⊖
Kwas cyklaminowy i jego sole E 952 ⊖
Kwas cytrynowy E 330 ❗
Pektyny E 440 ✚
Sacharyna i jej sole E 954 ⊖
Sukraloza E 955 ❗

WODY SMAKOWE
Acesulfam K E 950 ⊖
Aromat ❓
Aspartam E 951 ❗
Benzoesan sodu E 211 ⊖
Cukier ❓
Glikozydy stewiolowe ❓
Kwas askorbinowy (witamina C) E 300 ✚
Kwas cytrynowy E 330 ❗
Naturalny aromat ✚
Sorbinian potasu E 202 ❗
Sukraloza E 955 ❗
Syrop glukozowo-fruktozowy ❓

piją i Natalka, i Marcelek. Słyszą wówczas z moich ust gorzką prawdę, że jest to trucizna. Spośród dostępnych wód smakowych można jednak wybrać takie, które może niekoniecznie zaliczymy do zdrowych napojów, ale przynajmniej nie zawierają toksycznych dodatków.

Choć często moje dzieci rzucają zaczepne pytanie: „Czy jest jakieś normalne picie w naszym domu?", będące w swej wymowie zakamuflowanym oskarżeniem, że nie kupujemy gotowych soków w kartonach, puszczam je mimo uszu i dalej spokojnie rozrabiam w dzbanku wodę z domowym sokiem.

SOCZKI DLA NIEMOWLĄT I MAŁYCH DZIECI

Większość wziętych przeze mnie pod lupę soków, napojów i nektarów z przeznaczeniem dla małych dzieci jest wzbogacona w witaminę C. Oczywiście automatycznie nasunęło mi się pytanie o sens dodawania syntetycznych witamin do soku owocowego, który jak wszyscy dobrze wiemy, jest (a przynajmniej powinien być) naturalnym źródłem witamin.

Na pierwszym miejscu składu soku znajduje się na szczęście sok owocowy. Natomiast w przypadku nektarów i napojów pierwsze miejsce na etykiecie produktu najczęściej zajmuje woda. Dodatek cukru występuje w napojach i nektarach przeznaczonych dla dzieci sporadycznie.

PRZEPISY

soki ze świeżych owoców

jabłka (pomarańcze, grejpfruty)

◇ ◇ ◇

Wyciśnięty w sokowirówce lub wyciskarce sok z jabłek nawet po rozcieńczeniu wodą nadal jest słodki i nie wymaga dosładzania.

Nierozcieńczony sok z pomarańczy również nie wymaga dodatku środka słodzącego. Po dodaniu wody w celu rozcieńczenia prawdopodobnie konieczne będzie dosłodzenie.

lemoniada

1 cytryna, 1 litr wody, 4 łyżki cukru nierafinowanego

◇ ◇ ◇

Wycisnąć sok z cytryny, uzupełnić wodą, dosłodzić.

ZŁOTA RADA: Kiedy przygotowujemy lemoniadę bądź rozrabiamy sok (syrop) z wodą, możemy sobie nieco ułatwić pracę. Należy najpierw rozpuścić nierafinowany cukier w niewielkiej ilości ciepłej wody i dopiero potem wymieszać z resztą płynu. Wyjątkiem jest syrop z agawy, który świetnie rozprowadza się nawet w zimnej wodzie.

kompot jabłkowy

1 kg jabłek, 1 litr wody, 1/2 – 2 łyżki cukru nierafinowanego (w zależności od gatunku jabłek), 2 goździki

◇ ◇ ◇

Jeśli nie zamierzamy zjeść owoców z kompotu, nie muszą być one obrane i pozbawione pestek. W przeciwnym razie należy jabłka obrać i pozbawić pestek. Umyte owoce umieścić w garnku, zalać wodą, dodać cukier i goździki. Jeśli owoce są słodkie, to wystarczą same goździki. Gotować 5 minut.

czekolada do picia

kubek mleka, 2 kostki gorzkiej czekolady, 1 łyżeczka nierafinowanego cukru

◇ ◇ ◇

Podgrzać mleko z czekoladą i cukrem, mieszając, by napój się nie przypalił.

mleko bananowe

kubek mleka, 1 dojrzały banan

◇ ◇ ◇

Mleko zmiksować z bananem.

XIV. SŁOŃCE W SŁOIKU, CZYLI O PRZETWORACH

Dawno, dawno temu, czyli w PRL-u – jak powiedziałaby moja najstarsza córka – gdy nie wszystko było dostępne w sklepie, a raczej niewiele można było w ogóle kupić, przetwory zimowe ratowały przed monotonią posiłków. Czasy się zmieniły, zmienił się system polityczny, nagle na półkach sklepowych pojawiło się dosłownie wszystko. Szybko jednak przebrzmiał zachwyt nad tym, że owo „wszystko" jest na wyciągnięcie ręki o każdej porze roku, dnia i nocy. Wiele gospodyń nawiedziła w końcu refleksja, że to, co zrobią same na zimę, jest jednak smaczniejsze i zdrowsze od tego, co mogą kupić w sklepie. Przetwory wróciły więc znowu do łask.

Do oczywistych atutów domowych przetworów zaliczyć można, poza tym że są zdrowsze, dodatkowo jeszcze to, że robienie ich może być prawdziwą frajdą, a wyjmowanie ze spiżarni własnoręcznie napełnianych słoiczków – napawać nie lada dumą.

Podstawą udanych przetworów są warzywa i owoce z upraw własnych, ekologicznych lub kupione bezpośrednio od rolników z upraw lokalnych. Owoce mają w swoim składzie naturalny cukier owocowy (fruktozę) i są naturalnie słodkie, co oznacza, że nie trzeba ich (no może z wyjątkiem porzeczek i agrestu) dosładzać. Tu z pewnością niejeden dorosły i prawie każde dziecko zaprotestowaliby żarliwie. Jako żywo mam przed oczami zdziwione miny własnych dzieci, które dzielnie próbują znosić to, że każę im jeść maliny (czy truskawki, borówki *etc.*) bez cukru.

Na zakończenie tego krótkiego wstępu przypomnę tylko, że z owoców można zrobić przede wszystkim: kompoty, dżemy, powidła, soki. Przetwory z warzyw to marynaty i kiszonki. Niektóre przetwory pasteryzuję, gotując słoiki w wysokiej temperaturze, inne zaś wystarczy dobrze zakręcić po umieszczeniu wewnątrz wrzącego przetworu.

Pasteryzacja przetworów w słoikach – wyparzony, suchy słoik napełnić przetworami, dokręcić zakrętkę. Na dnie szerokiego garnka z wodą rozłożyć ścierkę, by podczas gotowania słoiki nie obijały się o dno garnka, ani o siebie. Ustawione w garnku słoiki zalać wodą tak, by sięgała ona ok. 3 cm poniżej wieczka najniższego słoika. Temperatura wody powinna odpowiadać temperaturze napełnianych słoików. Doprowadzić wodę do wrzenia i gotować w temperaturze ok. 90°C przez podany w przepisie czas. Następnie wyjąć słoiki i sprawdzić, czy są dobrze zakręcone.

CUKIER ŻELUJĄCY

Benzoesan sodu E 211 ⊖

Cukier ❓

Karagen E 407 ⊖

Kwas cytrynowy E 330 ❗

Kwas sorbowy E 200 ❗

Mączka chleba świętojańskiego (guma karobowa) E 410 ✚

Olej roślinny ✚

Pektyny E 440 ✚

Sorbinian potasu E 202 ❗

1 DŻEMY

Aby zrobić dżem, nasze babcie nie potrzebowały gotowych cukrów żelujących, a ich dżemy i konfitury były opiewane niejednokrotnie w literaturze (konia z rzędem temu, kto we współczesnej twórczości wskaże jakiś sonecik czy chociaż fraszkę pełną zachwytu nad dżemem z dodatkiem cukru żelującego).

W kuchni tradycyjnej przetwory z owoców robiono z dodatkiem cukru. Wyjątek stanowiły powidła śliwkowe, które były smażone zupełnie bez dosładzania. Dziś, kiedy dżem, powidła czy nawet konfitury bynajmniej nie są już świątecznym rarytasem, jakim bywały niegdyś, a cukier jest do tego stopnia wszechobecny, że jesteśmy od niego wręcz uzależnieni, robię dżemy i powidła bez cukru lub ewentualnie z niewielkim jego dodatkiem.

PRZEPISY

dżem porzeczkowy

1 kg czarnych porzeczek, 1/4 kg nierafinowanego cukru (ewentualnie dosłodzić w trakcie smażenia)

◇ ◇ ◇

Umyte i przebrane porzeczki smażyć na małym ogniu w naczyniu o grubym dnie przez mniej więcej 40 minut. Następnie dosypać cukier i smażyć jeszcze ok. 50 minut.
Wrzący dżem przełożyć do wyparzonych słoików. Zakręcić i ustawić do góry dnem. Następnego dnia odwrócić i odłożyć w chłodne ciemne miejsce.

powidła śliwkowe

Umyte i wydrylowane śliwki podgrzewać przez chwilę w brytfannie (lub szerokim garnku), aż się rozgotują. Następnie przełożyć do piekarnika i piec w temperaturze 100°C, co jakiś czas dokładnie mieszając, aż odparuje woda i zostanie ok. 1/3 początkowej objętości.
Wrzące powidła przełożyć do wyparzonych słoików. Zakręcić i ustawić do góry dnem. Następnego dnia odwrócić i odłożyć w chłodne ciemne miejsce.

owoce w słoiku

ok. 250 g truskawek, łyżka nierafinowanego cukru

◇ ◇ ◇

Umyte owoce bez szypułek umieścić w 1/2 l słoiku, dodać cukier. Zakręcić słoik i umieścić w garnku z wodą. Pasteryzować przez 10–15 minut.

przecier pomidorowy

Całe, dojrzałe, umyte pomidory pozbawione szypułek pogotować chwilę, aż zmiękną. Zmiksować na jednolitą masę. Następnie przelać na sitko i przecierać łyżką lub drewnianą gałką, aby oddzielić niezmiksowane fragmenty pomidora.
Gotowy przecier przelać do słoików i pasteryzować przez 15 min.

2 | SYROPY OWOCOWE I KOMPOTY

Jednym z moich pierwszych świadomych spotkań z „chemiczną" stroną rzeczywistości był komentarz mojej teściowej na temat sklepowego syropu malinowego, przeznaczonego do rozcieńczania w wodzie (który moja rodzina piła przez okrągły rok), że jest to „sama chemia". To stwierdzenie dało asumpt do zgłębienia tajników etykietki najpierw syropu, a następnie innych produktów, które zwykliśmy kupować.

Na pierwszym miejscu składu pierwszego lepszego syropu malinowego znajduje się cukier i (lub) syrop fruktozowo-glukozowy, następnie woda i dopiero na kolejnym miejscu zagęszczony sok z malin, choć przez wiele lat byłam pewna, że to przede wszystkim za niego płacę. Wyliczankę zamyka aromat. Od czasu dokonania tego odkrycia pijemy tylko soki domowej roboty.

Jestem gorącą orędowniczką soków *home made*. Najlepiej jest robić soki, jak i inne przetwory, z owoców ekologicznych lub pochodzących z lokalnych upraw. Kupując owoce bezpośrednio od rolnika, możemy mieć produkt najwyższej jakości w cenie rynkowej. Za ekologiczne truskawki, które kupowałam z pierwszej ręki, płaciłam dokładnie tyle, ile wynosiła cena truskawek sprzedawanych na targu, a uprawianych na dużych plantacjach. Niewidzialna różnica między jednym a drugim rodzajem truskawek polegała na tym, że truskawki ekologiczne nie zawierały trujących pestycydów ani środków pleśniobójczych oraz że wyrosły na naturalnym nawozie. Oczywista różnica natomiast była taka, że truskawki ekologiczne pachniały nawet w kilka miesięcy po wyjęciu z zamrażarki.

Jak zrobić sok, który jest słodki, zdrowy, a jednocześnie nie kosztuje fortuny? Zamiast białego cukru lepiej jest użyć jego zamiennika, w postaci np. cukru nierafinowanego czy syropu z daktyli. Zamienniki cukru są jednak droższe od białego cukru rafinowanego. Aby więc w okresie robienia przetworów inwestować raczej w lepsze owoce niż w naturalny zamiennik cukru, dodaję go do robionego soku tylko odrobinę, właściwie dla świętego spokoju, mitem jest bowiem twierdzenie, że sok bez cukru się nie przechowa. Podstawą udanych soków (i innych przetworów) jest dobra pasteryzacja. Warto wydać pieniądze raczej na dobre nakrętki do słoików niż na kilkadziesiąt

SYROP OWOCOWY
Antocyjany E 163 ✚
Aromat ❓
Benzoesan sodu E 211 ➖
Beta-karoten E 160a (ii) ✚
Cukier ❓
Kwas askorbinowy (witamina C) E 300 ✚
Kwas cytrynowy E 330 ❗
Sorbinian potasu E 202 ❗
Syrop glukozowo-fruktozowy ❓

kilogramów cukru. Sok można na bieżąco dosładzać po otwarciu i w ten sposób – krakowskim targiem – osiągamy swój cel. Sok bez cukru lub z małą jego ilością po otwarciu należy przechowywać w lodówce. Kiedy akurat nie ma w dzbanku dosłodzonej wody z sokiem, mój mąż nie bawi się w żadne dosładzanie (bo mu szkoda na to czasu), tylko pije taki niesłodki napój, co wychodzi mu tylko na zdrowie.

PRZEPISY

syrop malinowy

1 kg malin, 300 g nierafinowanego cukru

◇ ◇ ◇

Przebrane, opłukane maliny wsypać do sokownika, dodać niewielką ilość cukru. Gotowy sok doprowadzić do wrzenia i przelać do wyparzonych słoików lub butelek. Zakręcić i ustawić do góry dnem. Następnego dnia odwrócić i odłożyć w chłodne ciemne miejsce.

kompot truskawkowy

ok. 1/2 kg truskawek, 2 łyżki cukru nierafinowanego,
ok. 1/2 l wody

◇ ◇ ◇

Wyparzony litrowy słoik napełnić umytymi truskawkami bez szypułek. Wszystko zalać posłodzoną wodą i szczelnie zakręcić. Umieścić w garnku z wodą i pasteryzować przez 10–15 minut.

3 | KISZONKI

O nieocenionych probiotycznych właściwościach kiszonek
można przeczytać w rozdziale *Leki nie z Bożej apteki.*

PRZEPISY

ogórki kiszone

ok. 1/2 kg małych ogórków gruntowych (na litrowy słoik),
2-3 ząbki obranego czosnku, obrany korzeń chrzanu, gałązka
kopru, kilka ziaren gorczycy, 1 płaska łyżka soli, ok. 1/2 l wody

◇ ◇ ◇

W wyparzonym słoiku układać pionowo umyte ogórki (do kiszenia
wybierać małe, twarde), przy czym na dolną warstwę lepiej
przeznaczyć te większe. Dodać czosnek, chrzan, koper, gorczycę.
Zalać wrzącą wodą z dodatkiem soli, tak by przykryć wszystkie
ogórki. Zakręcić i odwrócić do góry dnem. (Jeśli ze słoika
dochodzą jakieś odgłosy, musimy czynność powtórzyć, używając
najprawdopodobniej innej nakrętki). Na drugi dzień ustawiamy
słoiki we właściwej pozycji w chłodnym ciemnym miejscu.

XV. CZY WODA ZDROWIA DODA?

1 WODA Z KRANU

Aby woda płynąca z naszych kranów nam nie zaszkodziła, musi wcześniej zostać uzdatnionia. W tym celu stosowane są budzące kontrowersje fluorki i chlor. Istnieją dopuszczalne normy dla tychże (oraz innych) substancji, po których przekroczeniu woda staje się niezdatna do picia.

Aby sprawdzić jakość krakowskiej wody płynącej z mojego kranu, dałam do badania w Laboratorium MPWiK (Miejskie Przedsiębiorstwo Wodociągów i Kanalizacji SA) w Krakowie trzy próbki wody: 1. wodę z kranu, 2. wodę z kranu przegotowaną i 3. wodę uzdatnioną filtrem z węglem aktywowanym. Wyniki testu były dla mnie zaskakujące. Okazało się mianowicie, że istniała niewielka różnica między wodą z kranu a wodą uzdatnioną filtrem. Najgorzej w teście wypadła przegotowana woda z kranu. Jak się okazało, po przegotowaniu substancje szkodliwe nie ulegają rozpadowi (wbrew obiegowej opinii), a wręcz przeciwnie – zagęszczają się.

Zarówno pracownicy krakowskich wodociągów, jak i przedstawicielka firmy związanej ze sprzedażą filtrów do wody twierdzą zgodnie, że zimna woda z kranu w większości polskich miast nadaje się do picia bez przegotowania, ponieważ jest kontrolowana pod kątem zanieczyszczeń i bakterii więcej niż raz dziennie.

Wyjaśniła się wtedy kolejna zagadka z mojego życia. Przez lata cierpiałam na bóle żołądka, które kojarzyłam z piciem wody. Bóle ustąpiły po zakupie filtra węglowego. Okazało się jednak, że za niedomagania żołądka odpowiedzialna była nie jakość wody z kranu, lecz kamień, który osadzał się w czajniku elektrycznym. Przegotowaną wodę piłam w dobrej wierze zamiast wody mineralnej czy źródlanej (a więc wypijałam jej stosunkowo dużo w ciągu dnia). Prawdopodobnie drugą przyczyną moich dolegliwości był pokrywający grzałkę w czajniku elektrycznym nikiel, na który, jak się okazało, jestem uczulona. Aby zminimalizować szansę na kontakt z niklem, zakupiliśmy czajnik z emalią wewnątrz.

Jeśli woda z kranu w miejscowości, gdzie mieszkamy, nie odpowiada standardom wody pitnej, jest niesmaczna, twarda lub zostawia duży osad po zagotowaniu, można zastosować jedno z dostępnych na rynku urządzeń oczyszczających, które być może poprawi jej jakość i smak (jeśli mieszkamy np. w ponadstuletniej kamienicy, to prawdopodobnie stan rur ma tak ogromny wpływ na walory smakowe wody, że wszelkie filtry i tak nie na wiele się tu zdadzą). Najbardziej rozpowszechnione są właśnie filtry z wkładem węglowym. Popularne są również, i polecane zwłaszcza przez ludzi propagujących ekologiczny styl życia, urządzenia z zastosowaniem odwróconej osmozy. Zanim zapadnie decyzja o zakupie takiego urządzenia, warto najpierw przyjrzeć się z bliska swojemu czajnikowi. Niektóre bowiem materiały, z jakich wykonany jest czajnik, zmieniają niekorzystnie smak wody po zagotowaniu.

2 | WODY BUTELKOWANE

Zgodnie z prawem wyróżnia się trzy rodzaje wód butelkowanych:

1. Naturalne wody mineralne,
2. wody źródlane,
3. wody stołowe.

Jeśli sięgamy po wodę butelkowaną, to robimy to zapewne w jakimś konkretnym celu. Chcemy ugasić pragnienie bądź uzupełnić w ten sposób niedobory minerałów i mikroelementów. Na co zwracać uwagę przy wyborze wody butelkowanej? Jeśli chcemy się po prostu napić, to wybieramy wodę źródlaną, której skład mineralny jest podobny do składu wody płynącej z kranu (a więc nie grozi nam „przedawkowanie" minerałów i mikroelementów).

Jeśli natomiast w zamyśle mamy uzupełnianie minerałów i mikroelementów, to sięgamy oczywiście po wodę mineralną. Jednak nie sama obecność minerałów, lecz ich stosunek do siebie powinien być dla nas istotny; np. stosunek wapnia do magnezu (Ca:Mg) powinien wynosić 2:1. Różnica między wodą mineralną czy źródlaną a wodą płynącą z kranu polega także na tym, że pierwsza i druga z wymienionych są naturalnie zdatne do picia. (Woda z kranu, aby mogła spełnić wymogi wody zdatnej do picia, musi zostać uzdatniona za pomocą czynników chemicznych).

Woda stołowa jest to woda mineralna lub źródlana wzbogacona o konkretne sole mineralne (np. chlorek wapnia, siarczan magnezu czy chlorek potasu). Pijąc wodę mineralną, dostarczamy organizmowi kompleksowo minerałów w naturalnie występujących proporcjach. Minerały, jakimi uzupełniono wodę stołową, zostały zapewne wyekstrahowane z innych produktów, w związku z czym w wodzie tej występują w proporcjach nienaturalnych.

Osobną grupę wód tworzą wody lecznicze (zwane podziemnymi). Jak już sama nazwa sugeruje, wody te są stosowane w przypadku konkretnych chorób i dolegliwości.

Odpowiednie rozporządzenie reguluje m.in. ważną z punktu widzenia konsumenta rzecz, a mianowicie maksymalne stężenie potencjalnie toksycznych składników naturalnego pochodzenia występujących w naturalnych wodach mineralnych butelkowanych.

LP.	SKŁADNIKI	MAKSYMALNE stężenia (MG/L)
1	Antymon	0,0050
2	Arsen ogólny	0,010 (łącznie)
3	Azotany	50,0/10,0
4	Azotyny	0,1
5	Bar	1,0
6	Bor	5,0
7	Chrom	0,050
8	Cyjanki	0,070
9	Fluorki	5,0
10	Kadm	0,003
11	Mangan	0,50
12	Miedź	1,0
13	Nikiel	0,020
14	Ołów	0,010
15	Rtęć	0,0010
16	Selen	0,010

Podobnie jak z etykiety dowolnego produktu spożywczego nie dowiemy się niczego o potencjalnych zanieczyszczeniach, jakie dany produkt może zawierać, tak i etykieta wody butelkowanej nie zdradzi nam, czy jest zanieczyszczona ona np. szkodliwym (zwłaszcza dla dzieci) ołowiem czy równie szkodliwym (kancerogennym) arsenem. Dysponując wiedzą, że woda m o ż e być zanieczyszczona azotanami, azotynami, rtęcią, arsenem bądź ołowiem, sami musimy decydować, czy w danym przypadku walory zdrowotne przeważają nad ewentualnymi szkodliwymi konsekwencjami. Potencjalna szkodliwość spożywania wody butelkowanej, która zawiera np. ołów (na dopuszczalnym poziomie), polega na tym, że jeśli pijemy ją regularnie i w dużych ilościach, to w naszym organizmie następuje kumulacja tego toksycznego dla zdrowia metalu ciężkiego.

Wodę sprzedaje się najczęściej w plastikowych butelkach, które w zależności od tego, z jakiego typu tworzywa sztucznego zostały wykonane, mogą wchodzić z nią w nieobojętną dla naszego zdrowia reakcję. Woda w zwrotnych butelkach szklanych (najlepiej ciemnych) jest zdecydowanie zdrowsza (i bardziej ekologiczna) niż ta z butelek plastikowych.

XVI. LEKI NIE Z BOŻEJ APTEKI

1 LEKARSTWA

Lekarstwa syntetyczne to sama chemia, która wprawdzie pomaga, ale jak informują ulotki dołączane do lekarstw przez producenta, ma również skutki uboczne.

W zamierzchłych czasach mojej niewiedzy infekcja górnych dróg oddechowych u mojej najstarszej córki trzy razy z rzędu zakończyła się zapaleniem oskrzeli i rzecz jasna podaniem antybiotyku. Po jakimś czasie skojarzyłam związek pomiędzy podaniem leku na przeziębienie, który zawierał benzoesan sodu, a pogorszeniem stanu jej zdrowia i zapaleniem oskrzeli (informację, że benzoesan sodu może wywołać reakcję alergiczną u osób uczulonych, wyczytałam na ulotce leku).

Konserwant znany pod nazwą benzoesanu sodu (E 211) może wywoływać wiele niepożądanych skutków ubocznych. Jest to substancja ewidentnie szkodliwa i w związku z tym po raz kolejny rodzi się pytanie, gdzie podziała się jedna z podstawowych zasad etycznych w medycynie – *Primum non nocere* (po pierwsze, nie szkodzić)? Benzoesan sodu stosowany w farmacji ukrywa się głównie w syropach i zawiesinach, czyli lekach przeznaczonych przede wszystkim dla dzieci. Większość lekarstw ma na szczęście odpowiedniki w postaci specyfików innych producentów. Istnieje szansa, że nie we wszystkich z nich użyto jako konserwantu benzoesanu sodu właśnie.

Często zamiast syropu lub zawiesiny warto wybrać tabletkę, ponieważ może ona zawierać mniej szkodliwych substancji dodatkowych. Jeszcze bezpieczniejsze dla zdrowia są kapsułki żelatynowe, w których można zamknąć płynne postaci leku.

Oprócz benzoesanu sodu i jego pochodnych niezaprzeczalnie szkodliwe działanie wykazują wyliczone w ramce substancje (głównie są to syntetyczne barwniki) dodawane do leków.

Do ulotek dołączanych do lekarstw warto podejść ostrożnie i czytać je w taki sposób, w jaki czytamy umowy. Ponieważ to, co faktycznie jest dla nas istotne, może być napisane mniejszym drukiem. Skład na opakowaniu zewnętrznym ogranicza się zazwyczaj do listy substancji czynnych. Substancje pomocnicze (niektóre z nich potencjalnie szkodliwe) są wyszczególnione w ulotce wewnątrz opakowania leku.

Jeśli planuję zakup nowego lekarstwa, staram się zapoznać wcześniej z ulotką, która najczęściej jest dostępna w internecie. Robię to, aby – jeśli w składzie znajdę substancje niebezpieczne dla zdrowia – móc ewentualnie poprosić farmaceutę o zaproponowanie bezpieczniejszego odpowiednika leku. Gdy nie mam możliwości sprawdzenia składu wcześniej, muszę prosić aptekarza o umożliwienie mi tego na miejscu.

LEKARSTWA

Acesulfam K E 950 ⊖

Aspartam E 951 ❗

Azorubina E 122 ⊖

Benzoesan sodu E 211 ⊖

Błękit brylantowy FCF E 133 ⊖

Błękit patentowy V E 131 ⊖

Czerń brylantowa PN E 151 ⊖

Czerwień Allura AC E 129 ⊖

Czerwień koszenilowa A E 124 ⊖

Glutaminian sodu E 621 ⊖

Indygotyna E 132 ⊖

Tartrazyna E 102 ⊖

Żółcień chinolinowa E 104 ⊖

Żółcień pomarańczowa FCF E 110 ⊖

Chcąc pewnego razu kupić w aptece środki przeciwbólowe, otrzymałam niebieskie kapsułki. Kiedy zapoznałam się ze składem, okazało się, że za niebieski kolor o nieco kosmicznym połysku odpowiada barwnik, który w moim rejestrze umieszczony jest w kategorii dodatków zakazanych. Zapytałam farmaceutkę, po co dodaje się do leków takie szkodliwe substancje, jeśli bez nich lek tak samo działa (miałam na myśli starszą wersję leku w normalnym, białym kolorze). Okazuje się, że nie tylko dzieci chętniej sięgają po kolorowe pastylki. Firmy farmaceutyczne starają się zaspokoić oczekiwania klientów i niczym domy mody co sezon wypuszczają „nową, ulepszoną wersję" leku.

Moja wspominana już babcia, gdy zdarzyło jej się zachorować, rękami i nogami wzbraniała się przed przyjmowaniem lekarstw. W dzieciństwie traktowałam to jako fanaberię, dziś coraz częściej myślę, że miała rację. Oczywiście są sytuacje, kiedy trzeba zażywać lekarstwa, ale zapewne niejednokrotnie można wesprzeć się środkami naturalnymi i babcinymi sposobami, zamiast od razu sięgać po syntetyki.

Apteki mają w swojej ofercie nie tylko lekarstwa, ale również słodycze (lizaki, żelki, cukierki) określane niefrasobliwie mianem „zdrowych". W składzie ich wszystkich niepodzielnie króluje cukier, a także syrop glukozowy, syrop skrobiowy, barwniki i aromaty. Jeśli damy się zwieść złudzeniu, że wszystko, co jest kupione w aptece, służy zdrowiu, to zafundujemy swoim pociechom kolejną porcję cukru lub jego równie niezdrowych zamienników, o syntetycznych dodatkach nie wspominając.

Jeśli zaobserwujemy, że jakiś lek wywołuje u nas reakcję inną, niż opisano w ulotce, możemy zgłosić to w dowolnej aptece. Nasze informacje mogą znaleźć się potem na ulotce dołączonej do leku i ostrzec kolejnych chorych.

2 | PROBIOTYKI

Probiotyki to słowo, które obok kwasów omega-3 robi ostatnio zawrotną karierę w środkach masowego przekazu. Po okresie bezrefleksyjnego zachwytu nad nadużywanymi ze wszech miar antybiotykami przyszła pora refleksji nad powodowanymi przez nie zaburzeniami flory bakteryjnej jelit lub coraz powszechniejszą grzybicą różnych narządów. W sukurs cierpiącym z powodu nadużywania leków przychodzi znów farmacja. Jej oręż to niezliczona liczba produktów od A do Z.

Probiotyki to kultury bakterii lub drożdży, które zasiedlając jelita, chronią je przed szkodliwym działaniem bakterii chorobotwórczych, a tym samym wpływają dobroczynnie na nasz układ odpornościowy.

Testując probiotyki apteczne pod kątem rodzaju bakterii, ich ilości i składników dodatkowych, natknęłam się np. w jednym z nich na szkodliwy glutaminian sodu. Moją wzmożoną czujność wzbudziły również artykuły naukowe, które polecały jako wyłącznie skuteczne w konkretnym przypadku różne szczepy bakterii. A kiedy spotkałam się z informacją pochodzącą z dwóch niezależnych źródeł, że najbardziej podówczas polecany probiotyk dla dzieci w ogóle nie działa, postanowiłam znowu wziąć sprawy w swoje ręce i sama wyprodukować probiotyk w domowym kuchennym laboratorium.

Zanim zabrałam się do pracy, zadałam sobie podstawowe pytanie raczkującego w dziedzinie zdrowego żywienia naukowca: jak radziła sobie w podobnej sytuacji moja babcia? Otóż regularnie wypijała wodę z kiszonych ogórków i pasjami popijała wszystko domowym zsiadłym mlekiem. Pamiętam, że chowała w szafkach zsiadłe mleko, co nieraz doprowadzało moją mamę do szewskiej pasji. Zwłaszcza, kiedy zdarzało jej się wyjąć z szafki jakiś zapomniany garnek z mlekiem, które zdążyło kilkakrotnie zmienić skład, zapach, kolor i konsystencję. Babcia namiętnie piła tak sfermentowane mleko, na które pozostali domownicy nie mogli nawet spojrzeć. I miała jelita jak ze stali, bo intuicyjnie wiedziała co dobre.

W dawnych czasach, kiedy nie można jeszcze było kupić pigułki na wszystko, ludzie jakoś sobie jednak radzili i mieli się całkiem nieźle. Nie dysponując takim luksusem jak lodówka, zamrażarka czy chemiczne konserwanty, mimo wszystko też coś jedli. Utrwalali żywność m.in. w procesie kiszenia produktów roślinnych.

Ukisić można oprócz ogórków i kapusty także cukinię, paprykę, pomidory, czosnek czy grzyby. Właściwości probiotyczne wykazują również zakwas chlebowy, żur, zakwas buraczany oraz oczywiście kefir, zsiadłe mleko czy jogurt. Japończycy mają produkowane z soi natto czy sfermentowany napój kombucza, a Koreańczycy złożone z kiszonych warzyw kimchi. My Polacy mamy bardzo dużo „zepsutych" warzyw, które niejedno potrafią naprawić.

Warto dodać, że prawdziwą probiotyczną wartość mają produkty bez dodatków chemicznych, a więc wytworzone w warunkach domowych bądź zakupione w sklepie ekologicznym. Te oferowane w masowej sprzedaży mogą zawierać dodatki wywołujące nieraz reakcje alergiczne skóry lub dróg oddechowych. Wyprodukowanie domowych probiotyków to połowa sukcesu. By zadziałać, a więc by móc się namnożyć, probiotyki potrzebują odpowiedniego podłoża, czyli prebiotyku. Taką funkcję spełniają m.in.: inulina, cebula, czosnek, por, cykoria. Synbiotykiem, a więc połączeniem probiotyku z prebiotykiem będzie np. jogurt naturalny posłodzony inuliną.

Z rozmów, które przeprowadziłam ze znajomymi, wynikało, że na jednych świetnie działa domowe zsiadłe mleko (ewentualnie kefir sprzedawany w szklanych butelkach), na drugich zaś jogurt. Wśród nich byli tacy, którzy cierpiąc na pewne

KISZONA KAPUSTA

Kwas askorbinowy (witamina C)
E 300 ✚

Kwas cytrynowy E 330 ❶

Sorbinian potasu E 202 ❶

niezdiagnozowane do końca przypadłości gastryczne, objawiające się nietolerancją produktów nabiałowych, nie mogli ich spożywać, nawet w łatwiej przez organizm przyswajalnej sfermentowanej formie. Żadna z zapytanych przeze mnie osób nie zaobserwowała jakichkolwiek skutków ubocznych towarzyszących spożywaniu wody z kiszonych ogórków. Natomiast ja sama zauważyłam wśród bliskich dobroczynny wpływ wody po ogórkach kiszonych lub płynu z kapusty kiszonej w okresie leczenia zaburzeń mikroflory przewodu pokarmowego.

PRZEPISY

ogórki małosolne

ogórki, sól, koper, kilka ząbków czosnku

◇ ◇ ◇

W lecie, kiedy ogórki są łatwo dostępne, warto robić na bieżące potrzeby konsumenckie swoje i swojej rodziny ogórki małosolne. W glinianym naczyniu, garnku lub dużym słoiku ułożyć umyte, małe, twarde ogórki i zalać je posolonym wrzątkiem (2 płaskie łyżki soli na 1 litr wody), dodać koper i czosnek. Przykryć.

Po upływie 2–3 dni ogórki nadają się już do jedzenia. Aby ogórki były szybciej ukiszone, można ponacinać je na krzyż, tak żeby powstały potencjalne ćwiartki (nie krojąc ogórka do końca).

zakwas buraczany na barszcz czerwony

2 obrane buraki czerwone, 3–4 ząbki czosnku, piętka chleba
(najlepiej razowego na zakwasie)

◇ ◇ ◇

Buraki pokroić na kawałki, zalać przegotowaną letnią wodą,
tak by były całkiem zakryte. Dodać czosnek i piętkę chleba.
Słoik przykryć. Odstawić w ciepłe miejsce. Zakwas jest gotowy
po mniej więcej 3 dniach. (Tworzący się na wierzchu biały nalot
należy ściągnąć po ukiszeniu).

kiszona kapusta

biała kapusta, kminek, ewentualnie kilka listków laurowych

◇ ◇ ◇

Kapustę poszatkować, posolić, umieścić w (np. glinianym)
garnku i odstawić na 10 minut. W tym czasie można ją ugniatać,
żeby zmiękła. Dodać kminek (można też listki laurowe). Ubijać
(dociskać) tłuczkiem do mięsa lub ręką, aż puści sok. Kapustę
docisnąć (np. obciążonym od góry talerzem), tak aby była
całkowicie pokryta sokiem, i obciążyć od góry. Odstawić
na 4–7 dni w temperaturze pokojowej. Po tym czasie przełożyć
do słoików i mocno dokręcić. Przechowywać w lodówce.

3 | SUPLEMENTY

Suplement diety oznacza ogólnodostępne środki spożywcze, których celem jest uzupełnienie codziennej diety, np. wita-
minami, składnikami mineralnymi lub innymi substancjami
o charakterze odżywczym.

W ostatnim czasie w środkach masowego przekazu,
a także w przyjacielskich rozmowach, prym wiodą przeróżne

suplementy diety. Ta nadmierna potrzeba suplementacji jest roz-
budzana ustawicznie przez reklamę. Masz zaparcia? Nic prost-
szego, jest na to z pewnością suplement. Strzyka ci w kolanie?
Kup suplement, a strzykanie ustanie. Hasła reklamowe w podobnym stylu sugerują, że wszelakie suplementy można łykać
jak witaminy, przy czym zapomina się o tym, że witamin również w dowolnej ilości łykać nie należy. Niepokojące jest to, że
sami zaczynamy diagnozować i leczyć swoje schorzenia oraz że
lecząc objawy, nie dociekamy przyczyny tych dolegliwości.

Sama należę do grupy osób, które do niedawna jeszcze do
kwestii suplementacji podchodziły z pobłażliwością, traktując
ją jako swojego rodzaju modę. Dopiero kiedy pewne swoje dolegliwości skojarzyłam z niedoborem poszczególnych składników, zmieniłam nastawienie do suplementów, stając się zwolen-
niczką mądrego z nich korzystania.

Zwykłe jedzenie, które powinno przecież zawierać wszystkie składniki niezbędne człowiekowi do prawidłowego funkcjo-
nowania, przestaje wystarczać, tzn. pełnić swoją podstawową
funkcję. Zdarza się, że ludzie, którzy odżywiają się racjonalnie
i zdrowo, z jakichś powodów cierpią na niedobory rozmaitych
witamin, kwasów tłuszczowych czy też minerałów. Prawdopodobnie wynika to z obniżenia jakości współczesnego jedzenia.
Można pokusić się o stwierdzenie, że obniżenie wartości odżywczej produktów jest wprost proporcjonalne do wzrostu ich
toksyczności. Obniżenie jakości produktów spożywczych jest
powiązane z nieubłaganymi prawami ekonomii. Wygrywa bowiem ten, kto wyprodukuje taniej, szybciej, więcej. Ale czy aby
na pewno w ogólnym rozrachunku wygrywa? Inwestowanie producentów żywności w ilość, a nie w jakość, odbije się (już się
odbija) negatywnie na zdrowiu konsumentów. Wpadliśmy w pu-
łapkę stylu „50% gratis". Gratis dostajemy nowotwór, rozchwiany
układ hormonalny i ciągle chore dzieci.

Żywność przetworzona to żywność w dużym stopniu pozbawiona witamin, minerałów i enzymów. Jeśli przez dłuższy czas nie dostarczymy organizmowi jakichś witamin czy minerałów, to rozpoczyna się proces chorobowy. (W przypadku niedoboru witamin organizm użytkuje minerały, natomiast jeśli na dłuższy czas pozbawimy się dopływu jakiegoś ważnego minerału, to witaminy nie na wiele się tu zdadzą i najprawdopodobniej dojdzie do rozwoju choroby). Najbardziej znanym przykładem jest chyba choroba zwana szkorbutem, spowodowana niedoborem witaminy C. Szkorbut był plagą żołnierzy i marynarzy pozbawionych przez dłuższy czas dostępu do świeżych warzyw i owoców.

Kiedy zaczyna nam brakować pewnych konkretnych związków, organizm wysyła określone, bardzo czytelne sygnały. Należą do nich np. osłabienie, wypadanie włosów, kurcze mięśni. W takiej sytuacji sięgamy po suplementy. Tu powstaje pytanie: skąd czerpać najwartościowsze witaminy i minerały? Odpowiedzią najbardziej naturalną wydaje się żywność ekologiczna. Słychać jednakże głosy, że stopień zanieczyszczenia środowiska i wyjałowienia gleby jest obecnie tak wysoki, iż pożywienie nawet najwyższej jakości nie jest w stanie dostarczyć już organizmowi wszystkich niezbędnych składników.

Jeśli więc lekarz stwierdzi, że niezbędna jest suplementacja, to zanim sięgniemy po środek syntetyczny, warto zorientować się, czy istnieje jego bardziej naturalny odpowiednik. Witaminy i minerały są najlepiej przyswajalne w swojej naturalnej formie, w towarzystwie wielu substancji, z którymi tworzą komplementarną całość. Witaminy syntetyczne natomiast występują w postaci wyizolowanej. Są więc mniej przyswajalne. (Naturalnym odpowiednikiem witaminy C [kwasu askorbinowego] będzie np. owoc aceroli bądź dzikiej róży, czy czarnej porzeczki). Należy się jednak zawsze dokładnie wczytywać w skład produktu,

nierzadko bowiem informacja o tym, że jest to produkt naturalny, okazuje się prawdą tylko dla określonego znaczenia słowa
„prawda". Oznacza to, że w danym produkcie składnik naturalny
występuje w suplemencie obok syntetycznego. (Zatem kupując
suplement powstały np. z naturalnej aceroli powinniśmy się
upewnić, że nie zawiera również dodatku syntetycznego kwasu
askorbinowego).

Na co dzień spotykamy się z tzw. żywnością fortyfikowaną,
a więc wzbogacaną o określone składniki pokarmowe, takie
jak np. witaminy czy minerały. Na przykład w przypadku soli
chodzi tu o uzupełnianie jej składnikami, których została pozbawiona w procesie technologicznym. Paradoksem natomiast
wydaje się np. wzbogacanie soków w syntetyczną witaminę C,
której owoce są jednym z głównych źródeł (a przynajmniej powinny być).

Należy przy tym pamiętać, że głównym źródłem niezbędnych dla zdrowia organizmu witamin, makro- i mikroelementów oraz enzymów jest żywność przygotowana w sposób jak najbardziej tradycyjny i jak najmniej przetworzona, a także posiłki
bogate w warzywa, owoce oraz produkty nierafinowane.

XVII. ŻYWIENIOWY RECYKLING

1 | MROŻENIE

Kupując produkty lokalne czy ekologiczne, które niejednokrotnie są droższe, wkładając wiele trudu w ich zdobycie i przygotowanie posiłków bez używania półproduktów, warto, po pierwsze, zainwestować w zamrażarkę, a po drugie, wyrobić w sobie nawyk mrożenia, by nie marnować żywności.

Mrozić można prawie wszystko:
- drobne owoce sezonowe, pozbawione szypułek, umyte i osuszone
- niemal wszystkie warzywa (oprócz pomidorów, ogórków, cukinii i cebuli) należy przed zamrożeniem blanszować
- białka jajek (można je wykorzystać do robienia bez)
- wino (zdarza się, że robiąc danie wg jakiegoś przepisu, potrzebujemy np. pół szklanki wina i wtedy nasza zamrożona resztka jest jak znalazł)
- zupy
- drugie dania
- makaron
- mięso z rosołu (do wykorzystania np. w pierogach z mięsem czy pasztetach)
- ugotowane suche strączkowe warzywa (w celu przemycania niewielkich ilości np. w kotletach oraz aby nie mieć wymówki, że nie udało się zaplanować wcześniejszego ich namoczenia przed ugotowaniem)

2 | KOMPOST

Resztki jedzenia można zużyć na kompost, który w przydomowym ogródku odegra rolę naturalnego nawozu dla roślin. Na kompost nie nadają się cytrusy, mięso ani ryby.

PRZEPISY

bułka tarta

Resztki chleba, bułek suszyć na bieżąco na kaloryferze, na słońcu bądź w piekarniku (np. po wyjęciu ciasta piekarnik jest jeszcze przez jakiś czas ciepły i nie trzeba go specjalnie nagrzewać). Mocno wysuszony chleb zemleć w maszynce do mielenia mięsa. Propozycja dla nieposiadających maszynki – rozłożony na stolnicy chleb przykryć ścierką i zgniatać wałkiem do ciasta.

XVIII. ZWIERZĘ TEŻ CZŁOWIEK

Podobno świnka morska rozróżnia kolory i być może właśnie tym kierują się producenci karmy dla gryzoni, którzy chcąc sprawić świnkom frajdę, dodają do ich pożywienia barwniki. Oprócz barwników w karmie dla świnek i innych gryzoni pojawiają się dodatkowe, równie „niezbędne" składniki takie jak cukier czy konserwanty. Najciekawsze w tym wszystkim jest to, że karmę tę opatrzono nazwą „pokarm podstawowy". Czy określenie „podstawowy" nawiązuje do jakiejś karmy „uzupełniającej"? Karmy zawierającej suplementy i minerały dla biednych świnek, które dzięki owym p o d s t a w o w y m składnikom (konserwanty, barwniki czy cukier) zdążyły nabawić się już pewnych niedoborów.

Najzdrowsze dla zwierząt (podobnie jak dla ludzi) byłoby zapewne przygotowywanie im posiłków z wysokojakościowych produktów. Kiedy jest to niemożliwe, należy wybierać karmę bez zbędnych dodatków syntetycznych i środków słodzących. Naszej śwince morskiej kupuję karmę jak najmniej przetworzoną. Oznacza to, że wybieram mieszankę różnych ziaren bez dodatku kolorowych chrupek.

Zwierzęta, jedząc żywność przetworzoną, zaczynają chorować na te same choroby, na które chorują ludzie. Moja najstarsza córka regularnie raportuje mi, na jaką chorobę zmarł kolejny z pupilów którejś z jej koleżanek. (Mało który umiera po prostu ze starości). Niewykluczone, że do ich przedwczesnych zgonów

SUCHA KARMA DLA GRYZONI

Cukier ❓

Czerwień koszenilowa A (ponceau 4R) E 124 ➖

Słód ❓

Tartrazyna E 102 ➖

Zieleń pistacjowa BZ E 133 + E 104 (błękit brylantowy FCF + żółcień chinolinowa) ➖

Żółcień pomarańczowa FCF E 110 ➖

mogła się przyczynić bardzo przetworzona karma z syntetycznymi dodatkami.

Studiując poradniki zdrowego żywienia i etykiety produktów spożywczych, zaczęłam się zastanawiać, czy karma, którą daję swojemu psu, faktycznie jest tym, czego potrzebuje on najbardziej. Postanowiłam zatem przyjrzeć się psiemu pożywieniu nieco bliżej. Organoleptycznie udało mi się stwierdzić, że karma psa nie pachnie. Biedny pies – pomyślałam. Jedząc te bezzapachowe kulki, nie może wykorzystywać swojego podstawowego zmysłu, w jaki wyposażyła go natura. Ta refleksja prowadziła do kolejnej i zaczęłam się zastanawiać, czy może przypadkiem z karmą nie jest tak samo jak z przetworzoną żywnością dla ludzi. Wszystko wprawdzie ma certyfikat, spełnia normy, „zawiera dodatki dopuszczone do stosowania przez UE" (a więc przeciwutleniacze i konserwanty), ma odpowiednie dawki tego i owego, a mimo to tak naprawdę jedzeniem nie jest. Analizując skład suchej karmy dla psa, w jednym z supermarketów natrafiłam na zawierającą czerwony barwnik karmę w kształcie serduszek (rozwiewam wszelkie wątpliwości: to nie był okres walentynek). Czy kupując taką karmę swojemu psu, aby na pewno okazujemy mu miłość właśnie?

Kiedy do powyższego dorzuciłam zdobytą już wcześniej wiedzę o tym, że podczas obróbki termicznej ginie mnóstwo życiodajnych witamin, mikro- i makroelementów oraz enzymów, nabrałam przekonania, że w psiej s u c h e j karmie pozostało niewiele cennych składników odżywczych i sprawia ona jedynie, że mój biedny pies nie jest głodny. Jak przeczytałam w poradniku na temat psów autorstwa Doroty Sumińskiej: „Najczęściej spotykanym błędem popełnianym przez właścicieli psów jest mieszanie gotowych, suchych karm, nawet dobrej jakości, z jedzeniem domowym. Mówiąc »mieszanie«, mam na myśli nie tylko »mieszanie w misce«, ale naprzemienne podawanie psu karmy suchej i domowego mięsnego posiłku". Jak dalej zauważa pani weterynarz, nic złego się nie dzieje, kiedy pies żywiony domowym jedzeniem dostanie suchą karmę raz w miesiącu. Jest natomiast kardynalnym błędem żywienie psa raz jedzeniem domowym, a raz suchą karmą. Możemy bowiem w ten sposób doprowadzić do powstania poważnych chorób. W swoich barwnych i przeciekawych audycjach radiowych pani Sumińska zachęca słuchaczy do gotowania jedzenia pupilom, bo jest to po prostu zdrowsze niż podawanie im suchej karmy. Równocześnie sugeruje nam spełnienie dobrego uczynku i odniesienie poczynionych zapasów karmy do schroniska, gdzie bardzo się przyda.

XIX. PLASTIK NIE JEST *FANTASTIC*

1| URZĄDZENIA PRZYDATNE W KUCHNI

Blender – w wyposażeniu kuchni niezbędny jest nie zamiast, ale oprócz robota kuchennego. Jest niewielki i bardzo poręczny. Używam go prawie codziennie np. do mieszania lanego ciasta, robienia zupy kremu, sorbetu, koktajli, sosu.

Zamrażarka – nieodzowna w kuchni z aspiracjami do zdrowego żywienia. Do mrożenia z trudem zdobytego mięsa i drobiu od rolnika, warzyw, owoców oraz resztek dań.

Patelnia żeliwna – najzdrowsza do smażenia.

Szklane naczynie żaroodporne – idealne do pieczenia ciast, zapiekanek.

Młynek do kawy – do mielenia (oprócz kawy) kasz na mąkę, cukru na cukier puder, sezamu, siemienia lnianego. Najlepiej posiadać dwa lub trzy młynki, ale nawet jeden ułatwia już niejedno zadanie kulinarne.

Brytfanna – najlepsza z grubym dnem. Do smażenia konfitur, dżemów, sosu pomidorowego.

Czajnik z emalią wewnątrz – dla osób uczulonych na nikiel.

Maszynka do mielenia mięsa – przydatna przy wyrobie pasztetów, do mielenia warzyw strączkowych.

Sokownik – do robienia soków na zimę (z materiału innego niż aluminium).

Sokowirówka – do robienia świeżych soków owocowych i warzywnych.

Ślimakowa wyciskarka do soków – za jej pomocą wyciska się sok bez napowietrzenia i nagrzania go, a więc z zachowaniem możliwie jak największej ilości cennych enzymów, minerałów i witamin.

2 | URZĄDZENIA, KTÓRYCH DOBRZE BYŁOBY SIĘ POZBYĆ Z KUCHNI

a| Patelnia teflonowa

Patelnie pokryte nieprzywieralną powłoką teflonową to, owszem, jeden z cudów kuchennej techniki. Jaka gospodyni domowa dobrowolnie zamieniłaby patelnię, do której nic nie przywiera, na taką, do której bez połowy szklanki oleju przywrze cała panierka? Odpowiedź brzmi: żadna nieuświadomiona gospodyni domowa. Jeśli dysponuje bowiem wiedzą o tym, że teflonowe powłoki są uważane za potencjalnie rakotwórcze, to podejmie tę heroiczną decyzję (choć pewnie jednak i tak z bólem serca) i zrezygnuje z ich używania dla dobra swojego i swojej rodziny.

Z wielu źródeł docierają do zwykłych konsumentów ostrzeżenia o szkodliwym wpływie patelni teflonowych na zdrowie, jeśli ulegną one zarysowaniu. Nie spotkałam jednak nikogo, kto pozbyłby się patelni po pierwszym zadrapaniu. W tej sytuacji względy ekonomiczne biorą górę nad zdrowotnymi. Zamiast inwestować więc w nietrwały, potencjalnie szkodliwy teflon, warto od razu kupić coś, co sprawdziło się już wcześniej. Co nam więc pozostaje zamiast teflonu? Do wyboru mamy patelnie żeliwne, pokryte emalią, oraz ze stali nierdzewnej. Dużą popularnością cieszą się ostatnio patelnie z powłoką ceramiczną. O ile materiał, z jakiego wykonana jest powłoka nie budzi zastrzeżeń, to jednak sama patelnia wykonana jest (o ile mi wiadomo) zawsze z kontrowersyjnego aluminium.

Używając opiekaczy do kanapek czy gofrownic, należy mieć świadomość, że ich płyty również pokryte są warstwą teflonu. Mimo przewertowania zasobów internetowych nie udało mi się znaleźć producenta oferującego wyżej wymienione urządzenia bez powłoki teflonowej.

b| Kuchenka mikrofalowa

Przypomnijmy sobie, jak to było w polskiej kuchni przed erą kuchenek mikrofalowych. Ze zlewów wyzierały trzonki czekających na doszorowanie, namoczonych patelni, na których odgrzewano posiłki. W czeluściach zamrażarek miesiącami tkwiły kawałki mięsa, czekając cierpliwie, aż gospodyni pewnego wieczoru się nie zagapi i wyciągnie je odpowiednio wcześnie, by przez noc zdążyły się rozmrozić. Ugotowana strawa całymi godzinami bulgotała na piecu (tracąc swoje cenne składniki odżywcze podczas długiego ogrzewania), by jak najdłużej zachować ciepło. W sukurs tymże gospodyniom przyszedł wynalazek w postaci kuchenki mikrofalowej. Odgrzewa się w niej i rozmraża szybko, łatwo i czysto. Ale jak się okazuje, wszystko ma swoją cenę.

Kuchenki mikrofalowe emitują promieniowanie elektromagnetyczne, które ma szkodliwe działanie na ludzki organizm. Jeden z przedstawicieli tzw. medycyny ekologicznej doktor Józef

Krop postuluje zredukowanie jej użycia do minimum. Wspomina o udokumentowanych przypadkach negatywnego wpływu gotowania i podgrzewania produktów w kuchence mikrofalowej. Urządzenie to zmienia mianowicie strukturę potraw, tzn. że wyjmujemy z niej coś innego, niż do niej włożyliśmy.

A może postanowimy sobie, że będziemy używać kuchenki mikrofalowej tylko w wyjątkowych sytuacjach? Z doświadczenia mojego i moich znajomych wynika, że z tym ograniczonym używaniem owego sprzętu jest podobnie jak z ograniczaniem palenia papierosów. Najpierw pali się jednego, potem dwa i nagle okazuje się, że jest tak, jak było dotychczas. A więc tylko radykalne zerwanie z nałogiem podgrzewania i rozmrażania w mikrofali może nas uratować.

Jak więc odgrzać np. obiad, nie zapracowując sobie przy okazji na miażdżycę tętnic jako jednej z konsekwencji częstego smażenia potraw? Jak z drugiej strony nie zafundować sobie powrotu do przeszłości i uniknąć szorowania brudnych patelni i przypalonych garnków? Jak mieć zawsze na czas rozmrożone mięso czy rybę na obiad?

Odgrzewając obiad sobie czy dzieciom, rzadko kiedy używam do tego tłuszczu. Stosuję tu zasadę „oszukiwania w dobrej wierze", tzn. jeśli jest to tylko możliwe, odgrzewam posiłki z niewielką ilością wody. W ten sposób niestety nie mogę odgrzać obiadu (wymagającemu) mężowi. Tu sięgam więc po tłuszcz przeznaczony do smażenia. Niektóre potrawy (np. ziemniaki, ryż) trzymam po ugotowaniu w garnku owiniętym w gruby ręcznik, dzięki czemu dłużej są ciepłe. Ugotowany makaron, który zdążył wystygnąć, wysypuję na sitko i przelewam gorącą wodą bądź wrzucam ponownie na osolony wrzątek. Zupę odgrzewam porcjami, w małym rondelku, ponieważ częste podgrzewanie pozbawia ją witamin i innych wartościowych składników.

Świetnie sprawdza mi się w kuchni patelnia żeliwna, którą można do woli traktować drapieżnym druciakiem bez obawy, że się ją porysuje, oraz patelnia ze stali nierdzewnej, którą łatwo się myje.

Rozmrażanie to największy problem, jaki powstaje po dobrowolnej rezygnacji z mikrofalówki. Jeśli planowanie nie jest naszą najmocniejszą stroną, musimy zadać sobie nieco trudu i się go nauczyć. Ponieważ pewnych rzeczy po prostu nie można przyspieszyć. Jednak odrobinę można proces rozmrażania wspomóc. W wyjątkowych sytuacjach, kiedy zapomniałam wyjąć z zamrażarki mięso odpowiednio wcześniej, zamiast w zimnej, rozmrażam je w ciepłej wodzie.

Zamrożone gotowe potrawy rozmrażam, podgrzewając je w garnku. Ugotowany makaron wrzucam na wrzątek. Zamrożone (wcześniej ugotowane) pierogi rozmrażam na parze (na garnku z gotującą się wodą umieszczam emaliowane sitko z pierogami).

c| Plastikowe naczynia – plastik nie jest *fantastic*

Kolejne udogodnienie, tym razem w postaci nietłukącego się plastiku, może być źródłem zagrożenia. Coraz częściej docierają zewsząd informacje o potencjalnie toksycznym działaniu tworzyw sztucznych. Plastik jest jednak plastikowi nierówny. Wśród produktów z tworzywa sztucznego można znaleźć zarówno niebezpieczne, jak i relatywnie niegroźne.

Na opakowaniach z plastiku umieszczane są cyfry, które określają przynależność tego tworzywa do konkretnej kategorii recyklingowej, tzn. definiują rodzaj materiału, z jakiego został wykonany dany pojemnik (butelki na wodę, folia spożywcza, pojemniki na żywność, kubki jednorazowe, kubki na jogurt itp.). Autorzy *Morderczej gumowej kaczki* podają wyliczankę, dzięki której można zapamiętać, jaki rodzaj tworzywa sztucznego jest

wyjątkowo toksyczny. Brzmi ona tak: „4, 5, 1 i 2, cała reszta jest
dla mnie zła". To oznacza, że kontakt człowieka lub żywności
z tworzywem oznaczonym cyfrą inną niż w wyliczance (a więc
np.: 3, 6, 7 *etc.*) jest potencjalnie niebezpieczny.

Plastik rozpanoszył się już w naszym codziennym życiu tak
mocno, że niemożliwa jest jego eliminacja, a nawet unikanie go
jest niewykonalne. Jedyne, czego możemy spróbować, to ograniczenie kontaktu z trującym bisfenolem A, ftalanami, ołowiem
czy rtęcią, które coraz częściej uznaje się za czynniki rakotwórcze, wini się je za m.in. zaburzenia hormonalne i szkodliwy
wpływ na układ nerwowy.

Spróbujmy być wierni paru zasadom:

• Przede wszystkim w miarę możliwości należy zwracać uwagę
na oznaczenia wytłoczone na plastikowych opakowaniach i wybierać takie produkty, których opakowania wykonano z bezpiecznych materiałów.

• Zamiast kupować plastikowe butelki dla niemowląt, warto wybrać bezpieczny materiał, jakim jest tradycyjne, niekontrower-
syjne szkło. Podczas wertowania zasobów internetowych w poszukiwaniu informacji na temat butelek dla niemowląt dał mi
do myślenia stosunek liczby butelek plastikowych do liczby butelek szklanych w pierwszym lepszym sklepie internetowym.
Wyniósł on 23:2 (gdzie 23 oznacza butelki plastikowe). Zastanowiło mnie ponadto stosowane obecnie nazewnictwo, a mianowicie synonimem butelki jest dziś butelka plastikowa (w odróżnieniu od butelki szklanej, która opatrzona jest dookreśleniem
„szklana"). Podgrzewanie każdego plastiku z jedzeniem wewnątrz jest niewskazane.

- Nietłukące plastikowe naczynia dla małych dzieci warto zamienić na szklane lub ceramiczne.

- Zamiast pakować drugie śniadanie w folię spożywczą, można użyć do tego bardziej przyjaznego naszemu zdrowiu papieru śniadaniowego.

- Gotowy papier do pieczenia zastępujmy papierem śniadaniowym, który sami natłuścimy zdrowym tłuszczem.

- Bardzo niedobre jest podgrzewanie (np. w kuchence mikrofalowej) opakowań z tworzyw sztucznych, ponieważ dochodzi wtedy do skażenia żywności uwalniającymi się z plastiku (szybciej niż w normalnej temperaturze) substancjami chemicznymi.

- Przechowywanie żywności, np. chleba, warzyw, wędlin, w foliowych woreczkach powoduje, że produkty spożywcze szybciej się psują. Chleb przekładam do papierowej i następnie do plastikowej torby. Można go także przechowywać w lnianej torbie. Ważne jest, by plastik nie stykał się bezpośrednio z produktem żywnościowym. Sery, wędlinę przekładam do szczelnie zamykanych szklanych pojemników. Natomiast warzywa przechowuję w pojemnikach z tektury.

d| Płyta grzewcza

Nasi antenaci przyrządzali strawę na płycie pieca. Potrawy przygotowane w ten sposób, jak twierdzą prawdziwi smakosze, podobno nie mają sobie równych. Obecnie kuchenne piece kaflowe z płytą grzejną spotkamy raczej w skansenie niż w naszych kuchniach, gdzie królują zdobycze nowoczesnej techniki.

Spośród najbardziej popularnych sprzętów na czele rankingu plasuje się kuchenka gazowa, za nią elektryczna, a peleton zamyka płyta indukcyjna (wyliczanka w kolejności od najmniej do najbardziej szkodliwej). Kuchenka gazowa, jeśli została dobrze zainstalowana i jest eksploatowana w sposób prawidłowy, nie stanowi dla nas specjalnego zagrożenia. Podczas spalania gazu powstaje dwutlenek węgla, woda i para wodna. Żaden z tych związków nie stanowi zagrożenia dla zdrowia człowieka. Jeżeli jednak korzystamy z niej bardzo intensywnie, to w pomieszczeniu, w którym gotujemy, gromadzi się duża ilość pary wodnej i należy wówczas je przewietrzyć. W pobliżu kuchenki elektrycznej powstaje pole elektromagnetyczne, które może generować wolne rodniki bardzo niebezpieczne dla ludzkiego organizmu. Znacznie silniejsze pole elektromagnetyczne od niej wytwarza kuchenka z płytą indukcyjną.

e| Garnki

Za nieszkodliwe uważane są garnki ze stali nierdzewnej, naczynia emaliowane (w przypadku tych drugich należy uważać, aby nie używać naczyń porysowanych wewnątrz) i żeliwne oraz garnki gliniane. Dostępne są także garnki wykonane ze szkła, przeznaczone do gotowania na gazie oraz w piekarniku. Za niebezpieczne uznawane są naczynia z aluminium. Kontrowersyjne jest również używanie garnków miedzianych. Miedź jest, po pierwsze metalem ciężkim (szkodliwym dla zdrowia), a ponadto podczas gotowania może dojść do powstania wielu chemicznych reakcji niekorzystnych dla zdrowia człowieka.

XX. RADY OGÓLNE

1 | *SILVA RERUM*, CZYLI PORAD GARŚĆ DLA RODZICÓW
Po przyswojeniu sobie zasad zdrowego odżywiania zdecydowanie łatwiej jest wprowadzić w życie nowy plan żywieniowy w stosunku do dzieci w przedziale wiekowym od zera do trzech lat. To samo przedsięwzięcie w stosunku do dzieci w wieku przedszkolnym, a zwłaszcza szkolnym, staje się już zadaniem niewspółmiernie trudniejszym. Są to bowiem osobnicy o wyrobionym zdaniu na wiele tematów, na dobre już zanurzeni w świecie, któremu na sercu leży raczej wychowanie potulnego konsumenta dóbr niż zdrowego człowieka. W owym nieprzyjaznym otoczeniu nasze dziecko bombardowane jest ze wszystkich stron reklamami zachwalającymi pseudozdrowe żywienie, które ma mu zapewnić odpowiedni poziom wapnia z serka, witamin z cukierków czy prawidłowy rozwój dzięki margarynie. W szkołach zachęcane jest do kupowania śmieciowego „jedzenia" w sklepiku szkolnym lub automacie vendingowym.

Poświęcenie, z jakim oddajemy się naszemu nowemu hobby w postaci zdrowego żywienia, zostaje odczytane przez tychże osobników jako przejaw dręczenia, prześladowania, ograniczania swobody i wolności, bezduszności, a nawet przemocy w rodzinie. Można się spodziewać dialogów podobnych do tych, do jakich dochodziło w naszym domu.

– No chyba nie myślisz, że wezmę ten głupi ekologiczny jogurt do szkoły? – oburza się moja córka.

– Czemu nie? – pytam.

– Bo wygląda inaczej niż normalny – oświadcza zdecydowanie.

Oj, nie jest łatwo. Trzeba niemało sprytu i pomysłowości, wytrwałości i cierpliwości, żeby rozgrywać z dziećmi batalie o zdrowe żywienie i zwyciężać. Jedno jest pewne: im wcześniej zacznie się wdrażać jego zasady na co dzień, tym łatwiej będzie nam osiągnąć cel. Czym skorupka za młodu nasiąknie... – przecież znamy to przysłowie doskonale.

W ciągu tych czterech lat, podczas których mozolnie wprowadzałam w domu nowe zasady żywieniowe i przeprowadzałam setki eksperymentów kuchennych, udało mi się wypracować wiele sposobów i trików, jakie najzwyczajniej w świecie ułatwiły mi życie. Oto zestaw problemów i możliwych rozwiązań.

• **Niechęć do warzyw strączkowych** – Przemycam je w pulpetach, kotletach mielonych, pasztetach, farszach. Oznacza to, że stanowią one jakąś część potrawy (np. kotlety mielone robię w stosunku: rośliny strączkowe do mięsa jak 1:3).

• **Niechęć do kasz** – Podaję je z sosami lub na słodko. Można również dodać je do zupy kremu.

• **Nielubiane warzywa** – Sprawdzają się tu niezastąpione zupy kremy. Odpada wtedy odpowiadanie na zaczepne i oskarżycielskie pytania w stylu: „A to zielone, to co to jest?".

• **Nielubiane potrawy** – Okraszam je mniej zdrowym dodatkiem. Do zup dodaję grzanki, do brokułów czy kalafiora bułkę tartą z masłem.

słodyczy – Trzeba przyznać, że wypieranie jej ze świa-
dzieci, ale również odzwyczajanie dziadków, cioć i wuj-
obdarowywania dzieci przy każdej okazji (i bez okazji)
słodyczami, to orka na ugorze. Ale pozostaje mi praca u podstaw,
edukacja, a właściwie pranie mózgu przy każdej okazji: powta-
rzanie, że słodycze są niezdrowe, że reklama kłamie, że prędzej
czy później jedzenie słodyczy odbije się na ich zdrowiu. Trzy-
letniemu synowi, który podczas wizyty w supermarkecie tonem
nieznoszącym najmniejszego sprzeciwu domagał się kupienia
batonika / cukierka / ciastka (na co akurat padał jego wzrok),
mówiłam zdecydowanie, że to jest trucizna. Koniec. Kropka. I to
działa. (Przynajmniej czasem).

Z córkami (szkoła podstawowa) mam umowę, że jeśli potrafią się powstrzymać i przyniosą do domu słodycze, które dostały
poza domem, to wymienię je im na zdrowy ekwiwalent. To też
działa. (Oczywiście nie w 100%).

W weekend moje dzieci pieką z tatą słodkie, ale zdrowe
ciasteczka, które potem w ciągu tygodnia daję im do szkoły.
Bądźmy kreatywni!

Ostatnio główną atrakcją spotkań rodzinnych stało się cze-
koladowo-owocowe fondue. Dzieci zamiast objadać się niezdro-
wymi ciastami, maczają w rozpuszczonej czekoladzie patyczek
z nadzianym nań owocem, traktując to jako przednią zabawę.

• **Walka z dziadkami, ciociami i wujkami przeciwko słodyczom** – Jak
wiemy, z pustymi rękami w gości się nie chodzi. Moja (obecnie
dorosła) kuzynka jako trzyletnie dziecko zareagowała na takie
właśnie stwierdzenie swojej mamy, która wybierała się gdzieś
z wizytą, słowami: „To weź rękawiczki". W Polsce nie mamy
jednak tradycji zakładania w gości rękawiczek, tylko zasypywa-
nia cudzych dzieci słodyczami. Podobna sytuacja panowała do
pewnego momentu i w naszym domu. Niemal każdej wizycie

gości towarzyszyło wręczanie dzieciom takiej masy słodyczy, jakby bez nich miały natychmiast paść z niedocukrzenia. Po wielu miesiącach próśb, rozmów i interwencji udało się utrwalić w rodzinie i wśród znajomych zasadę, że do nas słodyczy się nie przynosi, ponieważ są natychmiast rekwirowane przez rodziców. Co zatem można zaoferować dzieciom w zamian? Owoce, książeczki, drobiazgi, wspólne wyjście.

• **Dzieci nie chcą jeść niesłodzonych płatków śniadaniowych, chleba innego niż pszenny, kategorycznie domagają się keczupu do każdego posiłku** – Jeśli w domu obok zdrowych płatków zbożowych leżą dobrze znane naszym dzieciom słodzone kuleczki, to żadna siła nie przekona latorośli, żeby sięgnęły po coś, czego nie znają, tylko dlatego, że my uważamy, iż tak jest zdrowiej. Radykalna zmiana wymaga naszej zdecydowanej postawy. Wyrzucamy z kuchni rzeczy niezdrowe, mając nadzieję, że zadziała zasada „czego oczy nie widzą, tego sercu nie żal".

• **Automat ze słodyczami w szkole, sklepik szkolny** – Kontroluję dzieciom kieszonkowe. Rozmawiam z nimi także o konsekwencjach nadmiernego spożywania słodyczy. Są już na tyle duże, że przyjmują moją argumentację i widzą związek przyczynowo-skutkowy między tym, że kolega, który każdą przerwę spędza przy automacie ze słodyczami, równocześnie ma opinię dziecka z ADHD, bo być może szkodzą mu zawarte w słodyczach barwniki i cukier.

• **Posiłki poza domem** – Pracując na cały etat, trudno nic nie jeść przez cały dzień i czekać, aż wróci się do domu i zje zdrowy obiad. Mój mąż, aby nie stołować się w barze ani nie zajadać głodu drożdżówkami, zabiera ze sobą czasem do pracy wcześniej przygotowane jedzenie. Do minimum ograniczam spożywanie przez moje dzieci obiadów w przedszkolu czy w szkole. Jedzą je tylko w wyjątkowych sytuacjach, kiedy muszą zostać tam dłużej. Jeśli przyjrzymy się bowiem pierwszemu lepszemu menu firmy cateringowej dostarczającej obiady do szkół, zobaczymy, że niepodzielnie królują tam ziemniaki, kurczak i biała mąka pszenna. Składniki takie jak fasola, groch, kasza gryczana czy jaglana są niestety nieznane pracownikom tych firm.

• Będzie to jedyna **porada dietetyczna**, jakiej pozwolę sobie udzielić. Starajmy się w centrum naszego jadłospisu (najlepiej każdego posiłku) umieszczać warzywa, a dopiero do nich dołączać kasze, rośliny strączkowe, ryby czy mięso. Warzywa to remedium na wiele negatywnych procesów, jakie towarzyszą obróbce pokarmu, są źródłem witamin, minerałów, antyoksydantów i błonnika.

2 | PORADY DLA WSZYSTKICH

• Unikajmy żywności typu *fast food*, słodzonych napojów, słodyczy, gotowych wyrobów cukierniczych.

• Jedzmy produkty jak najmniej przetworzone. Zamiast tortu orzechowego jedzmy orzechy, zamiast szarlotki – jabłka.

• Zmiany najlepiej wprowadzać stopniowo. Zacząć można np. od jednego produktu tygodniowo. Można zorganizować to tak, że w czasie większych zakupów przeznaczymy nieco czasu na prześledzenie asortymentu, np. jogurtów naturalnych, i spośród nich wybierzemy taki produkt, który nie zawiera mleka w proszku.

• W kuchni wdrażajmy „zasadę płodozmianu", tzn. produkty uznawane ogólnie za niezdrowe (np. tłuszcze przeznaczone do smażenia), stosujmy dla większego bezpieczeństwa na zmianę, bowiem to, co wydaje się w miarę bezpieczne dziś, jutro może zostać zdemaskowane jako szkodliwe. (Czyli używajmy na przemian np. masła klarowanego, smalcu z gęsi, czy oliwy z oliwek. Pamiętajmy równocześnie, że pewne potrawy najlepiej smażyć na konkretnym rodzaju tłuszczu, tzn. np. drób na tłuszczu gęsim).

• Etykiety czytajmy krytycznie. Jeśli coś budzi naszą nieufność lub jest niezrozumiałe, lepiej tego nie kupujmy. Studiowanie etykiet nie ma być gimnastyką dla szarych komórek. Jeśli mamy ochotę na szarady językowe – sięgnijmy po zestaw krzyżówek.

• Kupujmy produkty z jak najmniejszą ilością składników dodatkowych, których nazwy są dla normalnego człowieka niezrozumiałe i które jedzeniem po prostu nie są.

• Kupujmy te produkty, które kupowałaby nasza babcia tudzież prababcia (bądź nabywałby dziadek, pradziadek *etc.*).

• Pytajmy znajomych o ich kontakty z lokalnymi rolnikami i hodowcami.

• Przekazujmy sobie nawzajem pocztą pantoflową informacje o lokalnych sprzedawcach.

• Na targu pytajmy sprzedawców, skąd pochodzi towar. Szukajmy właścicieli małych, lokalnych gospodarstw. Pytajmy, czy stosują nawozy sztuczne i zabójcze (nie tylko dla szkodników) środki ochrony roślin.

ny swoje środowisko ideą zdrowego żywienia. Im
ędzie popyt, tym większa szansa na wzrost podaży.
słowy: im więcej osób będzie „uświadomionych" i im
większe będzie zapotrzebowanie na zdrowe produkty, tym większa stanie się ich oferta w konkurencyjnych cenach.

- Kupujmy produkty ekologiczne z certyfikatem.

- Róbmy przetwory na zimę.

- Nie oglądajmy / nie słuchajmy / nie czytajmy reklam.

- Kierujmy się zdrowym rozsądkiem, zaufajmy swojej intuicji.

PODSUMOWANIE:

- pamiętajmy, że im wcześniej wdrożymy zasady zdrowego
  żywienia dziecka, tym łatwiej je ono zaakceptuje
- stosujmy sprawdzone metody, by podawać dzieciom
  w posiłkach nielubiane przez nie grupy pokarmów
- edukujmy swoje dzieci, by umiały rezygnować ze słodyczy
- walczmy (pokojowo) z rodziną i znajomymi, by nie truli naszych
  dzieci słodyczami

ZAKOŃCZENIE

Na zakończenie podzielę się kilkoma refleksjami, na które zabrakło miejsca we wcześniejszych częściach poradnika. Chciałabym również jeszcze raz wymienić korzyści, które mogą wyniknąć z wprowadzenia zasad zdrowego odżywiania.

Wierzę, że podejmowanie przez nas jednostkowych akcji w celu podniesienia jakości żywienia ma ogromny sens i w sposób wymierny przekłada się nie tylko na zdrowie i samopoczucie nasze i naszych bliskich. Omijanie produktów, które zawierają szkodliwe składniki, i wybieranie takich, które są ich pozbawione, powinno bowiem skłonić producentów do zmiany myślenia i postępowania. Pojedyncze zachowania konsumenckie mogą realnie wpłynąć na producentów żywności. Świadczą o tym chociażby pojawiające się coraz powszechniej napisy na etykietach produktów spożywczych: „bez konserwantów", „bez glutaminianu sodu" czy „nie zawiera sztucznych barwników". Prawa rynku są bezwzględne – jeśli producenci umieszczają na etykiecie produktu taką informację, oznacza to, że w sposób widoczny przekłada się to na wyniki sprzedaży.

Zauważyłam, że na rynku pojawia się coraz więcej sklepów z żywnością ekologiczną oraz stoisk oferujących tradycyjne nieprzetworzone produkty. Świadczy to o rosnącej świadomości społecznej i coraz większym zapotrzebowaniu na p r a w d z i w e jedzenie. Budzi to we mnie jako świadomym konsumencie radość i nadzieję. Nadzieję na to, że być może będzie to miało konkretny wpływ na jakość produktów spożywczych oferowanych w masowej sprzedaży, że konkurencyjność przełoży się realnie na jakość.

Czasem, gdy stanie w kolejce do kasy w supermarkecie przeciąga się w nieskończoność, by zabić czas, uprawiam swego rodzaju zabawę, której nadałam roboczą nazwę: „pokaż mi, co masz w koszyku, a powiem ci, jak się czujesz". Zabawa, w skrócie, polega na tym, że analizuję jakość wybranych produktów jadących przede mną na taśmie do kasy pod kątem ich „chemiczności". To oczywiście wielkie uproszczenie, ale sądzę, że w moich obserwacjach jest ziarno prawdy. Zauważam np. mocno kaszlące dziecko, które zajada się czekoladowym batonikiem, i dostrzegam zależność przyczynowo-skutkową pomiędzy spożywaniem rafinowanego cukru i syntetycznych dodatków a jego niższą odpornością. Innym razem widzę następującą zawartość koszyka: białe bułki, biały cukier rafinowany, serek homogenizowany. Nie dziwi mnie, gdy spośród zakupów stojącego przede mną w kolejce mężczyzny wyławiam wzrokiem także mydło hipoalergiczne.

Znaczenie słowa „profilaktyka" poznałam przy okazji niemieckiego przysłowia _Vorbeugen ist besser als heilen_", co oznacza w tłumaczeniu „Lepiej zapobiegać, niż leczyć". Co ciekawe, Anglicy również znają to przysłowie, natomiast nie ma jego odpowiednika w języku polskim (choć funkcjonuje w nim jako powiedzenie). Być może jest to związane z naszą mentalno-
ięła to zgrabnie pewna moja znajoma, stwierdzając, że
icą na każdym rogu jest siłownia, a u nas apteka. Ja

zauważam jednak coraz większą liczbę nowo otwi
gimnastycznych (oprócz istniejącej już dość sporej l.
Być może za jakiś czas dorobimy się także swojego p.
o wydźwięku prozdrowotnym.

Każdy z nas nosi w sobie zapamiętane smaki i zapachy dzieciństwa. Dla mnie są to smaki i zapachy związane z jakimś świę-
tem, wydarzeniem. Są to smak pomarańczy i zapach wędzonki
kupowanej na Wielkanoc w domu rodzinnym. Sporo miłych
wspomnień związanych ze zmysłami powonienia i smaku mam
w związku z wakacjami spędzanymi w dzieciństwie u cioci
i babci na wsi. Gotowało się tam proste sezonowe jedzenie z tego,
co zostało zebrane z pola, ogrodu, co dały zwierzęta. Piekło
się chleb, robiło masło i ser. Co ciekawe, nikt tam nie chodził
głodny, wręcz przeciwnie – pobyt u cioci kojarzył się wszystkim z jedzeniem najlepszym na świecie, a zapach pieczonych
o poranku w parniku ziemniaków dla świń (*sic!*) działał na nas,
dzieci, lepiej niż budzenie na zamówienie.

Zastanawiam się czasem, w jakie wspomnienia smakowo-
-zapachowe wyposażę swoje dzieci. Ani aromat pomarańczy,
ani zapach świątecznej wędzonki nie jest dla nich dziś niczym wyjątkowym. Zorganizowanie ziemniaków z parnika
w warunkach miejskich należy raczej do misji niewykonal-
nych. Może więc chociaż zapach domowego chleba i weeken-
dowych wypieków będzie ich „zapachem z dzieciństwa". No
i może jeszcze słodki zapach choinki, tzn. zawieszonych na
niej pierniczków.

Pamiętam z dzieciństwa, jak pewnego dnia rozpętała się burza
z powodu doniesienia, że guma Turbo, którą się wówczas zajadaliśmy, jest rakotwórcza. I dreszcz przerażenia, jaki nam, dzieciom, wtedy towarzyszył. Potem jeszcze nieraz docierały do nas

podobne szokujące informacje, jednak z czasem pojęcie „rakotwórczy" spowszedniało na tyle, że w nikim nie budzi już przerażenia ani nawet refleksji. A powinno.

Żywię nadzieję, że być może, gdy więcej czasu i uwagi poświęci się na przygotowanie posiłku, przełoży się to również na zwyczaj jego celebrowania przy stole, a tym samym na zacieśnienie więzów rodzinnych.

SUBIEKTYWNY ALFABET NIEEKOLOGICZNYCH, ALE ZDROWYCH PRODUKTÓW ŻYWNOŚCIOWYCH

Zdrowe żywienie to przede wszystkim świadomy wybór produktów. Jeżeli udaje mi się znaleźć w zwykłym sklepie produkt o dobrym składzie, to ze względów ekonomicznych sięgam po niego, a nie po produkt ekologiczny. Podczas minionych czterech lat zgłębiania tajników etykiet wydeptałam kilka ścieżek, które prowadzą mnie do zdrowych wyrobów w zwykłych sklepach. Poniżej przedstawiam listę konkretnych produktów, które są moimi faworytami w danej dziedzinie. Gotowa lista artykułów nie zwalnia nas jednak od czujnego studiowania etykiet na bieżąco. Jest ona bowiem aktualna w momencie oddawania książki do druku. W międzyczasie jednak skład podany na etykiecie mógł ulec zmianie. Niektóre z podanych przeze mnie produktów mają charakter lokalny i występują tylko w moim rejonie. Przykłady te jednak mogą posłużyć jako inspiracja, by w swoim otoczeniu szukać podobnych wyrobów, oraz zachęta, by tworzyć własne listy „bezpiecznych produktów".

CORN FLAKES

Abstrahując od tego, czy przetworzone ziarno kukurydzy jest w ogóle zdrowe, spośród dostępnych na półkach sklepowych płatków kukurydzianych można wybrać takie, które nie posiadają dodatku cukru. Mnie udało się znaleźć *Corn Flakes Fit* firmy *Obst*, które zamiast cukru zawierają ekstrakt słodowy z jęczmienia.

CUKIER TRZCINOWY NIERAFINOWANY

Firma *Sante* produkuje nierafinowany cukier trzcinowy o różnych stopniach rozdrobnienia. Cukier drobny łatwiej się rozpuszcza.

FILTR DO WODY

Mimo że woda w krakowskich wodociągach jest czysta i smaczna, stosuję w domu filtr dzbankowy z węglem aktywnym firmy *Brita*, ponieważ oprócz oczywistych funkcji oczyszczania (np. z nadmiaru chloru) i zmiękczania wody ma on dodatkowo oczyszczać ją z niektórych pestycydów.

GALARTEKA W PROSZKU

Kupując galaretkę w proszku wybieram galaretkę firmy *Winiary*, ponieważ zawiera w składzie barwniki naturalne.

HERBATA

Herbaty owocowe i ziołowe bez dodatku aromatów mają w swojej ofercie np. firmy: *Kawon* (zarówno do zaparzania, jak i w torebkach), *Dary Natury* (obok herbat ekologicznych produkują także herbaty bez zbędnych dodatków), *Herbapol* (można znaleźć bez dodatku aromatu).

JOGURT

W supermarkecie, w którym najczęściej robię zakupy, kupuję czasem jogurt naturalny. Wybieram *Jogurt naturalny typ grecki* firmy *Bakoma* lub *Sokólski light* firmy *Mlekpol* (oba bez dodatku mleka w proszku). Najczęściej jednak kupuję jogurt naturalny z dodatkiem bakterii probiotycznych *Lactobacillus casei* firmy *Klimeko*. Kupuję go w sklepach ekologicznych lub w sklepach z żywnością tradycyjną. Choć nie jest to produkt ekologiczny, to jak zapewnia na swojej stronie internetowej producent, wytwarzany jest w sposób tradycyjny.

KAWA ZBOŻOWA

Po rezygnacji ze zbożowej kawy rozpuszczalnej wybrałam kawę w saszetkach firmy *Anatol*. Jest ona smaczna i łatwa w przygotowaniu. Bardziej tradycyjnym jej odpowiednikiem jest kawa zbożowa *Kujawianka*. Proces przygotowania jej wiąże się jednak z nieco większym nakładem pracy i czasu (należy ją zagotować). Pracę ułatwia użycie czajniczka ciśnieniowego lub ciśnieniowego ekspresu do kawy, gdzie zaparza się ją w prosty i szybki sposób.

KEFIR

Mieszkańcy Krakowa polecają sobie pocztą pantoflową kefir, który „działa". Jest on sprzedawany (jak za dawnych lat) w szklanej butelce. A relikt ten produkowany jest przez *Okręgową Spółdzielnię Mleczarską Rokitnianka* oddział Wadowice.

KECZUP

Nie udało mi się znaleźć w zwykłej sprzedaży „keczupu idealnego", bowiem każdy z nich w najlepszym razie rozwiera „tylko" cukier. Do grona tych produktów nieidealnych, ale jednak akceptowalnych należy np. keczup firmy *Heinz* (ma w składzie cukier) oraz keczup firmy *Pudliszki* (zawiera cukier i skrobię modyfikowaną).

MASŁO

Masło extra osełka górska firmy *Sobik* zawiera 82% tłuszczu mlecznego. Jest ono wielokrotnym zdobywcą nagród konsumenckich. Gospodynie domowe polecają je zwłaszcza do wypieku tortów, ciasta kruchego, robienia masy. Natomiast *Masło extra Okręgowej Spółdzielni Mleczarskiej Hajnówka* dobrze się klaruje.

MIÓD

Dobrą opinią cieszy się pasieka *Barć* z Kamiannej, która wytwarza miody i produkty miodowe.

MLEKO

Staram się kupować mleko prosto od krowy, jednak nie zawsze jest to możliwe i w takich sytuacjach sięgam najczęściej po mleko firmy *Robico*. Jest to mleko poddane procesowi niskiej pasteryzacji i mikrofiltracji. Sprzedawane jest w szklanych butelkach. Podobnym procesom poddawane jest *Mleko wiejskie* firmy *Piątnica* czy *Ale mleko* firmy *Okręgowej Spółdzielni Mleczarskiej Radomsko*. Ich minusem jest jednakże kartonowe opakowanie.

NABIAŁ

Zakład Przetwórstwa Mlecznego Dominik produkuje wyroby nabiałowe zarówno ekologiczne, jak i tradycyjne. Mleko stosowane w produktach tradycyjnych pochodzi z małych gospodarstw od krów czerwonej rasy polskiej (uważa się, że mleko tej rasy ma najlepszy skład). W oparciu o tradycyjne metody wytwarzają swoje produkty nabiałowe ojcowie cystersi ze Szczyrzyca, opatrzone nazwą *Produkty klasztorne SA*. W ofercie posiadają także wyroby ekologiczne.

PARÓWKI, WĘDLINY, KURCZAKI

Decydując się na zaserwowanie swojej rodzinie parówek, wybieram parówki cielęce firmy *Bacówka*, gdzie zawartość mięsa wynosi 95%. Są one dostępne w sklepach firmowych bądź franczyzowych na terenie Polski Południowej. Firma ta posiada również bogatą ofertę wędlin wyrabianych sposobem tradycyjnym. *Bacówka* prowadzi także sprzedaż kurczaków, które karmione były paszą bez dodatku GMO. Spośród oferty wędlin dostępnych w *Krakowskim Kredensie* również można wybrać takie, które zawierają minimalny udział substancji dodatkowych.

PATELNIA
Solidne patelnie *Senior* wykonane z żeliwa i emalii oferuje sieć sklepów *Ikea*. Sprawdzoną patelnią ceramiczną, która jest trwała i do której nie przywierają potrawy podczas smażenia jest patelnia *Nairobi* firmy *GreenPan*.

PIECZYWO
W moim rejonie piekarnią, która charakteryzuje się wyrobem pieczywa tradycyjnego, jest np. *Piekarnia Mojego Taty*. Można dostać tam (na zamówienie) pieczywo bez pszenicy na zakwasie. Bardzo dobry w składzie (żytni na zakwasie, zawiera dodatek mąki graham) oraz w smaku jest chleb *Grześkowy* z *Piekarni Grzegorza Krupy*.

PRZETWORY
Tradycyjne przetwory w słoikach zawierające jedynie niezbędne dodatki produkuje firma *Spichlerz*. W ofercie firmy znaleźć można np. ogórki kiszone i konserwowe, chrzan, kompot czy konfitury.

PRZYPRAWY
Przyprawy jednorodne oraz mieszanki przypraw opatrzone jakże wymownym opisem: „przyprawy bez chemii" produkuje firma *Dary Natury*. Firma *Podravka* wypuściła na rynek przyprawę warzywną do potraw o nazwie *Vegeta Natur*, która nie zawiera wzmacniaczy smaku.

RODZYNKI
Kupując rodzynki, wybieram *Rodzynki królewskie* firmy *Makar*, które są dostępne zarówno w zwykłej sprzedaży, jak i w niektórych sklepach z żywnością ekologiczną. Są one niesiarkowane i co najważniejsze nie uczuliły nigdy żadnego z moich dzieci.

SERY

W *Krakowskim Kredensie* dostać można *Ser góralski* (przypomina kształtem oscypka), który poza krowim mlekiem zawiera jedynie sól i przyprawy. Używam go jako żółtego sera. Twarogiem, który cieszy się dobrą opinią wśród moich znajomych, jest pakowany w pergamin *Twaróg Jurajski* produkowany przez *Okręgową Spółdzielnię Mleczarską w Skale*. *Okręgowa Spółdzielnia Mleczarska w Bychawie* także wytwarza sery twarogowe bez dodatków i mleka w proszku, zapakowane w pergamin. Niepotrzebnych składników dodatkowych nie zawiera *Serek Wiejski* np. firmy *Krasnystaw* czy *Piątnica* (który został zwycięzcą serków wiejskich w rankingu przeprowadzonym przez magazyn „Pro-test").

SŁODYCZE

Spośród ogromnej oferty słodyczy wybieram te o jak najmniejszej ilości składników. Najczęściej kupuję gorzką czekoladę o jak najwyższym procentowym udziale kakao w proszku i tłuszczu kakaowego i równocześnie jak najniższej zawartości cukru. Najchętniej sięgam po czekoladę gorzką firmy *Wawel* o nazwie *Dark 90% cocoa* (w której składzie cukier występuje dopiero na trzecim miejscu) lub *Gorzką krakowską* (gdzie cukier zajmuje drugą pozycję). Podobny skład do tej drugiej zawiera *Czekolada gorzka* firmy *E. Wedel* (ma jednak nieco niższy udział procentowy masy kakaowej). Innym przykładem słodyczy o małej liczbie składników są sezamki, np. *Sezamki* firmy *Unitop* składają się w 51% z cukru i syropu glukozowego, z czego wynika, że prawie połowę produktu tworzy ziarno sezamu.

SOK W KARTONIE

Sok w kartonie, który nie został wyprodukowany z koncentratu, to np. *Jabłko Champion 100% z miąższem* firmy *Tymbark*.

SÓL KAMIENNA

Bogata w składniki mineralne jest sól kamienna z Kłodawy.

WARZYWA KONSERWOWE

Warzywa konserwowe w słoiku (typu: groszek, ogórki, seler) i bez zbędnych dodatków produkuje firma *Rolnik*. Natomiast *Kukurydzę konserwową* w słoiku, a nie w puszce oferuje firma *Pudliszki*.

WODA MINERALNA

Kierując się zasadą, by woda mineralna miała odpowiedni stosunek minerałów wobec siebie, kupuję np. wodę mineralną *Piwniczanka*, gdzie stosunek wapnia do magnezu wynosi około 2:1. Ponadto woda ta sprzedawana jest w ciemnych (choć niestety plastikowych) butelkach.

PRZYDATNE SERWISY INTERNETOWE

biokurier.pl – Serwis poświęcony ekologicznej żywności, kosmetykom i tekstyliom. Nieobce są mu również tematy sprawiedliwego handlu i świadomej konsumpcji.

wegedzieciak.pl – Forum rodzin wegańskich i wegetariańskich, które zawiera mnóstwo ciekawych i inspirujących przepisów kulinarnych.

pro-test.pl – Czasopismo, które zamieszcza porównawcze testy konsumenckie żywności, sprzętu AGD, kosmetyków i innych produktów.

ijhar-s.gov.pl – Serwis Inspekcji Jakości Handlowej Artykułów Rolno-Spożywczych (IJHARS). Inspekcja zajmuje się m.in. nadzorem nad jakością handlową produktów rolno-spożywczych. Na stronie serwisu można się zapoznać z wynikami kontroli przeprowadzanych przez tę jednostkę.

dziecisawazne.pl – Serwis internetowy poświęcony zagadnieniom pielęgnacji dzieci i opieki nad nimi. Porusza m.in. zagadnienia zdrowej żywności.

food-info.net/pl – Wielojęzyczny portal informacyjny o żywności (dodatki do żywności wraz z opisem, bezpieczeństwo żywności i in.).

lokalnazywnosc.pl – Serwis mający na celu propagowanie lokalnej żywności. Umożliwia również nawiązywanie kontaktów między wytwórcą a konsumentem.

TABELA SZKODLIWYCH LUB POTENCJALNIE SZKODLIWYCH DODATKÓW DO ŻYWNOŚCI

NAZWA I SYMBOL	KOD	ZASTOSOWANIE	MOŻLIWE SKUTKI	WYSTĘPOWANIE W ŻYWNOŚCI
5'-rybonukleotyd disodowy ⊖	E 635	wzmacniacz smaku i zapachu	astma, nadpobudliwość, wysypki, niedozwolony w żywności przeznaczonej dla dzieci	chipsy smakowe, ciasta owocowe
Acesulfam K ⊖	E 950	substancja słodząca	może wywołać nowotwory (badania na zwierzętach)	do słodzenia napojów, leków, niskokalorycznych produktów spożywczych
Acetylowany adypinian diskrobiowy ❗	E 1422	zagęstnik	budzi zastrzeżenia jako skrobia modyfikowana w pożywieniu; powoduje mały przyrost masy ciała (badania na zwierzętach)	sosy, keczup
Annato (rocou) ⊖	E 160b	barwnik	może powodować pokrzywkę, obrzęk naczynioruchowy, obniżenie ciśnienia	płatki śniadaniowe, żółty ser, kisiel, margaryna
Aspartam ❗	E 951	substancja słodząca	może powodować podrażnienie układu oddechowego, oczu, skóry; szkodliwy wpływ na rozrodczość (badania na zwierzętach)	napoje i produkty typu *light*, jogurty, wody smakowe, lekarstwa

NAZWA I SYMBOL	KOD	ZASTOSOWANIE	MOŻLIWE SKUTKI	WYSTĘPOWANIE W ŻYWNOŚCI
Azorubina ⊖	E 122	barwnik	może wywołać nietolerancję u ludzi z uczuleniem na salicylany, może nasilać objawy astmy, wpływać na nadpobudliwość u dzieci	lekarstwa, napoje
Azotan potasu ⊖	E 252	konserwant	prawdopodobnie rakotwórczy, szkodliwy wpływ na rozrodczość (badania na zwierzętach), absorpcja w ciele prowadzi do tworzenia methemoglobiny, która może spowodować sinicę	warzywa (nawożone sztucznie), ser żółty
Azotyny i pochodne ⊖	azotyn potasu E 249, azotyn sodu E 250	konserwanty	potencjalnie rakotwórcze, mogą powodować anemię hemolityczną	parówki, sól peklująca, paszety, wędliny, wędzone i marynowane przetwory mięsne
Benzoesan sodu ⊖	E 211	konserwant	pokrzywka, astma, reakcje alergiczne; w kwaśnym roztworze może wejść w reakcję z kwasem askorbinowym (wit. C), tworząc benzen, który może powodować białaczkę i inne nowotwory	napoje, syropy owocowe, keczup, majonez, musztarda, wody smakowe, lekarstwa, cukier żelujący, sos sojowy
Błękit brylantowy FCF ⊖	E 133	barwnik	astma, reakcje alergiczne, kancerogenny	lekarstwa, napoje, płatki zbożowe
Błękit patentowy V ⊖	E 131	barwnik	astma, pokrzywka, nadpobudliwość, reakcje alergiczne	produkty mleczne, lekarstwa

NAZWA I SYMBOL	KOD	ZASTOSOWANIE	MOŻLIWE SKUTKI	WYSTĘPOWANIE W ŻYWNOŚCI
Butylohydro-ksyanizol ⊖	E 320	przeciwutle-niacz, konser-want	może wywoływać reakcje pseudoaler-giczne, w połącze-niu z dużą ilością witaminy C może wytwarzać wolne rodniki, które mogą uszkodzić DNA	kostki rosołowe, produkty zawie-rające tłuszcz
Chlorek potasu ❗	E 508	regulator kwasowości	w małych daw-kach uznawany za nieszkodliwy, w większych może powodować wymioty, mdłości	mleko modyfiko-wane, produkty o niskiej zawar-tości sodu
Czerń brylan-towa PN ⊖	E 151	barwnik	może wywołać nie-tolerancję u ludzi z uczuleniem na salicylany, może na-silać objawy astmy, wpływać na nadpo-budliwość u dzieci	lekarstwa, brązo-we sosy
Czerwień Allura AC ⊖	E 129	barwnik	może wywołać nie-tolerancję u ludzi z uczuleniem na sali-cylany, może nasilać objawy astmy, wpły-wać na nadpobudli-wość u dzieci; może wywoływać raka pęcherza (badania na zwierzętach)	lekarstwa, ciasta w proszku
Czerwień koszenilowa A (ponceau 4R) ⊖	E 124	barwnik	senność, zmiany w nerkach, muta-genny, guzy wątroby (badania na zwie-rzętach)	lekarstwa, karma dla gryzoni, cia-sta w proszku
Disiarczyn sodu (pirosiarczyn sodu) ⊖	E 223	konserwant	astma, atopowe zapalenie skóry, reakcje alergiczne	suszone owoce, produkty mączne, chrzan ze słoika
Dwusiarczyn potasu ⊖	E 224	konserwant	podrażnienia dróg oddechowych, prze-wodu pokarmowego	musztarda

NAZWA I SYMBOL	KOD	ZASTOSOWANIE	MOŻLIWE SKUTKI	WYSTĘPOWANIE W ŻYWNOŚCI
Dwutlenek siarki ⊖	E 220	konserwant	może zmniejszać zawartość witamin, u osób podatnych może powodować problemy w oddychaniu	suszone owoce, piwo, soki owocowe, marynaty
Etylowanilina ⊖		aromat syntetyczny	może działać drażniąco na skórę, oczy, może powodować podrażnienie dróg oddechowych, mutagenne działanie na komórki rozrodcze	cukier waniliowy
Galusan propylu ⊖	E 310	przeciwutleniacz	drgawki, duszności, alergiczna reakcja skórna i dróg oddechowych, działanie muta-, kancero- i teratogenne (badania na zwierzętach)	kostki rosołowe, produkty zawierające tłuszcz
Glutaminian monosodowy (glutaminian sodu) ⊖	E 621	wzmacniacz smaku i zapachu	pokrzywki, reakcje alergiczne, migreny	zupy w torebkach, zupy błyskawiczne, makarony smakowe, przyprawy do zup w płynie i w proszku, parówki, paluszki rybne, lekarstwa
Guanylan disodowy ❗	E 627	wzmacniacz smaku i zapachu	niezalecany dzieciom, może wywołać nietolerancję u ludzi uczulonych na salicylany	przyprawy w proszku, sosy w proszku
Guma arabska ❗	E 414	zagęstnik, stabilizator, emulgator	w wysokich stężeniach może wywoływać wzdęcia	jogurty, wyroby cukiernicze
Guma konjac ❗	E 425	zagęstnik, substancja żelująca, emulgator	problemy ze strony przewodu pokarmowego	parówki, sosy mięsne

NAZWA I SYMBOL	KOD	ZASTOSOWANIE	MOŻLIWE SKUTKI	WYSTĘPOWANIE W ŻYWNOŚCI
Hydroksypropy-lofosforan diskrobiowy	E 1442	zagęstnik, stabilizator, emulgator	budzi zastrzeżenia jako skrobia mody-fikowana w pożywieniu	produkty mleczne, zupy konserwowe
Indygotyna	E 132	barwnik	reakcje alergiczne	lekarstwa, słodycze
Inozynian disodowy	E 631	wzmacniacz smaku i zapachu	może powodować podrażnienie przewodu pokarmowego i oddechowego	parówki, przyprawy do zup
Inwertaza	E 1103	środek pomocniczy	może pochodzić z drożdży GMO (które podejrzewa się o wywoływanie wielu poważnych problemów zdrowotnych)	słodycze
Karagen	E 407	zagęstnik	kancerogenny (badania na zwierzętach)	słodycze, nabiał, parówki, budyń, cukier żelujący
Karmel amoniakalny	E 150c	barwnik	konwulsje, toksyczny dla krwi (badania na zwierzętach), nadpobudliwość	wyroby nabiałowe, płatki śniadaniowe, parówki, przyprawy w płynie, ciemne pieczywo
Karmina (kwas karminowy, koszenila)	E 120	barwnik	reakcje alergiczne, powinny go unikać osoby uczulone na salicylany	wyroby nabiałowe, galaretka, budyń, kisiel w proszku, napoje
Kwas cyklaminowy i jego sole	E 952	wzmacniacz smaku i zapachu, substancja słodząca	migreny, podrażnienia skóry, kancerogenny	napoje, produkty niskokaloryczne, owoce konserwowe

NAZWA I SYMBOL	KOD	ZASTOSOWANIE	MOŻLIWE SKUTKI	WYSTĘPOWANIE W ŻYWNOŚCI
Kwas cytrynowy ❶	E 330	regulator kwasowości	uznawany za nieszkodliwy w zastosowaniach spożywczych, może nasilać opryszczkę	słodycze, produkty nabiałowe, płatki śniadaniowe, soki i napoje, pieczywo, produkty konserwowe, wędliny i pasztety
Kwas fosforowy ❶	E 338	regulator kwasowości	w małych dawkach uznawany za nieszkodliwy; nadmiar może wpływać na utratę wapnia z kości	majonez, słodycze
Kwas sorbowy ❶	E 200	konserwant	reakcje alergiczne, kontaktowe zapalenie skóry	bakalie, keczup, cukier żelujący
Lizozym ❶	E 1105	konserwant	może wywołać reakcje alergiczne	ser żółty
Mannitol ⊖	E 421	substancja słodząca, środek utrzymujący wilgotność	może wywoływać wzdęcia, podrażniać żołądek	niskokaloryczne produkty spożywcze, słodycze
Mleczan wapnia ❶	E 327	środek zakwaszający	uznawany za nieszkodliwy, nie podawać małym dzieciom (nie mają odpowiednich enzymów, aby metabolizować te formy mleczanów)	mleczne produkty dla dzieci, wyroby cukiernicze
Natamycyna ⊖	E 235	konserwant, środek grzybobójczy	podrażnienia układu pokarmowego i oddechowego	ser żółty, wędzone przetwory mięsne (otoczka)
Propionian wapnia ❶	E 282	konserwant, środek przeciwpleśniowy	migrena, zmęczenie, bóle głowy i żołądka	pieczywo, sery topione
Sacharyna i jej sole ⊖	E 954	substancja słodząca	działanie rakotwórcze (badania na zwierzętach)	napoje, lekarstwa

NAZWA I SYMBOL	KOD	ZASTOSOWANIE	MOŻLIWE SKUTKI	WYSTĘPOWANIE W ŻYWNOŚCI
Siarczyny i pochodne ⊖	siarczyn sodu E 221, siarczyn wapnia E 226	konserwanty	skurcz oskrzeli, nieżyt nosa, wstrząs anafilaktyczny, objawy żołądkowo-jelitowe	suszone owoce, owoce i warzywa konserwowe
Skrobia modyfikowana !	E 1404	zagęstnik, stabilizator	budzi zastrzeżenia jako skrobia modyfikowana w pożywieniu	sosy w proszku, wyroby nabiałowe, mleko modyfikowane, parówki, wyroby wędliniarskie, produkty w proszku
Sorbinian potasu !	E 202	konserwant	podrażnienie dróg oddechowych, skóry	wody smakowe, cukier żelujący, syropy owocowe, produkty kiszone
Sorbitol !	E 420	substancja słodząca, środek utrzymujący wilgotność	nadmierne spożycie może wywołać podrażnienia układu pokarmowego	wyroby cukiernicze, gumy do żucia
Sól wapniowo-disodowa kwasu etylenodiaminotetraoctowego (EDTA wapniowo-disodowy) ⊖	E 385	konserwant	dolegliwości jelitowe, skurcze mięśni, uszkodzenie jelit, działanie mutagenne	majonez, warzywa w puszkach
Sukraloza !	E 955	substancja słodząca	(wytwarzana syntetycznie z cukru i chloru) potencjalnie szkodliwa; może powodować powiększenie nerek i wątroby (testy na zwierzętach)	substancja słodząca w wyrobach cukierniczych lub dżemach, napojach

NAZWA I SYMBOL	KOD	ZASTOSOWANIE	MOŻLIWE SKUTKI	WYSTĘPOWANIE W ŻYWNOŚCI
Tartrazyna ⊖	E 102	barwnik	nasila objawy u osób uczulonych na salicylany, w połączeniu z benzoesanem sodu może wywoływać u dzieci nadpobudliwość, wyzwala histaminę	sucha karma, wyroby cukiernicze, napoje
Wanilina ❗		aromat naturalny (na masową skalę wytwarzany w sposób syntetyczny)	może mieć działanie mutagenne (badania na zwierzętach), może działać drażniąco na oczy, skórę, drogi oddechowe, wątrobę, układ moczowy	cukier waniliowy
Węglany sodu ❗	E 500	regulator kwasowości, środek przeciwzbrylający	w małych dawkach uznawane za nieszkodliwe, duże dawki mogą spowodować ostrą reakcję ze strony przewodu pokarmowego	słodycze, produkty w proszku
Żelazocyjanek potasu ❗	E 536	środek przeciwzbrylający	może podrażniać drogi oddechowe, skórę	sól kuchenna
Żółcień chinolinowa ⊖	E 104	barwnik	astma, reakcja skórna, nadpobudliwość, działanie kancerogenne	galaretka w proszku, lekarstwa, sucha karma
Żółcień pomarańczowa FCF ⊖	E 110	barwnik	może powodować podrażnienie układu oddechowego, podrażnienie skóry i oczu	lekarstwa, sucha karma

GRUPY POTENCJALNIE SZKODLIWYCH DODATKÓW DO ŻYWNOŚCI

NAZWA	KOMENTARZ
Aromat ❓	unikać (może być syntetyczny)
Cukier ❓	nie nadużywać
Dekstroza ❓	nie nadużywać
Ekstrakt słodowy ❓	nie nadużywać
Fruktoza ❓	nie nadużywać
Glikozydy stewiolowe (E 960) ❓	nie nadużywać
Glukoza, syrop glukozowy ❓	nie nadużywać
Mąka pszenna ❓	nie nadużywać
Mleko w proszku ❓	unikać (zawiera utleniony LDL)
MOM ❓	unikać (produkt mięsopodobny)
Sól ❓	nie nadużywać rafinowanej, unikać dodatku E 536
Syrop glukozowo-fruktozowy ❓	nie nadużywać

ŹRÓDŁA

ROZDZIAŁ I. PRZYPADKI STRAPIONEJ MATKI
1. Jak to było u nas
O wpływie zanieczyszczeń na jakość mleka matki pisze J. Krop, *Ratujmy się – elementarz medycyny ekologicznej*, Gdańsk [ok. 2008].

Pojęcie „pseudoalergii" rozwija B. Kropka, *Pokonaj alergię*, Skoczów 2009.

3. Motywacja
Związek między chorobami cywilizacyjnymi a złym stylem życia wykazują autorzy artykułu: M. Tietze i in., *Zawartość związków azotowych w produktach spożywczych*, „Annales Universitatis Mariae Curie-Skłodowska Lublin--Polonia" 2007, t. XXV (1).

Do kupowania dobrych jakościowo produktów spożywczych zachęca w swojej książce kucharskiej Jamie Oliver: J. Oliver, *Moje obiady*, tłum. M. Antonik, J. Sawicka, Warszawa 2007, s. IX, XII.

ROZDZIAŁ II. ŻYWNOŚĆ – INSTRUKCJA OBSŁUGI
1. Racjonalne odżywianie
O związku między dietą a chorobami cywilizacyjnymi można przeczytać w artykule: G. Nowicka, *Żywienie a prewencja chorób układu krążenia*, „Studia Ecologiae et Bioethicae" 2003, t. 1.

Raporty, statystyki, omówienie przyczyn wzrostu zachorowań na nowotwory znajdują się w: J. Meder, *Podstawy onkologii klinicznej*, Warszawa 2011; U. Wojciechowska, J. Didkowska, W. Zatoński, *Nowotwory złośliwe w Polsce w 2010 roku*, Warszawa 2012.

Szczegółowy raport o wpływie związków chemicznych na układ hormonalny i powstawanie chorób znajduje się na stronie internetowej: unep.org/pdf/9789241505031_eng.pdf, dostęp 09.04.2013.

2. Żywność ekologiczna a żywność przetworzona

Opis wymagań, jakie muszą spełnić produkty rolnictwa ekologicznego, a także wykaz jednostek certyfikujących je w Polsce, znajdują się na następujących stronach internetowych: ijhar-s.gov.pl/news/items/ijhars--radzi-jak--czytac-etykiety-produktow-spozywczych, dostęp 28.02.2013; bip.minrol.gov.pl/DesktopDefault.aspx?TabOrgId=643&LangId=0, dostęp 01.03.2013.

Broszura, w której znajduje się artykuł na temat znakowania produktów ekologicznych, jest dostępna na następującej stronie internetowej: ijhar-s.gov.pl/pliki/A-pliki-z-glownego-katalogu/ethernet/2013/SME/WiJ%201%202013.pdf, s. 22, 23, dostęp 27.04.2013.

Regulacje prawne dotyczące rolnictwa ekologicznego, w tym stosowania nawozów w rolnictwie ekologicznym, zawarte są m.in. w: rozporządzeniu Rady (WE) nr 834/2007 z 28 czerwca 2007 r. w sprawie produkcji ekologicznej i znakowania produktów ekologicznych (Dz. U. UE L 189/1); rozporządzeniu Komisji (WE) nr 889/2008 z dnia 5 września 2008 r. ustanawiającym szczegółowe zasady wdrażania rozporządzenia Rady (WE) nr 834/2007 w sprawie produkcji ekologicznej i znakowania produktów ekologicznych w odniesieniu do produkcji ekologicznej, znakowania i kontroli (Dz. U. UE L 250/1): Ustawie z 25 czerwca 2009 o rolnictwie ekologicznym (Dz. U. 2009 nr 116 poz. 975).

Pewne informacje dotyczące rolnictwa ekologicznego można znaleźć także na stronie internetowej: ec.europa.eu/agriculture/organic/glossary_pl, dostęp 29.04.2013.

Wiele cennych porad dotyczących przygotowania pokarmów oraz zdrowej żywności znajduje się w książce: J. Maslanky, *Od lekarza do grabarza*, Kraków 2011, s. 200.

4. Na tropie przestępców, czyli o dodatkach syntetycznych

O wpływie na zdrowie dodatków do żywności traktuje artykuł naukowy: I. Zielińska, M. Czerwionka-Szafarska, *Nadwrażliwość na substancje dodawane do żywności – niedoceniany problem w praktyce pediatrycznej*, „Przegląd Pediatryczny" 2008, t. 38, nr 4.

Kompendium zawierające dokładny opis większości dodatków do żywności: B. Statham, *E 213. Tabele dodatków i składników chemicznych, czyli co jesz i czym się smarujesz*, tłum. K. Tryc, Warszawa 2006.

Regulacje prawne dotyczące bezpieczeństwa żywności i żywienia oraz dodatków do żywności znajdują się w szczególności w następujących aktach prawnych: Ustawa o bezpieczeństwie żywności i żywienia z 25 sierpnia 2006 r. (Dz. U. 2010 nr 136 poz. 914 z późn. zm.); rozporządzenie Ministra Zdrowia z 22 listopada 2010 r. w sprawie dozwolonych substancji dodatkowych (Dz. U. nr 232 poz. 1525) – [stosowane do 1 czerwca 2013 r., a po tej dacie zastąpione m.in. przez rozporządzenia Komisji (UE) nr 1129/2011 oraz nr 1130/2011)]; rozporządzenie Parlamentu Europejskiego i Rady (WE) nr 1333/2008 z 16 grudnia 2008 r. w sprawie dodatków do żywności (Dz. U. UE L 354/16); rozporządzenie Komisji (UE) nr 1129/2011 z 11 listopada 2011 r. zmieniające załącznik II do rozporządzenia Parlamentu Europejskiego i Rady (WE) nr 1333/2008 poprzez ustanowienie unijnego wykazu dodatków do żywności (Dz. U. UE L 295/1); rozporządzenie Komisji (UE) nr 1130/2011 z 11 listopada 2011 r. zmieniające załącznik III do rozporządzenia Parlamentu Europejskiego i Rady (WE) nr 1333/2008 w sprawie dodatków do żywności przez ustanowienie unijnego wykazu dodatków do żywności dopuszczonych do stosowania w dodatkach do żywności, enzymach spożywczych, środkach aromatyzujących i składnikach odżywczych (Dz. U. UE L 295/178).

Takie terminy jak: „substancje dodatkowe", „substancje chemiczne", „substancje dodawane do żywności", „chemiczne dodatki do żywności", „syntetyczne substancje", „dodatki do żywności", stosowane są w niniejszym poradniku głównie w znaczeniu potocznym.

5. Organizmy zmodyfikowane genetycznie
O żywności zmodyfikowanej genetycznie (w tym o kukurydzy i soi) czytamy w książce: B. Statham, *E 213. Tabele dodatków i składników chemicznych, czyli co jesz i czym się smarujesz*, tłum. K. Tryc, Warszawa 2006.

Regulacje prawne dotyczące żywności zawierającej GMO można znaleźć m.in. w: rozporządzeniu (WE) nr 1830/2003 Parlamentu Europejskiego i Rady z 22 września 2003 r. dotyczącym możliwości śledzenia i etykietowania organizmów zmodyfikowanych genetycznie oraz możliwości śledzenia żywności i produktów paszowych wyprodukowanych z organizmów zmodyfikowanych genetycznie i zmieniającym dyrektywę 2001/18/WE (Dz. U. UE

L 268/24); Ustawie z 22 czerwca 2001 o organizmach genetycznie zmodyfikowanych (Dz. U. 2007 nr 36 poz. 233).

6. Dopuszczalne normy są niedopuszczalne

Informacje na temat weryfikacji dotychczasowych danych dotyczących dodatków do żywności (głównie barwników) podają następujące źródła: B. Statham, *E 213. Tabele dodatków i składników chemicznych, czyli co jesz i czym się smarujesz*, tłum. K. Tryc, Warszawa 2006; rozporządzenie Komisji (UE) nr 1129/2011 z 11 listopada 2011 r. zmieniające załącznik II do rozporządzenia Parlamentu Europejskiego i Rady (WE) nr 1333/2008 poprzez ustanowienie unijnego wykazu dodatków do żywności (Dz. U. UE L 295/1); rozporządzenie Komisji (UE) nr 232/2012 z 16 marca 2012 r. zmieniające załącznik II do rozporządzenia Parlamentu Europejskiego i Rady (WE) nr 1333/2008 w odniesieniu do warunków i poziomów stosowania żółcieni chinolinowej (E 104), żółcieni pomarańczowej FCF / żółcieni pomarańczowej S (E 110) i pąsu 4R, czerwieni koszenilowej A (E 124) (Dz. U. UE L 78/2).

7. Z chemicznego na ludzki, czyli jak czytać etykiety

Etykietowanie żywności reguluje w szczególności rozporządzenie Ministra Rolnictwa i Rozwoju Wsi z 10 lipca 2007 r. w sprawie znakowania środków spożywczych (Dz. U. 2007 nr 137 poz. 966 z późn. zm.).

ROZDZIAŁ III. BRZYDKIE WYRAZY
1. Cukier
O szkodliwym wpływie cukru na organizm człowieka możemy przeczytać w książce: B. Kropka, *Pokonaj alergię*, Skoczów 2009.

Kontrowersyjny aspartam został omówiony pod kątem swojego szkodliwego działania w następujących publikacjach: B. Statham, *E 213. Tabele dodatków i składników chemicznych, czyli co jesz i czym się smarujesz*, tłum. K. Tryc, Warszawa 2006; I. Zielińska, M. Czerwionka-Szafarska, *Nadwrażliwość na substancje dodawane do żywności – niedoceniany problem w praktyce pediatrycznej*, „Przegląd Pediatryczny" 2008, t. 38, nr 4.

Natomiast o rehabilitacji aspartamu możemy przeczytać na stronie internetowej: http://www.cufic.org/index/pl/, dostęp 25.04.2013.

a. Słodycze

O szkodliwym działaniu białej mąki i białego cukru w pożywieniu dowiedziałam się z książki *Pokonaj alergię*. Autorka książki do szkodliwych produktów zalicza także mleko krowie. W niniejszym poradniku przedstawiony został nieco odmienny pogląd, a mianowicie przekonanie o szkodliwości mleka przetworzonego, a nie mleka jako takiego: B. Kropka, *Pokonaj alergię*, Skoczów 2009.

b. Przegryzki

Definicję substancji „akryloamid", a także jej stężenie w niektórych produktach spożywczych podaje artykuł: J. Jankowska, J. Helbin, A. Potocki, *Akryloamid jako substancja obca w żywności*, „Problemy Higieny i Epidemiologii" 2009, t. 90, nr 2.

2. Mleko & Co.

Definicje niektórych procesów (pasteryzacja i ultrawysoka temperatura), jakim podlegają mleko i produkty nabiałowe, znajdują się w rozporządzeniu (WE) nr 853/2004 Parlamentu Europejskiego i Rady z 29 kwietnia 2004 r. ustanawiającym szczególne przepisy dotyczące higieny w odniesieniu do żywności pochodzenia zwierzęcego (Dz. U. UE L 139/1).

Model skoncentrowanego karmienia zwierząt, w tym krów, opisano na stronie internetowej: znakiczasu.pl/szlachetne-zdrowie/145-czy-wiesz-co-jesz--mieso-ktore-truje, dostęp 23.04.2013.

O wpływie utlenionego cholesterolu na rozwój miażdżycy możemy przeczytać w artykule naukowym B. Bałasińskiej i A. Mazur, *Utlenione tłuszcze z diety mogą uczestniczyć w rozwoju miażdżycy*, na stronie internetowej: www.phmd.pl/fulltxt.php?ICID=12229, dostęp 16.04.2013.

a. Masło czy margaryna? Oto jest pytanie

Definicja masła znajduje się w rozporządzeniu Rady (WE) nr 1234/2007 z 22 października 2007 r. ustanawiającym wspólną organizację rynków rolnych oraz przepisy szczegółowe dotyczące niektórych produktów rolnych („rozporządzenie o jednolitej wspólnej organizacji rynku" (Dz. U. UE L 299/2).

3. Czy z tej mąki będzie chleb?

Historię rafinacji różnych produktów spożywczych (w tym pszenicy) można prześledzić, czytając książkę: M. Pollan, *W obronie jedzenia*, tłum. E.K. Suskiewicz, Pruszków 2010.

Rewolucyjne spojrzenie na pszenicę rzuca książka amerykańskiego kardiologa. Z niej także pochodzi teoria o wpływie pszenicy na rozwój cukrzycy: W. Davis, *Dieta bez pszenicy*, tłum. R. Palewicz, Wrocław 2013.

ROZDZIAŁ V. JAK JEM KASZĘ, NIE GRYMASZĘ!

Cytat „Jak jem kaszę, nie grymaszę" pochodzi z pięknie wydanej książki: B. Ogrodowska, *Tradycje polskiego stołu*, Warszawa 2010, s. 25. Tabelę gotowania kasz zaczerpnęłam z pozycji: B. Kropka, *Pokonaj alergię*, Skoczów 2009, s. 198.

ROZDZIAŁ VI. JAK PACHNIE BROKUŁ?

1. Warzywa i owoce

Coroczny raport amerykańskiej organizacji zajmującej się informowaniem konsumentów o wpływie produktów na zdrowie i środowisko Environmental Working Group (EWG), dotyczący najbardziej i najmniej zanieczyszczonych warzyw i owoców jest dostępny na stronie internetowej: http://www.ewg.org/foodnews/summary/, dostęp 02.03.2013.

O azotanach, ich wpływie na zdrowie oraz o kumulowaniu ich w warzywach traktuje artykuł: R. Wojciechowska, *Akumulacja azotanów a jakość produktów ogrodniczych*, który jest dostępny na stronie internetowej: http://fundacja.ogr. ar.krakow.pl/pdf/R.Wojciechowska_21-27.pdf, dostęp 09.03.2013.

Przepis na obniżenie zawartości pestycydów w żywności pochodzi z: J. Maslanky, *Zdrowe matki rodzą zdrowe dzieci*, Kraków 2013.

Najnowsze badania dotyczące szkodliwego wpływu fruktozy na zdrowie człowieka prezentują następujące pozycje książkowe: W. Davis, *Dieta bez pszenicy*, tłum. R. Palewicz, Wrocław 2013; T. Ferriss, *4-godzinne ciało*, Warszawa 2011.

2. Przemycanie warzyw

a. Warzywa strączkowe

Twórcą i propagatorem metody wychowawczej opierającej się na wykorzystaniu partnerskich umiejętności w wychowaniu dzieci był amerykański psycholog Thomas Gordon. Swoje założenia wyłożył m.in. w książce: T. Gordon, *Wychowanie bez porażek*, tłum. A. Makowska, E. Sujak, Warszawa 1999.

Technologia przygotowania warzyw strączkowych zaczerpnięta została z książki: B. Kropka, *Pokonaj alergię*, Skoczów 2009.

b. Zielenina
Pomysł na przemycanie zieleniny w formie koktajli zaczerpnęłam z książki V. Boutenko, *Rewolucja zielonych koktajli*, tłum. U. Smerecka, Wrocław 2010.

ROZDZIAŁ VII. ILE MIĘSA W MIĘSIE?
1. Mięso
Cechy świeżego i nieświeżego mięsa podaję za stronami internetowymi: http://kuchnia.wp.pl/zyj-zdrowo/health/1285/1/1/jak-rozpoznac-swieze--mieso-.html, dostęp 26.04.2013; http://palcelizac.gazeta.pl/palcelizac/2029020,110783,9780328.html, dostęp 26.04.2013.

O różnicach między tradycyjną a nowoczesną hodowlą trzody chlewnej przeczytamy na stronie internetowej: http://zielonewiadomosci.pl/tematy/ekologia/pasze-gmo-kto-zarabia-kto-traci/, dostęp 08.04.2013.

a. Wędzenie
Definicja tradycyjnego wędzenia mięsa i ryb znajduje się w książce: E. Trojan, J. Piotrowski, *Tradycyjne wędzenie*, Kraków [ok. 2008], s. 50, 77.

Opis nowoczesnego sposobu wędzenia znajduje się w artykule: H. Makała, *Substancje smakowo-zapachowe w przetwórstwie mięsa*, „Przemysł Spożywczy" 2010, t. 64, nr 5.

Regulacje prawne dotyczące nowoczesnego sposobu wędzenia oraz informacje o zasadach bezpieczeństwa stosowanych przy środkach aromatyzujących dymu wędzarniczego zawiera: rozporządzenie (WE) nr 2065/2003 Parlamentu Europejskiego i Rady z 10 listopada 2003 r. w sprawie środków aromatyzujących dymu wędzarniczego używanych lub przeznaczonych do użycia w środkach spożywczych lub na ich powierzchni (Dz. U. UE L 309/1).

Definicja środka aromatyzującego dymu wędzarniczego, a także obowiązek umieszczania na etykiecie produktu informacji o dodaniu do niego środków aromatyzujących dymu wędzarniczego pochodzi z rozporządzenia Parlamentu Europejskiego i Rady (WE) nr 1334/2008 z 16 grudnia 2008 r. w sprawie środków aromatyzujących i niektórych składników żywności o właściwościach aromatyzujących do użycia w oraz na środkach spożywczych oraz zmieniającego rozporządzenie Rady (EWG) nr 1601/91, rozporządzenia (WE) nr 2232/96 oraz (WE) nr 110/2008 oraz dyrektywę 2000/13/WE (Dz. U. UE L 354/34).

b. Grillowanie

Sposoby na zmniejszenie negatywnych skutków spożywania pokarmów grillowanych podaje strona internetowa: http://www.eufic.org/article/pl/page/FTARCHIVE/artid/Grillowanie-pieczenie-wedzenie-bezpiecznie-jedzeniem/, dostęp 11.04.2013.

ROZDZIAŁ VIII. ZDRÓW JAK RYBA?

1. Ryby

Okresy ochronne dotyczące połowu ryb zawarto w rozporządzeniu Ministra Rolnictwa i Rozwoju Wsi z 12 listopada 2001 r. w sprawie połowu ryb oraz warunków chowu, hodowli i połowu innych organizmów żyjących w wodzie (Dz. U. 2001 nr 138 poz. 1559 z późn. zm.).

Cechy świeżej i nieświeżej ryby zaczerpnęłam ze strony internetowej: http://pozytywnakuchnia.pl/jak-sprawdzic-swiezosc-ryby/, dostęp: 16.03.2013.

O szkodliwym wpływie związków rtęci na nasze zdrowie i zawartości tych substancji w tuńczyku, a także innych rybach możemy przeczytać w następujących publikacjach: Toksyczny tuńczyk, „Pro-test" 2006, nr 2 (52); R. Smith, B. Lourie, Mordercza gumowa kaczka, tłum. Z. Szachnowska-Olesiejuk, Katowice 2010; http://www.eufic.org/article/pl/artid/contaminants-in-fish/, dostęp 11.04.2013.

ROZDZIAŁ IX. TŁUSZCZE

O związku między smażeniem a powstawaniem szkodliwych związków WWA (policykliczne węglowodory aromatyczne) traktuje artykuł na stronie internetowej: http://www.eufic.org/article/pl/page/FTARCHIVE/artid/Grillowanie-pieczenie-wedzenie-bezpiecznie-jedzeniem/, dostęp 11.04.2013.

ROZDZIAŁ XII. *INSTANT* KARMA, CZYLI PRODUKTY BŁYSKAWICZNE

Informacja o tym, że kawa rozpuszczalna zawiera więcej niklu niż kawa ziarnista, dostępna jest na stronie internetowej: http://www.farmacjapraktyczna.pl/kawa-rozpuszczalna-czy-naturalna,zycie-jest-piekne,2223,50,1,1,pl, dostęp 29.04.2013.

ROZDZIAŁ XIII. SOKI I NAPOJE

Definicję soku i nektaru podaje rozporządzenie Ministra Rolnictwa i Rozwoju Wsi z 30 września 2003 r. w sprawie szczegółowych wymagań w zakresie jakości handlowej soków i nektarów owocowych (Dz. U. 2003 nr 177 poz. 1735 z późn. zm).

Informacje dotyczące zawartości cukru w sokach i nektarach owocowych są zawarte w rozporządzeniu Ministra Rolnictwa i Rozwoju Wsi z 10 lipca 2007 r. w sprawie znakowania środków spożywczych (Dz. U. 2007 nr 137 poz. 966 z późn. zm).

ROZDZIAŁ XIV. SŁOŃCE W SŁOIKU, CZYLI O PRZETWORACH
1. Dżemy

Tradycyjny sposób robienia powideł i wiele innych ciekawostek poznajemy dzięki publikacji: B. Ogrodowska, *Tradycje polskiego stołu*, Warszawa 2010.

ROZDZIAŁ XV. CZY WODA ZDROWIA DODA?

Rodzaje wód butelkowanych, a także tabelę składników potencjalnie toksycznych podają: rozporządzenie Ministra Zdrowia z 31 marca 2011 r. w sprawie naturalnych wód mineralnych, wód źródlanych i wód stołowych (Dz. U. 2011 nr 85 poz. 466); Ustawa z 9 czerwca 2011 r. Prawo geologiczne i górnicze (Dz. U. 2011 nr 163 poz. 981).

ROZDZIAŁ XVI. LEKI NIE Z BOŻEJ APTEKI
3. Suplementy

O tym, jak ważne są dla naszego zdrowia witaminy i minerały, można przeczytać w książce: J. Maslanky, *Od lekarza do grabarza*, Kraków 2011.

źródła ◆ 273

ROZDZIAŁ XVIII. ZWIERZĘ TEŻ CZŁOWIEK

Związek między jedzeniem przez zwierzęta żywności przetworzonej a zapadaniem przez nie na choroby „ludzkie" wykazuje w swojej książce Pat Thomas: P. Thomas, *Świadome zakupy, czyli co naprawdę kupujemy*, tłum. I. Szuwalska, Wrocław 2007.

Przed stosowaniem mieszanego sposobu karmienia psów przestrzega w swoim poradniku pani weterynarz: D. Sumińska, *Szczęśliwy pies*, Łódź 2004, s. 47.

ROZDZIAŁ XIX. PLASTIK NIE JEST *FANTASTIC*
2. Urządzenia, których dobrze byłoby się pozbyć z kuchni
a. Patelnia teflonowa
O zastosowaniu szkodliwego teflonu w wielu dziedzinach codziennego życia piszą w swojej książce dwaj panowie: R. Smith, B. Lourie, *Mordercza gumowa kaczka*, tłum. Z. Szachnowska-Olesiejuk, Katowice 2010.

b. Kuchenka mikrofalowa
Przed szkodliwym wpływem kuchenki mikrofalowej na zdrowie człowieka przestrzega w swojej książce dr Krop: J. Krop, *Ratujmy się – elementarz medycyny ekologicznej*, Gdańsk [ok. 2008].

c. Plastikowe naczynia – plastik nie jest *fantastic*
Wyliczankę, dzięki której zapamiętamy, jakie tworzywa sztuczne są szczególnie niebezpieczne, znajdziemy w książce: R. Smith, B. Lourie, *Mordercza gumowa kaczka*, tłum. Z. Szachnowska-Olesiejuk, Katowice 2010, s. 318.

W tej samej publikacji przeczytamy, które związki chemiczne występujące w naszym otoczeniu są szczególnie toksyczne i jaki mogą mieć na nas wpływ.

Ostrzeżenie przed podgrzewaniem żywności w plastikowych opakowaniach znajdziemy w publikacji: J. Krop, *Ratujmy się – elementarz medycyny ekologicznej*, Gdańsk [ok. 2008].

ROZDZIAŁ XX. RADY OGÓLNE
2. *Silva rerum*, czyli porad garść dla rodziców
O związku między ADHD a spożywaniem produktów zawierających m.in. sztuczne barwniki, konserwanty oraz żywność przetworzoną pisze w swojej książce: J. Maslanky, *Od lekarza do grabarza*, Kraków 2011.

ŹRÓDŁA INFORMACJI
O DODATKACH DO ŻYWNOŚCI

Za: B. Statham, *E 213. Tabele dodatków i składników chemicznych, czyli co jesz i czym się smarujesz*, tłum. K. Tryc, Warszawa 2006, podaję informacje o następujących dodatkach do żywności: 5'-rybonukleotyd disodowy (E 635), błękit brylantowy FCF (E 133), błękit patentowy V (E 131), disiarczyn sodu (pirosiarczyn sodu) (E 223), guanylan disodowy (E 627), guma konjac (E 425), hydroksypropylofosforan diskrobiowy (E 1442), inwertaza (E 1103), karmel amoniakalny (E 150c), karmina (kwas karminowy, koszenila) (E 120), kwas cyklaminowy i jego sole (E 952), kwas cytrynowy (E 330), kwas fosforowy (E 338), natamycyna (E 235), propionian wapnia (E 282), skrobia modyfikowana (E 1404), sól wapniowo-disodowa kwasu etylenodiaminotetraoctowego (EDTA wapniowo-disodowy) (E 385), sukraloza (E 955), węglany sodu (E 500), żelazocyjanek potasu (E 536), żółcień chinolinowa (E 104).

Za: http://www.cspinet.org/, podaję informacje o następujących dodatkach do żywności: acesulfam K (E 950), dostęp 24.04.2013; benzoesan sodu (E 211), dostęp 24.04.2013; sacharyna i jej sole (E 954), dostęp 25.04.2013.

Za: http://www.pttz.org/zyw/wyd/czas/2005,%202(43)%20Supl/20_Staniek. pdf, podaję informacje o dodatku do żywności acetylowanym adypinianie diskrobiowym (E 1422), dostęp 27.04.2013.

Za: http://alergologiainfo.pl/pl/articles/item/10081/nadwrazliwosc_na_ dodatki_do_pokarmow, podaję informacje o dodatku do żywności annato (rocou) (E 160b), dostęp 24.04.2013.

Za: http://www.sigmaaldrich.com/poland.html, podaję informacje o następujących dodatkach do żywności: aspartam (E 951), dostęp 24.04.2013; azotan potasu (E 252), dostęp 24.04.2013; czerwień koszenilowa A (ponceau 4R) (E 124), dostęp 24.04.2013; etylowanilina, dostęp 27.04.2013; galusan propylu (E 310), dostęp 08.05.2013; karagen (E 407), dostęp 25.04.2013;

lizozym (E 1105), dostęp 25.04.2013; żółcień pomarańczowa FCF (E 110), dostęp 25.04.2013.

Za: http://www.food-info.net/pl/, podaję informacje o następujących dodatkach do żywności: azorubina (E 122), dostęp 24.04.2013; azotyny i pochodne: azotyn potasu (E 249) i azotyn sodu (E 250), dostęp 27.04.2013; butylohydroksyanizol (E 320), dostęp 08.05.2013; czerń brylantowa PN (E 151), dostęp 24.04.2013; dwutlenek siarki (E 220), dostęp 27.04.2013; guma arabska (E 414), dostęp 24.04.2013; indygotyna (E 132), dostęp 25.04.2013; mannitol (E 421), dostęp 27.04.2013; mleczan wapnia (E 327), dostęp 25.04.2013; sorbitol (E 420), dostęp 16.04.2013; tartrazyna (E 102), dostęp 25.04.2013.

Za: http://www.poch.com.pl/, podaję informacje o następujących dodatkach do żywności: chlorek potasu (E 508), dostęp 24.04.2013; dwusiarczyn potasu (E 224), dostęp 24.04.2013; sorbinian potasu (E 202), dostęp 25.04.2013.

Za: http://ull.chemistry.uakron.edu/, podaję informacje o następującym dodatku do żywności: inozynian disodowy (E 631), dostęp 25.04.2013.

Za: I. Zielińska, M. Czerwionka-Szafarska, *Nadwrażliwość na substancje dodawane do żywności – niedoceniany problem w praktyce pediatrycznej*, „Przegląd Pediatryczny" 2008, t. 38, nr 4, podaję informacje o następujących dodatkach do żywności: glutaminian monosodowy (E 621), kwas sorbowy (E 200), siarczyny i pochodne: siarczyn sodu (E 221) i siarczyn wapnia (E 226).

Za: http://www.chemicalbook.com/, podaję informacje o dodatku do żywności etylowanilinie, dostęp 12.04.2013.

Za: sciencelab.com, podaję informacje o dodatku do żywności wanilinie, dostęp 15.04.2013.

INDEKS NAZW

PODZIĘKOWANIA

Poradnik dedykuję swojemu mężowi i dzieciom, ponieważ głównie dzięki nim mógł on powstać. Gdyby nie eksperyment, któremu – chcąc nie chcąc – zostali poddani, nie mogłabym obserwować reakcji na poszczególne składniki pożywienia i nie miałabym na kim z miłością testować swoich kulinarnych „wynalezisk".

Osobą, która oprócz mojego męża nakłaniała mnie do tego, aby spisać wszystkie swoje zdrowojedzeniowe „odkrycia" i „olśnienia", była mec. Małgosia Liśkiewicz. Ona też heroicznie kupowała dla mnie książki tematyczne, a także wyszukiwała przeróżne informacje i ciekawostki, które mogłam wykorzystać w poradniku. Pod jej czujnym okiem powstawały odwołania do przepisów prawa polskiego i prawa Unii Europejskiej.

Duży wkład merytoryczny w niniejszy poradnik wniosła Jadzia Grzybacz. Wiele uwag znalazło się w tej książce dzięki jej kierunkowemu wykształceniu, rozległej wiedzy w wielu dziedzinach, a także dzięki naprawdę solidnie rozwiniętemu zdrowemu rozsądkowi. Z tych samych przyczyn – za co jestem również bardzo wdzięczna – wiele zapisków zastało z poradnika usuniętych.

Wielkie podziękowania należą się również Oli Hudymač, która była moją konsultantką stylistyczno-satyryczną przez cały okres pisania poradnika. Sporo kulawych zdań odzyskało pełną sprawność, a wiele zwykłych sformułowań „ożyło" dzięki wyczuciu stylistycznemu i zacięciu satyrycznemu Oli.

Za cierpliwe wyjaśnianie złożoności związków chemicznych i merytoryczną opiekę nad poradnikiem składam serdeczne podziękowania dr nauk chemicznych Elżbiecie Wendzie. Pragnę jeszcze wyrazić wdzięczność osobom, których doświadczenia mogłam przytoczyć w książce. Swoją wiedzą farmaceutyczną dzieliła się ze mną Ania Misiak, a Marianna Ludomirska na potrzeby niniejszego poradnika wymyśliła kilka świetnych przepisów.

Prawdopodobnie nigdy nie doszłoby do napisania tego poradnika, gdyby nie inspiracja lekturą pewnych książek. *Pokonaj alergię* Bożeny Kropki, *E 213. Tabele dodatków i składników chemicznych, czyli co jesz i czym się smarujesz* Billa Stathama oraz *Czy wiesz, co jesz?* Katarzyny Bosackiej w jakiś sposób wpłynęły na zmianę mojego myślenia o jedzeniu i ukierunkowały moje poszukiwania w tej dziedzinie.

Dziękuję również redaktorowi prowadzącemu Damianowi Strączkowi za życzliwą pomoc podczas pracy nad tym poradnikiem.

Szczególne podziękowania należą się moim rodzicom i teściom. Za wszystko.